Pamięci moich przyjaciółek
Mary Carey
Jean Livermore
Meldy Buchanan

Uciekinierka

Carla usłyszała nadjeżdżający samochód, nim jeszcze pokonał niewielkie wzniesienie na drodze, które nazywano tu wzgórzem. „To ona" – pomyślała. „Pani Jamieson – Sylvia – wraca z wakacji w Grecji". Przez drzwi stajni, ale stojąc w głębi, tak aby nie było jej widać, obserwowała drogę, którą musiała przejechać pani Jamieson. Jej dom stał kilkaset metrów dalej, za domem Clarka i Carli.

Gdyby to do nich ktoś jechał, już teraz musiałby zwolnić przed skrętem w ich bramę. Carla wciąż miała nadzieję. „Niech to nie będzie ona".

To była ona. Pani Jamieson raz, prędko, spojrzała w bok, zaabsorbowana manewrowaniem między koleinami i kałużami na żwirowanej drodze, ale nie uniosła ręki znad kierownicy, czyli nie zauważyła Carli. Carla spostrzegła błysk opalonego, nagiego ramienia, jaśniejszych niż przedtem włosów, bardziej teraz białych niż srebrzystoblond, i wyraz twarzy – zdecydowany, zirytowany i rozbawiony własną irytacją – tak typowy dla pani Jamieson podczas zmagania się z tą drogą. W tym jej szybkim spojrzeniu Carla zauważyła coś jakby zaciekawienie, nadzieję, i aż się cofnęła.

No, tak.

Może Clark jeszcze nie wiedział. Jeśli siedział przy komputerze, to tyłem do okna i do drogi.

Pani Jamieson mogła jednak znowu wyjechać z domu. Może po drodze z lotniska nie wstąpiła do sklepu po jedzenie i dopiero na miejscu zorientuje się, co trzeba kupić. Wtedy Clark może ją zobaczyć. A po ciemku będzie widać światła w jej domu. Ale w lipcu późno robi się ciemno. Może pani Jamieson będzie tak zmęczona, że pójdzie wcześnie spać i w ogóle nie zapali lampy.

Z drugiej strony może zadzwonić. Lada chwila.

Tego lata padało i padało. Deszcz od samego rana głośno bębnił w dach ich ruchomego domu. Ścieżki przykrywało błoto, długie źdźbła trawy nasiąkły wodą, a z liści spadały nagłe strużki nawet wtedy, kiedy deszcz nie padał i wydawało się, że się przejaśnia. Carla za każdym razem, gdy wychodziła z domu, wkładała wysoki australijski filcowy kapelusz z szerokim rondem i wtykała swój długi i gruby warkocz za kołnierz koszuli.

Nikt się nie zgłaszał na przejażdżki terenowe, mimo że Carla i Clark rozwiesili ogłoszenia na wszystkich kempingach, w kawiarniach, na tablicy ogłoszeń biura turystycznego i wszędzie, gdzie im tylko przyszło do głowy. Na lekcje przyjeżdżało zaledwie kilku uczniów, tych samych co zawsze, a nie całe grupy dzieci z obozów letnich organizowanych w okolicy, jakie były dla nich źródłem zarobku poprzedniego lata. I nawet ci stali uczniowie, na których liczyli, opuszczali lekcje z powodu wakacyjnych wyjazdów albo zwyczajnie odwoływali je przez tę paskudną pogodę. Jeśli dzwonili zbyt późno, Clark i tak obciążał ich opłatą za zajęcia. Kilka osób zaprotestowało i całkiem zrezygnowało.

Wciąż mieli pieniądze za trzymanie trzech obcych koni. Te trzy i ich cztery były teraz na polu, grzebały w trawie pod drzewami. Wyglądały, jakby nic ich nie obchodziło, że deszcz na chwilę ustał, tak jak często zdarzało się to po południu. W sam raz, aby nabrać nadziei – chmury rozjaśniały się i rzedniały, przepuszczając rozproszoną jasność, która nigdy nie stawała się prawdziwym światłem słonecznym i zwykle znikała przed kolacją.

Carla skończyła czyścić stajnię. Nie spieszyła się – lubiła rytm regularnych zajęć, rozległą przestrzeń pod wysokim dachem stajni, zapach koni. Teraz podeszła do areny, aby sprawdzić, czy ziemia jest sucha, na wypadek gdyby zjawił się uczeń z lekcji o godzinie piątej.

Zwykle opady nie były zbyt obfite i nie towarzyszył im wiatr, ale poprzedniego tygodnia powietrze nagle zawirowało, gwałtowny podmuch wichury przeleciał przez wierzchołki drzew i nadeszła niemal pozioma ulewa. Burza nie trwała dłużej niż kwadrans, lecz na drodze zostały połamane gałęzie, a wiatr zerwał linie wysokiego napięcia i zniszczył kawał plastikowego dachu nad areną. Na końcu toru pojawiła się kałuża przypominająca małe jeziorko i Clark do późna kopał kanał, aby odprowadzić wodę.

Dachu wciąż nie naprawiono. Clark rozciągnął siatkę, aby konie nie wchodziły w błoto, a Carla wytyczyła krótszy tor.

Clark szukał właśnie w internecie jakiegoś miejsca, gdzie mógłby kupić materiał do naprawy dachu. Jakiegoś punktu sprzedaży z cenami na miarę ich możliwości albo kogoś, kto ma taki materiał na zbyciu. Nie zamierzał iść do miasta, do sklepu z materiałami budowlanymi Hy'a i Roberta Buckleyów, który nazywał Rozbojem w Biały Dzień, bo nie dość, że był im winien kupę forsy, to jeszcze ostro się z nimi pokłócił.

Clark kłócił się nie tylko z tymi, którym był winien pieniądze. Jego początkowo przyjacielskie nastawienie mogło się nagle diametralnie zmienić. Tam, dokąd sam nie chciał chodzić z powodu jakiejś awantury, wysyłał Carlę. Jednym z takich miejsc była drogeria. Jakaś staruszka wepchnęła się przed nim do kolejki, to znaczy wróciła po coś, czego zapomniała kupić, i nie stanęła na końcu, tylko przed Clarkiem, a on zwrócił jej uwagę. „Ona ma rozedmę płuc" – powiedziała mu kasjerka. „Naprawdę? A ja mam hemoroidy" – odparł Clark, na co zawołano kierownika, który upomniał go za niestosowne zachowanie. W barze kawowym przy autostradzie Clark nie dostał reklamowanej zniżki na śniadanie, ponieważ minęła już jedenasta. Najpierw sie wykłócał, a potem rzucił na podłogę kubek z kawą, którą wziął na wynos, i o mało nie oparzył dziecka w wózku. Upierał się, że dziecko było daleko, a on niechcący upuścił kubek, bo nie dostał na niego specjalnej obrączki. Usłyszał na to, że o nią nie poprosił, i odburknął, że powinien był dostać bez proszenia.

– Zbyt łatwo wpadasz w złość – stwierdziła Carla.

– Jak wszyscy faceci.

Nic mu nie powiedziała na temat jego kłótni z Joy Tucker. Joy, bibliotekarka z miasta, trzymała u nich swego konia – porywczą małą kasztankę Lizzie, którą w przypływach dobrego humoru nazywała Lizzie Borden. Wczoraj przyjechała w bardzo złym humorze i miała pretensje o wciąż nienaprawiony dach i kiepski wygląd Lizzie, który mógł być oznaką przeziębienia.

Lizzie oczywiście nic nie dolegało. Clark – wyjątkowo jak na niego – starał się udobruchać Joy. Ale tym razem to ona wpadła w złość i stwierdziła, że ich miejsce przypomina wysypisko śmieci i że Lizzie zasługuje na coś lepszego, na co Clark powiedział: „Rób se pani, jak chcesz". Joy na razie jeszcze nie zabrała konia, choć Carla spodziewała się, że to zrobi. Za to Clark, który wcześniej traktował kasztankę jak swoje ulubione zwierzę, nie chciał już się nią zajmować. W rezultacie urażona Lizzie narowiła się podczas treningów i buntowała się, kiedy trzeba jej było wyczyścić kopyta. Carla robiła to codziennie, aby nie dopuścić do grzybicy; musiała uważać, żeby Lizzie nie chapnęła jej zębami.

Carlę najbardziej martwiło jednak zniknięcie Flory, małej białej kózki, która w stajni i w terenie dotrzymywała koniom towarzystwa. Nie pokazała się od dwóch dni. Carla obawiała się, że dopadły ją dzikie psy albo kojoty, a może nawet niedźwiedź.

Flora śniła się jej przez dwie poprzednie noce. W pierwszym śnie podeszła do łóżka z czerwonym jabłkiem w pysku, natomiast w drugim na widok Carli uciekła. Utykała, jakby coś jej się stało w nogę, ale i tak uciekała. Dobiegła do barykady z drutu kolczastego, która wyglądała jak przeniesiona z pola bitwy, mimo zranionej nogi prześlizgnęła się między drutami jak jakiś biały węgorz i znikła.

Konie wcześniej zauważyły, że Carla przeszła przez arenę, i wszystkie podeszły do ogrodzenia – przemoczone, choć były przykryte nowozelandzkimi derkami – tak, aby zwrócić na siebie jej uwagę, kiedy będzie wracać. Po cichu przeprosiła, że przyszła z pustymi rękami. Pogłaskała je po szyjach i potarła im chrapy, pytając, czy nie wiedzą, co się stało z Florą.

Grace i Juniper prychnęły i trąciły ją nozdrzami, jakby wiedziały, o co chodzi, i dzieliły jej niepokój, ale zaraz wcisnęła się między nie Lizzie i odtrąciła łeb Grace od łagodnej ręki Carli. Na dodatek złapała jej dłoń zębami i Carla musiała na nią nakrzyczeć.

Jeszcze trzy lata wcześniej Carla nie zwracała uwagi na ruchome domy. Nawet ich tak nie nazywała. Podobnie jak jej rodzice uważała to określenie za pretensjonalne. Niektórzy ludzie mieszkają w przyczepach kempingowych i tyle. Jedna przyczepa niczym się nie różni od drugiej. Kiedy się tu przeprowadziła, kiedy wybrała takie życie z Clarkiem, zobaczyła sprawy w innym świetle. Zaczęła mówić o „ruchomych domach" i przyglądać się, jak inni je sobie urządzili. Jakie powiesili firanki, jak pomalowali listwy, co sobie dobudowali – patio, dodatkowe pomieszczenia, ambitne tarasy. Nie mogła się doczekać, kiedy sama się tak urządzi.

Początkowo Clark zgadzał się na jej pomysły. Zrobił nowe schodki i długo szukał do nich starej poręczy z kutego żelaza. Nie narzekał, że Carla wydaje pieniądze na farbę do kuchni i łazienki czy na materiał na zasłonki. Remont nie bardzo jej się udał – wtedy jeszcze nie wiedziała, że przed malowaniem trzeba zdjąć z zawiasów drzwiczki do szafek. Albo że trzeba podszyć zasłonki, które i tak już dawno wypłowiały.

Clark sprzeciwił się jednak zerwaniu i wymianie wykładziny, identycznej we wszystkich pomieszczeniach, a na tym Carli najbardziej zależało. Wykładzina składała się z małych brązowych kwadratów, a na każdym z nich powtarzał się wzór z ciemniejszych brązowych, rdzawych i beżowych esów-floresów i nieregularnych kształtów. Długo myślała, że na każdym kwadracie te wzory są takie same, ale kiedy miała więcej, wręcz bardzo dużo czasu, aby im się przyjrzeć, doszła do wniosku, że łączą się, po cztery, w jednakowe, większe kwadraty. Czasem łatwo odróżniała granice między kwadratami, a czasem musiała im się uważnie przyglądać.

Robiła to, kiedy padał deszcz, zły nastrój Clarka wypełniał całe pomieszczenie, a on sam nie zwracał uwagi na nic oprócz ekranu komputera. Ale wtedy najlepiej było znaleźć sobie jakieś zajęcie w stajni. Konie nie patrzyły na nią, gdy była nieszczęśliwa, jedynie Flora, której nigdy nie uwiązywano, podchodziła i ocierała się o Carlę, spoglądając na nią z wyrazem nie tyle sympatii, co koleżeńskiej kpiny w błyszczących, żółtozielonych oczach.

Flora była młodym koźlęciem, kiedy Clark przyprowadził ją do domu z jakiejś fermy, dokąd poszedł się targować o koński sprzęt. Właściciele zamierzali zrezygnować z wiejskiego życia, a przynajmniej z hodowli zwierząt. Sprzedali konie, ale nie udało im się pozbyć kóz. Clark słyszał, że koza wprowadza w stajni poczucie spokoju i komfortu, i sam chciał się o tym przekonać. Zamierzali pewnego dnia Florę rozmnożyć, nigdy jednak nie pojawiły się żadne znaki, że już do tego dojrzała.

Z początku była ulubienicą Clarka, wszędzie za nim chodziła i nieustannie domagała się jego uwagi. Była zwinna, zgrabna i ruchliwa jak kociak, a jej podobieństwo do prostolinijnej, zakochanej dziewczyny śmieszyło ich oboje. Jednakże w miarę upływu czasu Flora coraz bardziej przywiązywała się do Carli, a jednocześnie stawała się mądrzejsza, mniej płochliwa i nabierała bardziej powściągliwego i ironicznego poczucia humoru. W stosunku do koni Carla zachowywała się opiekuńczo, surowo i po matczynemu, ale jej kontakt z Florą był zupełnie inny; koza nie pozwalała jej na okazywanie poczucia wyższości.

– Wciąż ani śladu Flory? – spytała, ściągając buty, które zawsze wkładała do stajni.

Clark zamieścił ogłoszenie w internecie.

– Na razie nie – odparł dość przyjacielskim tonem, choć wyraźnie był zaabsorbowany własnymi myślami. Po czym któryś już raz stwierdził, że może Flora poszła poszukać sobie kozła.

Ani słowa o pani Jamieson. Carla włączyła czajnik. Clark nucił pod nosem; często to robił, siedząc przed monitorem.

Czasem rozmawiał z komputerem. „Bzdura" – mówił, odpowiadając na jakieś wyzwanie. Albo się śmiał, choć gdy Carla pytała, nie potrafił powiedzieć, co go tak rozśmieszyło.

– Chcesz herbaty? – zawołała, a Clark, ku jej zdumieniu, wstał i przyszedł do kuchni.

– No – powiedział. – No, Carla.

– Co?

– No, zadzwoniła.

– Kto?

– Jej wysokość. Królowa Sylvia. Właśnie wróciła.

– Nie słyszałam samochodu.

– Nie pytam, czy słyszałaś.

– Po co dzwoniła?

– Chce, żebyś przyszła i pomogła jej sprzątać. Tak powiedziała. Jutro.

– Co jej odpowiedziałeś?

– Że oczywiście przyjdziesz. Ale lepiej zadzwoń i potwierdź.

– Nie wiem po co, jeśli już się zgodziłeś – stwierdziła Carla. Nalała herbaty do kubków. – Posprzątałam cały dom przed jej wyjazdem. Nie mam pojęcia, co tam jest tak od razu do roboty.

– Może jak jej nie było, weszły jakieś czarnuchy i narobiły bałaganu. Nigdy nic nie wiadomo.

– Nie muszę do niej dzwonić akurat w tej chwili – powiedziała. – Chcę się napić herbaty i wziąć prysznic.

– Im prędzej, tym lepiej.

– Musimy się wybrać do pralni. Ręczniki nawet po wyschnięciu śmierdzą zgnilizną – oznajmiła Carla, idąc z herbatą do łazienki.

– Nie zmieniamy tematu, Carla.

Nawet kiedy już weszła pod prysznic, stanął przed drzwiami i zawołał:

– Nie odpuszczę ci, Carla.

Wychodząc, myślała, że wciąż będzie tam tkwił, ale on wrócił do komputera. Ubrała się jak do miasta – miała nadzieję, że jeśli wyjdą z domu, pojadą do pralni, wstąpią do kawiarni, to może uda im się porozmawiać inaczej i dojść do porozumienia. Energicznym krokiem weszła do pokoju i objęła Clarka od tyłu. Ale gdy tylko to zrobiła, zalała ją fala żalu – pewnie to ciepły prysznic wyzwolił łzy – i pochyliła się nad nim z płaczem.

Zdjął ręce z klawiatury, ale się nie ruszył.

– Nie złość się na mnie – poprosiła.

– Nie złoszczę się, tylko nie znoszę, kiedy się tak zachowujesz.

– Zachowuję się tak, bo się złościsz.

– Nie mów mi, co robię. Dusisz mnie. Zrób kolację.

Poszła do kuchni. Teraz było już jasne, że uczeń z lekcji o piątej nie przyjdzie. Carla wyjęła kartofle i zaczęła je obierać, ale nie mogła powstrzymać łez i nie widziała, co robi. Wytarła twarz papierowym ręcznikiem, urwała jeszcze kawałek i wyszła na deszcz. Nie poszła do stajni, bo bez Flory było tam bardzo smutno. Ruszyła ścieżką w stronę lasu. Konie były na drugim wybiegu. Podeszły do ogrodzenia i bacznie się jej przyglądały. Oprócz Lizzie, która trochę prychała i wierzgała, wszystkie miały dość rozumu, by zauważyć, że Carla jest myślami gdzie indziej.

Wszystko zaczęło się, kiedy przeczytali nekrolog, nekrolog pana Jamiesona. Ukazał się w miejskiej gazecie, a fotografia zmarłego pojawiła się w wieczornych wiadomościach. Jeszcze rok wcześniej znali Jamiesonów jedynie jako sąsiadów, którzy trzymali się na uboczu. Ona uczyła botaniki na uczelni oddalonej o ponad sześćdziesiąt kilometrów i w związku z tym spędzała wiele czasu w drodze. On był poetą.

Tyle wszyscy wiedzieli. Pan Jamieson zajmował się jednak różnymi rzeczami. Jak na poetę i człowieka w podeszłym wieku – był chyba ze dwadzieścia lat starszy od pani Jamieson – żył aktywnie i wyglądał na wytrzymałego. Ulepszył na swoim terenie system odwadniający, czyszcząc kanał i wykładając go kamieniami. Przekopał ziemię, założył ogród warzywny i otoczył go płotem, wyciął ścieżki w lesie, zajmował się domowymi naprawami.

Sam dom był dziwnym budynkiem o trzech ścianach, który pan Jamieson wybudował przed laty, z przyjaciółmi, na fundamentach zniszczonej fermy. Tych ludzi nazywano hipisami, choć pan Jamieson był na to trochę za stary, nawet jeszcze zanim pojawiła się pani Jamieson. Podobno hodowali w lesie marihuanę, sprzedawali ją, a pieniądze chowali w zamkniętych szklanych słoikach zagrzebanych w ziemi. Clark słyszał o tym od ludzi, których poznał w mieście. Mówił, że to bzdury.

– Inaczej już dawno ktoś by tam poszedł i je wykopał. Znaleziono by sposób, żeby zmusić go do pokazania tych miejsc.

Carla i Clark, kiedy przeczytali nekrolog, dowiedzieli się, że Leon Jamieson pięć lat przed śmiercią dostał dużą nagrodę pieniężną. Nagrodę za poezję. Nikt o tym wcześniej nie wspominał. Wyglądało na to, że ludzie są w stanie uwierzyć w pieniądze za trawkę schowane w słoikach, ale nie w pieniądze za pisanie wierszy.

Wkrótce potem Clark powiedział:

– Moglibyśmy zażądać, żeby nam zapłacił.

Carla od razu wiedziała, o czym mówi, ale potraktowała to jako żart.

– Już za późno – stwierdziła. – Jak nie żyjesz, nie możesz płacić.

– On nie może, ale ona tak.

– Pojechała do Grecji.

– Nie na zawsze.

– Ona o niczym nie wiedziała – powiedziała poważnie Carla.

– Przecież nie mówię, że wiedziała.

– Nie ma o tym pojęcia.

– Możemy ją uświadomić.

– Nie. Nie.

Clark mówił dalej, jakby Carla w ogóle się nie odezwała.

– Moglibyśmy powiedzieć, że pójdziemy do sądu. Ludzie cały czas dostają pieniądze za takie rzeczy.

– Jak mógłbyś coś takiego zrobić? Nie można podać do sądu zmarłej osoby.

– Można postraszyć gazetami. Znany poeta. Gazety zaraz by się rzuciły. Musimy ją tylko postraszyć, a ona się złamie.

– Fantazjujesz – powiedziała Carla. – Żartujesz sobie.

– Nie – odparł Clark. – Mówię zupełnie poważnie.

Carla stwierdziła, że nie chce o tym więcej rozmawiać, i Clark zamilkł.

Ale wrócił do tematu następnego dnia, i następnego, i następnego. Czasem miewał takie niewykonalne, może nawet nielegalne pomysły. Mówił o nich z rosnącym entuzjazmem, a potem – nie bardzo wiedziała dlaczego – nagle je porzucał. Gdyby deszcz przestał wreszcie padać, gdyby w końcu zrobiło się normalne lato, może by zostawił i ten pomysł, jak wiele innych. Jednakże tak się nie stało i przez ostatni miesiąc ciągle o nim mówił, jakby to było coś zupełnie realnego i zwyczajnego. Miał wątpliwości jedynie co do sumy. Za mało, i kobieta nie potraktuje ich serio, pomyśli, że blefują. Za dużo, a wycofa się i usztywni.

Carla przestała mówić, że to żart. Teraz tłumaczyła mu, że i tak się nie uda. Że zdaniem ludzi poeci tacy już są. I dlatego nie warto płacić, aby coś takiego zatuszować.

Clark twierdził, że jak się to dobrze załatwi, to się uda. Carla miała się załamać nerwowo i opowiedzieć pani Jamieson całą historię. Potem wkroczyłby on, udając zaskoczonego, jakby dopiero się o wszystkim dowiedział. Z prawdziwym oburzeniem zagroziłby poinformowaniem całego świata. I pozwoliłby, aby to pani Jamieson pierwsza wspomniała o pieniądzach.

– Zranił cię. Molestował cię i upokorzył, i mnie też to zraniło i upokorzyło, ponieważ jesteś moją żoną. To kwestia szacunku.

Wciąż mówił do niej w ten sposób i choć próbowała mu to wyperswadować, nalegał.

– Obiecaj mi – żądał. – Obiecaj.

A wszystko przez to, co mu opowiedziała i czego nie mogła teraz cofnąć ani odwołać.

– *Czasem się mną interesuje.*

– *Ten stary?*

– *Czasem woła mnie do swojego pokoju, jak jej nie ma.*

– *Tak?*

– *Kiedy ona musi wyjść na zakupy i pielęgniarki też nie ma.*

Taki miała szczęśliwy pomysł, który od razu przypadł mu do gustu.

– *I co wtedy robisz? Idziesz do niego?*

Udawała zawstydzoną.

– *Czasem.*

– *Woła cię do swojego pokoju. No i? Carla? I co wtedy?*

– *Idę, żeby zobaczyć, czego chce.*

– *I czego chce?*

Szeptane pytania i odpowiedzi, nawet jeśli nikt nie mógł ich usłyszeć, nawet gdy byli w sennej krainie swojego łóżka. Łóżkowa opowieść, w której ważne były szczegóły, coraz więcej szczegółów dodawanych z przekonującym wahaniem, nieśmiałością, chichotem, („brzydko, brzydko"). I nie tylko on chętnie i z wdzięcznością słuchał. Ona równie chętnie opowiadała, żeby sprawić mu przyjemność i go podniecić, i żeby podniecić siebie. I była wdzięczna za każdym razem, kiedy się udawało.

Dla jakiejś części jej umysłu to była prawda, widziała starego, napalonego mężczyznę pod wybrzuszonym prześcieradłem, przykutego do łóżka, prawie niemego, ale sprawnego w języku gestów, sygnalizującego swe pożądanie, próbującego nakłonić ją do zgodnego współuczestnictwa i intymności. (Po czym następowała jej oczywista odmowa, choć Clark zdawał się tym jakby dziwnie rozczarowany).

Czasem nasuwał jej się obraz, który musiała szybko odrzucić, żeby wszystkiego nie popsuć. Myślała o tym prawdziwym niekształtnym ciele przykrytym prześcieradłem, otępionym lekami i z każdym dniem kurczącym się coraz bardziej na wynajętym szpitalnym łóżku, które widziała zaledwie parę razy, kiedy pani Jamieson albo pielęgniarka zapomniały zamknąć drzwi. W rzeczywistości nigdy się do niego nie zbliżyła.

W gruncie rzeczy bała się chodzić do Jamiesonów, ale potrzebowała pieniędzy i było jej żal pani Jamieson, która wyglądała na znękaną i oszołomioną, jakby poruszała sie we śnie. Raz czy drugi Carla nie wytrzymała i aby rozluźnić napiętą atmosferę, zrobiła coś naprawdę głupiego. Podobne rzeczy robiła, kiedy niezgrabni i przerażeni nowi uczniowie czuli się upokorzeni na lekcjach jazdy konnej. Próbowała tego też, kiedy Clark zacinał się w swoim ponurym nastroju. Z nim to już jednak nie działało. Za to opowieść o panu Jamiesonie działała jak najbardziej.

Nie dało się ominąć kałuży na ścieżce, ani długich, nasączonych wodą źdźbeł trawy obok niej, ani dzikiej marchwi, która niedawno zakwitła. Jednak było dość ciepło i Carla nie czuła chłodu. Ubranie miała kompletnie przemoczone, jakby od własnego potu albo łez spływających jej po twarzy razem z deszczem. Płacz z czasem ustał. Nie miała w co wytrzeć nosa – papierowy ręcznik całkiem zamókł – ale pochyliła się i wysmarkała w kałużę.

Podniosła głowę i udało jej się długo i przenikliwie zagwizdać. To był jej sygnał – Clarka też – dla Flory. Odczekała kilka minut i głośno ją zawołała. Raz po raz: gwizd i wołanie, gwizd i wołanie.

Flora nie odpowiedziała.

Ale ból po utracie Flory, może na zawsze, był niemal ulgą w porównaniu z tym, w co się wplątała w związku z panią Jamieson i z huśtawką humorów Clarka. Przynajmniej zniknięcie kozy nie miało żadnego związku z tym, co Carla źle zrobiła.

W domu Sylvia nie miała co robić. Otworzyła okna i pomyślała – z utęsknieniem, które ją zaniepokoiło, ale tak naprawdę nie zdziwiło – że niedługo zobaczy Carlę.

Wszystkie utensylia związane z chorobą zostały usunięte. Pokój, który najpierw był sypialnią Sylvii i jej męża, a potem pomieszczeniem, w którym on umierał, posprzątano i urządzono tak, jakby nic się w nim nie zdarzyło. Carla pomogła we wszystkim podczas tych kilku gorączkowych dni między krematorium a wyjazdem do Grecji. Wszystkie ubrania, jakie Leon kiedykolwiek miał na sobie, a także te, których nie nosił, wraz z prezentami od jego sióstr, nie wyjętymi nawet z opakowań, włożono na tylne siedzenie samochodu i zawieziono do sklepu z używaną odzieżą. Jego pigułki, przybory do golenia, nieotwarte puszki energetyzującego napoju, który podtrzymywał go na siłach, jak długo jeszcze się dało, kartony sezamków, które w pewnym momencie jadł w dużych ilościach, plastikowe butelki z płynem, który pomagał na bóle pleców, owcze skóry, na których leżał – wszystko to zapakowano do plastikowych worków do wyrzucenia na śmietnik, a Carla niczego nie kwestionowała. Nigdy nie powiedziała: „Może komuś by się to jeszcze przydało", ani nie zwróciła uwagi na całe kartony nieotwartych puszek. Wcale się nie zdziwiła, kiedy Sylvia stwierdziła:

– Żałuję, że zawiozłam ubrania do miasta. Powinnam je była spalić.

Wyczyściły piecyk, wyszorowały szafki, umyły ściany i okna. Któregoś dnia Sylvia usiadła w dużym pokoju i przeglądała listy z kondolencjami. (Nie musiała się zajmować nagromadzonymi stertami rękopisów i notatników, jakich można by się spodziewać w domu pisarza, nieskończonymi utworami czy nagryzmolonymi szkicami. Powiedział jej, wiele miesięcy wcześniej, że wszystko wyrzucił. Bez żalu).

Południowa, pochylona ściana domu składała się z dużych okien. Sylvia podniosła głowę, zaskoczona rozmytym światłem słonecznym, które ukazało się za szybą – albo też zaskoczona cieniem Carli, stojącej z gołymi nogami i ramionami na czubku drabiny, ze stanowczą twarzą okoloną rozwichrzonymi lokami, za krótkimi na warkocz. Carla energicznie spryskiwała i wycierała szybę. Kiedy zobaczyła, że Sylvia na nią patrzy, rozcapierzyła ręce i wykrzywiła się, robiąc minę gargulca. Obie wybuchły śmiechem. Sylvia czuła, że ten śmiech przepływa przez nią jak wesoły strumyk. Carla wróciła do mycia okien, a ona do listów. Doszła do wniosku, że wszystkie te miłe słowa – szczere czy grzecznościowe wyrazy hołdu i ubolewania – mogły równie dobrze trafić w to samo miejsce, co owcze skóry i sezamki.

Kiedy usłyszała, że Carla odstawia drabinę i idzie po tarasie, poczuła nagłe onieśmielenie. Siedziała nieruchomo, z opuszczoną głową, gdy Carla weszła do pokoju i przeszła za jej plecami, kierując się do kuchni, żeby odstawić pod zlewem wiadro i szmaty. Szybka jak ptaszek, niemal się nie zatrzymując, pocałowała Sylvię w pochyloną głowę. I poszła dalej, pogwizdując pod nosem.

Ten pocałunek na dobre utkwił Sylvii w pamięci. Nie miał jakiegoś konkretnego znaczenia. Znaczył tyle co: „głowa do góry". Albo: „już prawie załatwione". Znaczył tyle, że są dobrymi znajomymi, które razem poradziły sobie z mnóstwem męczącej roboty. Albo że właśnie wyszło słońce. Że Carla myśli o powrocie do domu, do swoich koni. Niemniej jednak Sylvia widziała go jako jaskrawy pąk, którego płatki rozwijały się w niej z nagłym uderzeniem gorąca, jak w menopauzie.

Od czasu do czasu na jej zajęciach z botaniki trafiała się wyjątkowa studentka, która mądrością, zapałem i niezręcznym egotyzmem przypominała ją samą w młodości. Takie dziewczyny tkwiły przy niej z uwielbieniem, z nadzieją na jakiś rodzaj intymnych kontaktów, jakich w większości przypadków nie potrafiły sobie wyobrazić, i prędko zaczynały jej działać na nerwy.

Carla była zupełnie inna. Jeśli w ogóle przypominała Sylvii kogoś z jej wcześniejszego życia, to niektóre dziewczyny ze studiów – inteligentne, ale nie przesadnie, lubiące sport, ale nieszczególnie walczące o pierwszeństwo, wesołe, ale nie hałaśliwe. Szczęśliwe z natury.

– Tam, gdzie byłam, w tej małej, naprawdę malutkiej wiosce, z moimi dwiema starymi przyjaciółkami, to jest takie miejsce, gdzie rzadko, właściwie jakby przez pomyłkę przystaje autokar turystyczny, turyści wysiadają i rozglądają się absolutnie zdumieni, bo dla nich to jest coś dziwnego. Nie ma nic do kupienia.

Sylvia opowiadała o Grecji. Carla siedziała może w odległości metra. Ta duża, niezgrabna, olśniewająca dziewczyna w końcu tu siedziała, w pokoju pełnym myśli o niej. Uśmiechała się lekko, kiwając głową.

– I na początku – mówiła Sylvia – na początku ja też byłam zdumiona. Było okropnie gorąco. Ale z tym światłem to prawda. Cudowne. A potem zorientowałam się, co trzeba robić, i te najzwyczajniejsze, najprostsze czynności wypełniały cały dzień. Szło się kilometr w jedną stronę, żeby kupić oliwę, i kilometr w drugą stronę, żeby kupić chleb albo wino, i już mijało przedpołudnie, a potem jadło się obiad pod drzewami, a po obiedzie było za gorąco, aby robić cokolwiek, można było tylko zamknąć okiennice i położyć się, może poczytać. Najpierw się czyta. Ale później tak się dzieje, że nie robi się nawet tego. Po co czytać? Po jakimś czasie zauważa się coraz dłuższy cień, i wtedy się wstaje i idzie popływać.

– Och – przerwała sama sobie. – Och, zapomniałam.

Zerwała się i poszła po prezent, który przywiozła i o którym tak naprawdę wcale nie zapomniała. Nie zamierzała dawać go Carli od razu, chciała, aby ta chwila nadeszła bardziej naturalnie, i kiedy opowiadała, planowała ten moment, gdy będzie mogła wspomnieć morze i pływanie. I powiedzieć, tak jak to zrobiła teraz:

– Przypomniałam sobie, mówiąc o pływaniu, ponieważ to jest mała replika, no, wiesz, mała replika konia, którego znaleziono w morzu. Odlanego w brązie. Znaleźli go po tylu latach. Podobno pochodzi z drugiego wieku przed Chrystusem.

Wcześniej, kiedy Carla przyszła i rozglądała się za pracą, za którą mogłaby się wziąć, Sylvia powiedziała:

– Och, usiądź na chwilę. Nie miałam się do kogo odezwać, odkąd wróciłam. Proszę.

Carla przysiadła na brzegu krzesła, z rozstawionymi nogami, z rękami między kolanami, jakaś taka beznadziejnie smutna.

– Jak było w Grecji? – spytała po chwili, jakby siliła się na uprzejmość.

Teraz stała, trzymając w rękach konia i zmiętą bibułkę, której do końca nie odwinęła.

– Podobno przedstawia konia wyścigowego – powiedziała Sylvia. – Jego ostatni zryw tuż przed metą, gdy jeździec, chłopiec, widzisz, zmusza konia do jeszcze jednego wysiłku, do granic możliwości.

Nie wspomniała, że chłopiec przypomina jej Carlę, zresztą teraz sama już nie wiedziała dlaczego. Miał zaledwie dziesięć czy jedenaście lat. Może chodziło o siłę i zgrabne ułożenie ręki, w której trzymał lejce, albo o zmarszczki na dziecięcym czole, o skupienie i czysty wysiłek przypominające Carlę, kiedy na wiosnę myła wielkie okna. Jej mocne nogi w szortach, szerokie ramiona, zamaszyste pociągnięcia po szkle i sposób, w jaki dla żartu rozpłaszczyła się na szybie, zapraszając, czy nawet zmuszając Sylvię do śmiechu.

– Tak, widzę – stwierdziła Carla, uważnie oglądając małą brązowozieloną rzeźbę. – Dziękuję bardzo.

– Nie ma za co. Napijmy się kawy, dobrze? Właśnie zaparzyłam. Kawa w Grecji była dość mocna, mocniejsza niż naprawdę lubię, ale za to chleb był boski. I dojrzałe figi, niesamowite. Usiądź, proszę, jeszcze na chwilę. W ogóle nie dopuściłam cię do głosu. A tu? Co tu się działo?

– Prawie cały czas padał deszcz.

– Widzę, nie da się tego ukryć – zawołała Sylvia z kuchennego aneksu. Nalewając kawy, postanowiła, że nie powie o drugim prezencie. Nic jej nie kosztował (koń kosztował więcej, niż dziewczyna mogła przypuszczać), to był tylko piękny, mały, różowawobiały kamyk, który znalazła przy drodze.

– To dla Carli – powiedziała wtedy do swej przyjaciółki Maggie, która szła obok niej. – Wiem, że to głupie, ale chcę, żeby miała kawałątek tego kraju.

Wspomniała już Maggie i Sorai, drugiej przyjaciółce, o Carli, o tym, że obecność dziewczyny w miarę upływu czasu coraz więcej dla niej znaczy, o tym, że połączyły je trudne do opisania więzy, które tak bardzo pomogły jej tej okropnej wiosny.

– Sam widok w tym domu kogoś – kogoś tak świeżego i zdrowego...

Maggie i Soraya roześmiały się w irytujący sposób.

– Zawsze jest jakaś dziewczyna – stwierdziła Soraya, leniwie unosząc ciężkie, brązowe ramiona.

– Wszystkim nam się to zdarza – dodała Maggie. – Zauroczenie dziewczyną.

Sylvię dziwnie rozzłościło to staromodne słowo: „zauroczenie".

– Może to dlatego, że Leon i ja nigdy nie mieliśmy dzieci – powiedziała Sylvia. – Głupota. Źle ulokowane uczucia macierzyńskie.

Jej przyjaciółki odezwały się jednocześnie; powiedziały – każda swoimi słowami – coś w rodzaju, że może to i głupie, ale jednak to miłość.

Ale dzisiaj Carla wcale nie przypominała tej dawnej, spokojnej i radosnej, beztroskiej i szczodrej młodej dziewczyny, która towarzyszyła jej w Grecji.

Prezent zupełnie jej nie interesował. Niemal naburmuszona sięgnęła po kubek z kawą.

– Było tam coś, co na pewno by ci się bardzo spodobało – stwierdziła rzeczowo Sylvia. – Kozy. Dość małe, nawet te dorosłe. Jedne łaciate, inne całe białe. Skakały po skałach jak... jak duchy tego miejsca. – Roześmiała się sztucznie, ale nie mogła się powstrzymać. – Nie zdziwiłabym się, gdyby miały na rogach wieńce. A jak się miewa twoja kózka? Zapomniałam, jak się nazywa.

– Flora – odparła Carla.

– Flora.

– Nie ma jej.

– Jak to nie ma? Sprzedałaś ją?

– Znikła. Nie wiemy, gdzie się podziała.

– Och, tak mi przykro. Tak mi przykro. Nie ma nadziei, że wróci?

Cisza. Sylvia spojrzała na dziewczynę, czego do tej pory jakoś nie była w stanie zrobić, i zobaczyła, że Carla ma oczy pełne łez i twarz całą w plamach, brudną i opuchniętą z rozpaczy.

Nie starała się unikać wzroku Sylvii. Mocno zacisnęła usta, zamknęła oczy i kiwała się w przód i w tył, jakby w bezgłośnym jęku, a potem przejmująco zawyła. Wyła i zachłystywała się płaczem, łzy leciały jej po policzkach i smarki ciekły z nosa. Zaczęła się nerwowo rozglądać; Sylvia zerwała się i przyniosła jej garść papierowych chusteczek.

– Nie przejmuj się, masz, masz, nic się nie stało – pocieszała, zastanawiając się, czy nie powinna wziąć Carli w ramiona. Ale zupełnie nie miała na to ochoty, to mogłoby tylko pogorszyć sprawę. Dziewczyna wyczułaby jej niechęć, złość spowodowaną tym wybuchem.

Carla coś powiedziała, a potem powtórzyła.

– To okropne – zawołała. – Okropne.

– Nie, wcale nie. Każdy musi sobie czasem popłakać. Wszystko w porządku, nie przejmuj się.

– To jest okropne.

Sylvia nie mogła się oprzeć wrażeniu, że z każdą chwilą tego żałosnego widowiska dziewczyna staje się coraz bardziej zwyczajna, coraz bardziej podobna do tych rozmazanych studentek w jej gabinecie. Niektóre płakały z powodu złych stopni, ale często był to płacz taktyczny, takie małe, nieprzekonujące zawodzenie. Rzadsze, prawdziwe wybuchy rozpaczy zawsze dotyczyły nieszczęśliwej miłości, rodziców albo ciąży.

– Nie chodzi o twoją kozę, prawda?

– Nie, nie.

– Przyniosę ci szklankę wody – powiedziała Sylvia.

Czekając, aż z kranu poleci naprawdę zimna woda, zastanawiała się, co jeszcze powinna zrobić czy powiedzieć, a kiedy wróciła do pokoju, Carla już się trochę uspokoiła.

– Już dobrze, prawda? – spytała Sylvia, gdy dziewczyna opróżniała szklankę.

– Tak.

– Nie chodzi o kozę. A o co?

– Już tego nie wytrzymuję – powiedziała Carla.

Czego nie mogła wytrzymać?

Okazało się, że męża.

Cały czas się na nią złości. Zachowuje się tak, jakby jej nienawidził. Ona wszystko robi źle, nie może nic powiedzieć. Życie z nim doprowadza ją do szału. Czasami myśli, że już zwariowała. Czasami – że to on oszalał.

– Zrobił ci coś, Carla?

Nie, fizycznie jej nie zranił. Ale ją znienawidził. Pogardza nią. Nie znosi, kiedy płacze, a ona nie może się powstrzymać, bo on tak się złości.

Nie wiedziała, co ma robić.

– Może jednak wiesz, co powinnaś zrobić – podsunęła Sylvia.

– Odejść? Gdybym tylko mogła... – Carla znów zaczęła szlochać. – Wszystko bym oddała, żeby móc odejść. Nie mogę. Nie mam pieniędzy. Nie mam dokąd pójść.

– No, dobrze. Pomyśl. Czy tak jest naprawdę? – powiedziała Sylvia swym najlepszym doradczym tonem. – Nie masz rodziców? Mówiłaś przecież, że wychowałaś się w Kingston. Nie masz tam rodziny?

Rodzice przenieśli się do Kolumbii Brytyjskiej. Nienawidzili Clarka. Jest im wszystko jedno, czy ich córka żyje, czy umarła.

Rodzeństwo?

Jeden brat starszy o dziewięć lat. Żonaty, mieszka w Toronto. Jemu też jest wszystko jedno. Nie lubi Clarka. Jego żona jest snobką.

– Myślałaś o schronisku dla kobiet?

– Nie przyjmą cię tam, dopóki mąż cię faktycznie nie pobije. A poza tym wszyscy by się zaraz dowiedzieli i to by źle wpłynęło na nasze interesy.

Sylvia lekko się uśmiechnęła.

– Czy teraz należy o tym myśleć?

Carla się roześmiała.

– Wiem – powiedziała. – Jestem stuknięta.

– Posłuchaj – zaczęła Sylvia. – Posłuchaj mnie. Odeszłabyś, gdybyś miała pieniądze? Dokąd byś poszła? Co byś zrobiła?

– Pojechałabym do Toronto – odparła szybko Carla. – Ale trzymałabym się z daleka od mojego brata. Zamieszkałabym w motelu albo czymś takim i znalazłabym pracę przy koniach.

– Naprawdę mogłabyś to zrobić?

– Pracowałam w stajniach tego lata, gdy poznałam Clarka. Teraz mam dużo większe doświadczenie niż wtedy. Dużo większe.

– Mam wrażenie, że to sobie przemyślałaś – stwierdziła z namysłem Sylvia.

– Tak, teraz tak.

– To kiedy byś wyjechała, gdybyś mogła?

– Teraz. Dziś. W tej chwili.

– I powstrzymuje cię tylko brak pieniędzy?

Carla odetchnęła głęboko.

– Właśnie. Tylko to.

– Dobrze – powiedziała Sylvia. – Wysłuchaj mojej propozycji. Moim zdaniem nie powinnaś mieszkać w motelu. Uważam, że powinnaś pojechać do Toronto i zatrzymać się u mojej przyjaciółki. Nazywa się Ruth Stiles. Ma duży dom, jest sama i nie przeszkadzałoby jej, gdyby ktoś u niej zamieszkał. Możesz u niej być, dopóki nie znajdziesz pracy. Pomogę ci finansowo. W okolicach Toronto na pewno jest całe mnóstwo stajni.

– Jasne.

– I co o tym myślisz? Chcesz, żebym zadzwoniła do informacji i dowiedziała się, o której odjeżdża autobus?

Carla chciała. Cała się trzęsła. Przejechała dłońmi po udach i mocno pokręciła głową.

– Nie mogę w to uwierzyć – powiedziała. – Oddam ci pieniądze. To znaczy dziękuję. Oddam ci pieniądze. Nie wiem, co powiedzieć.

Sylvia wykręciła numer dworca autobusowego.

– Cśś, słucham rozkładu – powiedziała. Wysłuchała informacji i odłożyła słuchawkę. – Wiem, że oddasz. Zgadzasz się na Ruth? Dam jej znać. Ale jest jeden problem. – Spojrzała krytycznie na szorty i koszulkę Carli. – Nie możesz w tym jechać.

– Nie mogę iść do domu po ubranie – zaprotestowała w panice Carla. – Tak będzie dobrze.

– W autobusie jest klimatyzacja. Zamarzniesz. Na pewno mam coś, co możesz włożyć. Chyba jesteśmy tego samego wzrostu, co?

– Jesteś dziesięć razy chudsza.

– Kiedyś nie byłam.

W końcu zdecydowały się na brązowy żakiet z lnu, prawie nowy – Sylvia uważała, że nie wygląda w nim dobrze, bo jest dla niej zbyt ascetyczny – dopasowane beżowe spodnie i kremową jedwabną bluzkę. Carla musiała zostać w swoich tenisówkach, gdyż nosiła buty o dwa numery większe niż Sylvia.

Carla poszła wziąć prysznic – będąc w tym stanie ducha, nie zrobiła tego rano – a Sylvia zadzwoniła do przyjaciółki z Toronto. Ruth wybierała się wieczorem na jakieś spotkanie, ale obiecała, że zostawi klucz u lokatorów na górze i Carla będzie musiała tylko się do nich zgłosić.

– I musi wziąć taksówkę z dworca autobusowego. Zakładam, że da sobie z tym radę – powiedziała Ruth.

Sylvia roześmiała się głośno.

– Nie martw się, nie jest ofiarą losu. Po prostu znalazła się w kiepskiej sytuacji. Zdarza się.

– To dobrze. To znaczy dobrze, że chce się z niej wydostać.

„Wcale nie jest ofiarą" – pomyślała Sylvia na widok Carli przymierzającej dopasowane spodnie i lniany żakiet. „Jak szybko młodzi ludzie dochodzą do siebie po ataku rozpaczy i jak ładnie wygląda ta dziewczyna w czystym, porządnym ubraniu".

Autobus miał przyjechać do miasta dwadzieścia po drugiej. Sylvia postanowiła zrobić na obiad omlet, nakryła stół granatowym obrusem, wyjęła kryształowe kieliszki i otworzyła wino.

– Mam nadzieję, że jesteś dość głodna, by coś zjeść – powiedziała, kiedy Carla wyszła z łazienki, czysta i lśniąca, w pożyczonym ubraniu. Pokryta drobnymi piegami twarz zaróżowiła się od prysznica, a wilgotne, pociemniałe włosy wymknęły się z warkocza i słodkie loczki przylgnęły do głowy. Carla przyznała, że jest głodna, nie mogła jednak trafić do ust drżącą ręką.

– Nie wiem, dlaczego się tak trzęsę – powiedziała. – Chyba z wrażenia. Nigdy nie przypuszczałam, że to może być takie łatwe.

– Wszystko stało się tak nagle – rzuciła Sylvia. – Przypuszczam, że nie wydaje ci się to całkiem realne.

– Ależ wszystko jest bardzo realne. Tak jakbym do tej pory żyła w jakimś oszołomieniu.

– Może kiedy człowiek się na coś decyduje, kiedy naprawdę się decyduje, tak właśnie jest. Albo powinno tak być.

– Jeśli ma się przyjaciela – odparła Carla z nieśmiałym uśmiechem i rumieńcem na czole. – Jeśli ma się prawdziwego przyjaciela. To znaczy takiego jak ty. – Odłożyła nóż i widelec i niezręcznie, obiema rękami, uniosła kieliszek. – Piję za zdrowie prawdziwego przyjaciela – dodała niepewnym głosem. – Chyba nie powinnam wypić nawet małego łyczka, ale wypiję.

– Ja też – powiedziała Sylvia z udawaną wesołością. Napiła się i popsuła tę chwilę, dodając: – Zadzwonisz do niego? Czy jak? Będzie musiał się dowiedzieć. Przynajmniej powinien wiedzieć, gdzie jesteś, najpóźniej wtedy, kiedy już będzie się ciebie spodziewał w domu.

– Nie przez telefon – powiedziała ze strachem Carla. – Nie mogę. Może ty...

– Nie – odmówiła Sylvia. – Nie.

– Nie, to głupie. Nie powinnam tego mówić. Trudno mi zebrać myśli. Może... Może powinnam zostawić mu wiadomość w skrzynce na listy. Ale nie chcę, żeby ją za wcześnie znalazł. Nie chcę nawet tamtędy przejeżdżać w drodze do miasta. Pojedźmy boczną drogą. Więc jeśli napiszę... Jeśli napiszę, czy mogłabyś wrzucić kartkę do skrzynki, jak będziesz wracać?

Sylvia zgodziła się, nie widząc lepszego wyjścia.

Przyniosła papier i długopis. Dolała wina. Carla zastanowiła się, a potem napisała parę słów.

„Wyjechałam. Napiszę sobie poradzę".

Te słowa przeczytała Sylvia, kiedy rozwinęła kartkę, wracając z dworca. „Napiszę" zamiast „Na pewno". Nie miała wątpliwości, że Carla umie odróżnić te dwa słowa, ale wcześniej mówiła o napisaniu kartki, a w głowie miała egzaltowany mętlik. Może nawet większy niż Sylvia to dostrzegła. Wino spowodowało prawdziwy słowotok, choć nie towarzyszył mu jakiś szczególny żal czy smutek. Carla opowiadała o stajni, gdzie pracowała, kiedy zaraz po maturze, w wieku osiemnastu lat poznała Clarka. Rodzice chcieli, żeby poszła na studia, a ona zgodziła się, pod warunkiem że będzie to weterynaria. Zawsze chciała tylko zajmować się zwierzętami i mieszkać na wsi. W szkole średniej była jedną z tych głupich dziewczyn, o których opowiadano nieprzyzwoite dowcipy, ale wcale się tym nie przejmowała.

Clark był najlepszym nauczycielem jazdy konnej. Podrywały go dziesiątki kobiet, zapisywały się na lekcje wyłącznie po to, żeby on je uczył. Carla żartowała sobie z tego i z początku chyba go to bawiło, ale później się rozzłościł. Przeprosiła go i starała się udobruchać, wciągając go w rozmowę o jego marzeniach, czy raczej planach, aby mieć własną szkołę jazdy, stajnię gdzieś na wsi. Pewnego dnia weszła do stajni, zobaczyła Clarka, który właśnie wieszał siodło, i zrozumiała, że jest zakochana.

Teraz doszła do wniosku, że chodziło o seks. Przypuszczalnie tylko o seks.

Przyszła jesień, Carla miała skończyć pracę i wyjechać na studia do Guelph, ale odmówiła i stwierdziła, że potrzebuje roku dla siebie.

Clark był bardzo inteligentny, ale nawet nie skończył szkoły średniej. Całkowicie zerwał z rodziną. Uważał, że rodzina zatruwa człowiekowi krew. Pracował jako salowy w szpitalu psychiatrycznym, jako DJ w radiu w Lethbridge w stanie Alberta, robotnik na autostradzie niedaleko Thunder Bay, pomocnik fryzjera, sprzedawca w sklepie z artykułami z demobilu. I to były tylko te prace, o których jej powiedział.

Nazywała go Cygańskim Wędrowcem od piosenki, starej piosenki, którą kiedyś śpiewała jej matka. Teraz Carla nieustannie śpiewała ją w domu i matka wiedziała, że coś się stało.

Wczoraj spała na miękkim pierzu
Przykryta kołdrą z jedwabiu
Dziś będzie spała na twardej zimnej ziemi
Przy swym cygańskim kochasiu.

„Złamie ci serce – powiedziała matka. – Nie mam co do tego wątpliwości". Ojczym, inżynier, nie dawał Clarkowi nawet tej szansy: „Nieudacznik – mówił. – Jeden z tych, co nigdzie nie zagrzeją miejsca". Jakby Clark był robakiem, którego można po prostu strącić z ubrania.

„Czy nieudacznik zaoszczędziłby tyle pieniędzy, żeby kupić fermę? Bo on to właśnie zrobił" – powiedziała Carla, a ojczym odparł: „Nie mam zamiaru z tobą dyskutować". I dodał, że w końcu nie jest jego córką, jakby to był ostateczny argument.

W tej sytuacji Carla po prostu musiała uciec z Clarkiem. Zachowanie rodziców praktycznie ją do tego zmusiło.

– Skontaktujesz się z rodzicami, jak już się urządzisz w Toronto? – spytała Sylvia.

Carla uniosła brwi, wciągnęła policzki i ułożyła usta w kółeczko.

– Nie – odparła.

Zdecydowanie trochę się wstawiła.

Po wrzuceniu kartki Carli do skrzynki na listy i powrocie do domu Sylvia sprzątnęła ze stołu, pozmywała naczynia, umyła patelnię po omlecie, wrzuciła granatowe serwetki i obrus do kosza na brudy i otworzyła okna. Robiła to z dziwnym poczuciem żalu i irytacji. Wyłożyła dla Carli w łazience mydło o zapachu jabłka i czuło się go teraz w całym domu, tak jak wcześniej w samochodzie.

Deszcz na razie nie padał. Sylvia nie mogła usiedzieć w miejscu i poszła na spacer ścieżką wyciętą kiedyś przez Leona. Większość żwiru, który jej mąż rozrzucił w błotnistych miejscach, zmył deszcz. Każdego roku na wiosnę Sylvia i Leon chodzili na spacery w poszukiwaniu dzikich orchidei. Nauczyła go nazw wszystkich dzikich kwiatów, które – z wyjątkiem trójlista – i tak zapomniał. Nazywał ją swoją Dorothy Wordsworth.

Wiosną zeszłego roku poszła raz do lasu i zerwała dla niego bukiecik psizębów, ale spojrzał na nie – tak jak czasem spoglądał na nią – ze zmęczeniem i z niechęcią.

Wciąż miała przed oczyma Carlę, Carlę wsiadającą do autobusu. Dziewczyna podziękowała szczerze, ale prawie od niechcenia i zawadiacko pomachała dłonią na pożegnanie. Już przywykła do wolności.

Po powrocie do domu, koło szóstej, Sylvia zadzwoniła do Ruth do Toronto, wiedząc, że Carla jeszcze tam nie dotarła. Nagrała się na automatyczną sekretarkę.

– Halo, Ruth. Tu Sylvia. Dzwonię w sprawie dziewczyny, którą do ciebie posłałam. Mam nadzieję, że nie sprawi ci kłopotu. Mam nadzieję, że wszystko będzie w porządku. Może wyda ci się trochę zarozumiała. To pewnie kwestia młodości. Daj mi znać, dobrze?

Zadzwoniła jeszcze raz przed pójściem do łóżka, ale teraz też włączyła się sekretarka.

– To znowu ja, Sylvia – powiedziała i odłożyła słuchawkę.

Nie było jeszcze dziesiątej, nawet się całkiem nie ściemniło. Ruth najwyraźniej nie wróciła, a Carla nie chciała odbierać telefonu w cudzym domu. Sylvia usiłowała przypomnieć sobie nazwisko lokatorów z góry. Na pewno nie poszli jeszcze spać. Ale nie pamiętała. No i dobrze. Telefon do nich byłby za dużym zamieszaniem, okazywaniem niepokoju, pójściem za daleko.

Położyła się, ale nie mogła wytrzymać w łóżku, wzięła więc lekką kołdrę, wróciła do dużego pokoju i położyła się na kanapie, gdzie spała przez ostatnie trzy miesiące życia Leona. Wiedziała, że i tam raczej nie zaśnie – ściana z okien nie miała zasłon, a po wyglądzie nieba widać było, że wzeszedł księżyc, choć na razie go nie widziała.

Potem nagle znalazła się w autobusie – w Grecji? – z wieloma nieznajomymi ludźmi, a silnik autobusu stukał w niepokojący sposób. Obudziła się i usłyszała stukanie do drzwi.

Carla?

Carla siedziała z pochyloną głową, dopóki autobus nie wyjechał z miasta. Szyby były przyciemnione i nikt nie mógł jej zobaczyć, ale nie chciała wyglądać przez okno. Na wszelki wypadek, gdyby pojawił się Clark. Mógł wyjść ze sklepu albo czekać na przejście przez ulicę, nieświadomy, że go porzuciła, przekonany, że to zwyczajne popołudnie. Nie, on raczej myślał, że tego popołudnia zaczęła realizować ich plan – jego plan – i ciekaw był, jak jej poszło.

Kiedy wyjechali za miasto, podniosła głowę, odetchnęła głęboko i spojrzała na pola, zabarwione przez szybę na lekko fioletowy kolor. Obecność pani Jamieson zapewniła jej pewnego rodzaju bezpieczeństwo i poczucie pozostawania przy zdrowych zmysłach oraz sprawiła, że jej ucieczka stała się najbardziej rozsądną rzeczą, jaką mogła sobie wyobrazić, właściwie jedyną godną rzeczą, jaką mogła zrobić osoba w jej położeniu. Carla poczuła niezwykłą pewność siebie, a nawet odnalazła w sobie dojrzałe poczucie humoru, dzięki czemu mogła opowiedzieć pani Jamieson historię swego życia w sposób, który zjednywał jej sympatię, a jednocześnie był szczery i lekko ironiczny. I dostosowany, na ile mogła się zorientować, do oczekiwań pani Jamieson, to znaczy Sylvii. Carla miała wrażenie, że mogłaby w jakiś sposób rozczarować panią Jamieson, która wydawała jej się osobą bardzo wrażliwą i drobiazgową, jednak była pewna, że potrafi tego uniknąć.

Pod warunkiem, że nie będzie z nią za długo.

Już od jakiegoś czasu świeciło słońce. Kiedy siedziały przy obiedzie, rozbłysło w kieliszkach. Nie padało od samego rana. Wiatr wiał na tyle mocno, że podniósł przemoczone kępy przydrożnych traw i kwitnących chwastów. Letnie, niedeszczowe chmury mknęły po niebie. Zmieniał się cały roślinny krajobraz, otrząsając się do życia w prawdziwie jasny lipcowy dzień. Po niedawnej przeszłości zostało niewiele śladów – wielkie kałuże na polach, wymyte z gleby nasiona, żałosne patykowate łodygi kukurydzy czy leżące pokotem zboże.

Przyszło jej na myśl, że musi o tym powiedzieć Clarkowi – o tym, że chyba wybrali miejsce, które dziwnym trafem jest wyjątkowo deszczowe i ponure, i że może gdzie indziej lepiej by się im powiodło.

Albo jeszcze może się powieść?

Potem przypomniało jej się, że przecież nie będzie już nic mówić Clarkowi. Nigdy więcej. Nie będzie jej obchodziło, co się dzieje z nim, z Grace, Mikiem, Juniper, Blackberrym czy z Lizzie Borden. I nie dowie się, gdyby przypadkiem wróciła Flora.

Po raz drugi zostawiała za sobą wszystko. Za pierwszym razem było tak, jak w starej piosence Bitelsów – zostawiła kartkę na stole i wymknęła się z domu o piątej rano, umówiona z Clarkiem na parkingu koło kościoła. Nawet nuciła tę piosenkę, gdy odjeżdżali. *She's leaving home, bye-bye.* Teraz przypomniało jej się, jak słońce wschodziło wtedy za ich plecami, jak przyglądała się dłoniom Clarka na kierownicy, ciemnym włosom na jego silnych ramionach, jak oddychała zapachem ciężarówki, oleju i metalu, narzędzi i stajni. Zimne powietrze jesiennego poranka wpadało przez szpary w rdzewiejącej karoserii. W jej rodzinie nikt nigdy nie jeździł takimi pojazdami, bardzo rzadko pojawiały się w dzielnicy, w której mieszkała.

Tego ranka zaabsorbowanie Clarka ruchem drogowym (dojechali do autostrady 401), niepokój o stan ciężarówki, lakoniczne odpowiedzi, zmrużone oczy, nawet lekka irytacja z powodu jej beztroskiego zachwytu – wszystko to niesłychanie ją ekscytowało. Podobnie jak jego nieuporządkowana przeszłość, zaprzysięgła samotność, czułość, z jaką traktował konia i ją, Carlę. Widziała go jako architekta ich przyszłego życia, siebie jako brankę, a swoją uległość uważała za coś właściwego i cudownego.

„Nie wiesz, co za sobą zostawiasz" – napisała do niej matka w jedynym liście, jaki Carla od niej dostała i na który nigdy nie odpowiedziała. Jednak w tych pełnych drżenia chwilach rannej ucieczki z całą pewnością wiedziała, co za sobą zostawia, choć nie bardzo wiedziała, co ją czeka. Gardziła rodzicami, ich domem, podwórkiem, albumami ze zdjęciami, wakacjami, wyposażeniem kuchni firmy Cuisinart, „toaletą dla pań", garderobami, podziemnym systemem nawadniania trawników. W liściku, jaki napisała, użyła słowa „autentyczny".

„Zawsze czułam potrzebę bardziej autentycznego życia. Nie oczekuję, że mnie zrozumiecie".

Autobus zatrzymał się w pierwszym miasteczku na trasie. Przystanek znajdował się na stacji benzynowej. Tej samej stacji, do której na początku jeździli z Clarkiem po tanią benzynę. W tamtych czasach ich świat obejmował wiele pobliskich miejscowości i czasami zachowywali się jak turyści, próbując potraw w brudnych hotelowych barach. Nóżki wieprzowe, kiszona kapusta, placki kartoflane, piwo. Przez całą drogę do domu głośno śpiewali, jak prostacy bez piątej klepki.

Jednak po jakimś czasie uznali takie wypady za stratę czasu i pieniędzy. Za jedną z rzeczy, które ludzie robią, zanim zrozumieją życiowe realia.

Nim się spostrzegła, łzy napłynęły jej do oczu. Zmusiła się do myślenia o Toronto, o tym, co ją tam czeka na samym początku.

Taksówka, dom, którego nigdy nie widziała, obce łóżko, w którym miała sama spać. I następnego dnia szukanie w książce telefonicznej adresów stajni, potem jeżdżenie pod znalezione adresy, pytanie o pracę.

Nie potrafiła sobie tego wyobrazić. Jazdy metrem czy tramwajem, zajmowania się nowymi końmi, rozmów z nowymi ludźmi, codziennego życia pośród tłumów ludzi, którzy nie są Clarkiem.

Życie, miejsce wybrane dokładnie po to – żeby nie było w nim Clarka.

Teraz dopiero docierała do niej dziwna i okropna prawda o tym przyszłym świecie, takim jak go sobie wyobrażała – że nie będzie w nim naprawdę egzystować. Będzie chodzić, otwierać usta, mówić, robić to czy tamto, ale wcale jej tam nie będzie. Najdziwniejsze zaś było to, że robiła to wszystko, jechała tym autobusem w nadziei, że odnajdzie siebie samą. Że – jak mogłaby powiedzieć pani Jamieson, jak sama Carla mogłaby z satysfakcją stwierdzić – „weźmie odpowiedzialność za własne życie". I nikt nie będzie się na nią wściekał i zatruwał jej dni swoimi humorami.

Ale na czym będzie jej zależeć? Skąd będzie wiedziała, że żyje?

Teraz, kiedy od niego uciekała, Clark nadal miał swoje miejsce w jej życiu. Kiedy jednak skończy uciekać, co wstawi na jego miejsce? Co innego – kto inny – stanie się tak żywotnym wyzwaniem?

Udało jej się powstrzymać płacz, ale teraz cała się trzęsła. Było z nią źle i musiała wziąć się w garść. „Weź się w garść" –

mówił jej czasem Clark, przechodząc przez pokój, gdzie leżała skulona, powstrzymując płacz. Faktycznie musi się opanować.

Autobus zatrzymał się w następnym miasteczku. To już trzecie, licząc od tego, w którym Carla wsiadła, co oznaczało, że przejechali przez drugie i nawet tego nie zauważyła. Autobus na pewno się zatrzymał, kierowca ogłosił nazwę, a ona niczego nie zauważyła, niczego nie usłyszała, schowana w kokonie strachu. Niedługo wyjadą na autostradę i pognają w kierunku Toronto.

A ona będzie zgubiona.

Będzie zgubiona. Jaki to ma sens, brać taksówkę, podawać nowy adres, wstawać rano, myć zęby i ruszać w świat? Po co ma szukać pracy, wkładać jedzenie do ust, dać się wozić z miejsca na miejsce środkami miejskiej komunikacji?

Stopy Carli znajdowały się teraz w jakiejś ogromnej odległości od jej ciała. Jej kolana w nieznajomych, świeżo wyprasowanych spodniach były obciążone żelaznymi szynami. Osuwała się niczym ranny koń, który się już nigdy nie podniesie.

Do autobusu wsiedli nieliczni nowi pasażerowie i załadowano paczki, które czekały w tym miasteczku. Kobieta z dzieckiem w wózku machała komuś na pożegnanie. Budynek z tyłu, bar, który służył również jako przystanek, też się poruszał. Płynna fala przeszła przez cegły i okna, które wyglądały, jakby się miały rozpuścić. Czując, że jej życie jest zagrożone, Carla podniosła swe wielkie ciało i żelazne członki, i ruszyła naprzód. Potknęła się.

– Chcę wyjść! – zawołała.

Kierowca zahamował.

– Myślałem, że pani jedzie do Toronto – powiedział zirytowany.

Pasażerowie rzucali jej mimochodem zaciekawione spojrzenia, choć nikt chyba nie rozumiał, że Carla cierpi.

– Muszę tu wysiąść.

– Z tyłu jest ubikacja.

– Nie. Nie. Muszę wysiąść.

– Nie będę czekał. Rozumie pani? Ma pani bagaż w schowku?

– Nie. Tak. Nie.

– Nie ma pani bagażu?

– Klaustrofobia. To jest jej problem – powiedział ktoś w autobusie.

– Źle się pani czuje?

– Nie. Nie. Chcę tylko wysiąść.

– Dobrze, dobrze. Proszę bardzo.

– Przyjedź po mnie. Proszę, przyjedź po mnie.

– Dobrze.

Sylvia zapomniała zamknąć drzwi na klucz. Zdała sobie sprawę, że powinna je teraz zamykać, a nie otwierać, ale już było za późno. Otworzyła.

Za drzwiami nie było nikogo.

A jednak nie miała wątpliwości, że ktoś pukał.

Zamknęła drzwi i tym razem przekręciła klucz.

Zza okien dobiegał wesoły dźwięk, jakby melodyjne stukanie. Sylvia zapaliła światło, ale nic nie zobaczyła, więc zgasiła je znowu. Jakieś zwierzę – może wiewiórka? Balkonowe drzwi między oknami, prowadzące na taras, też nie były zamknięte na klucz. Nie zamknęła ich nawet na klamkę, zostawiła uchylone, aby się przewietrzyło. Zaczęła je zamykać, a wtedy ktoś się roześmiał, blisko, tak blisko, jakby był w pokoju.

– To ja – powiedział mężczyzna. – Przestraszyłem panią?

Opierał się o szybę tuż przy niej.

– Jestem Clark. Z sąsiedniego domu.

Nie zamierzała zapraszać go do środka, ale bała się zamknąć mu drzwi przed nosem. Bez trudu mógł jej w tym przeszkodzić. Nie chciała też zapalać światła. Sypiała w długiej bawełnianej bluzce. Mogła wcześniej wziąć kołdrę z kanapy i się w nią owinąć, teraz jednak było już za późno.

– Chciała się pani ubrać? – zapytał. – Mam tu rzeczy, które może się akurat przydadzą.

Trzymał w ręce plastikową torbę. Wyciągnął ją do Sylvii, choć nie próbował wejść do środka.

– Co to jest? – spytała niepewnie.

– Proszę zobaczyć. To nie bomba. Niech pani weźmie.

Pomacała dłonią, nie zaglądając do torby. Coś miękkiego. Dotykiem rozpoznała guziki żakietu, jedwab bluzki, pasek od spodni.

– Pomyślałem, że je pani oddam – wyjaśnił. – To pani rzeczy, prawda?

Zacisnęła usta, żeby nie szczękać zębami. Ze strachu zaschło jej w gardle.

– Podobno należą do pani – dodał cicho.

Miała wrażenie, że jej język zmienił się w kłąb waty. Zmusiła się do otwarcia ust:

– Gdzie jest Carla?

– Chodzi pani o moją żonę Carlę?

Teraz widziała wyraźniej jego twarz. Widziała, że dobrze się bawi.

– Moja żona Carla jest w domu. Śpi we własnym łóżku. Tam, gdzie jest jej miejsce.

Był przystojnym mężczyzną, choć jednocześnie wyglądał na głupca. Wysoki, szczupły, dobrze zbudowany, ale jakby sztucznie zgarbiony. Wystudiowana groźna mina. Czarny lok opadający na czoło, zawadiacki wąsik, wyraz oczu jednocześnie pełen nadziei i szyderczy, chłopięcy uśmiech na krawędzi obrażonego grymasu.

Nigdy go nie lubiła. Wspomniała o tym Leonowi, który powiedział, że Clark jest po prostu człowiekiem pozbawionym pewności siebie, trochę zbyt przyjacielskim.

To, że Clark nie był pewny siebie, nie dodawało jej teraz poczucia bezpieczeństwa.

– Dość zmęczona tą swoją przygodą – powiedział. – Szkoda, że nie widziała pani swojej twarzy. Szkoda, że nie widziała się pani, kiedy rozpoznała pani to ubranie. Co pani sobie pomyślała? Że ją zamordowałem?

– Zdziwiłam się – odparła Sylvia.

– Nie wątpię. Po tym, jak tak bardzo pomogła jej pani w ucieczce.

– Pomogłam jej – zaczęła z wysiłkiem Sylvia. – Pomogłam jej, bo wydawało mi się, że cierpi.

– Cierpi – powtórzył, jakby zastanawiając się nad tym słowem. – Bardzo cierpiała, kiedy wysiadła z autobusu i zadzwoniła do mnie, żebym po nią przyjechał. Tak bardzo płakała, że z trudem rozumiałem, o co jej chodzi.

– Chciała wrócić?

– Jasne. Oczywiście, że chciała wrócić. Wręcz wpadła w histerię. Ta dziewczyna żyje na emocjonalnej huśtawce. No, ale pani nie zna jej tak jak ja.

– Kiedy wyjeżdżała, wyglądała na zadowoloną.

– Naprawdę? Cóż, muszę pani uwierzyć na słowo. Nie przyszedłem tu, aby się z panią kłócić.

Sylvia milczała.

– Przyszedłem, żeby powiedzieć, że nie podoba mi się to, że wtrąca się pani w nasze życie.

– Ona jest człowiekiem – powiedziała Sylvia, choć wiedziała, że nie powinna się odzywać. – Oprócz tego, że jest pańską żoną.

– Mój Boże, doprawdy? Moja żona jest człowiekiem? Czyżby? Dziękuję za informację. Ale ty się nie wymądrzaj, Sylvio.

– Wcale się nie wymądrzam.

– To dobrze. Bardzo się cieszę. Nie chcę się złościć. Muszę tylko powiedzieć ci o paru ważnych sprawach. Po pierwsze – nigdy więcej nie wtykaj nosa w życie moje i mojej żony. Po drugie – nie życzę sobie, żeby tu przychodziła. Choć jestem pewien, że sama nie zechce tu przychodzić. W tej chwili nie masz u niej za dobrej opinii. Najwyższy czas, abyś się nauczyła sprzątać we własnym domu. To tyle. Dotarło?

– Owszem.

– Mam nadzieję. Naprawdę mam taką nadzieję.

– Tak – powiedziała Sylvia.

– I wiesz, co jeszcze myślę?

– Co?

– Że jesteś mi coś winna.

– Co?

– Wydaje mi się, że... Może... Jesteś mi winna przeprosiny.

– W porządku – powiedziała Sylvia. – Jeśli pan tak uważa. Przepraszam.

Przesunął się, może po to, aby wyciągnąć rękę, i Sylvia, przestraszona tym ruchem, krzyknęła.

Clark roześmiał się i położył dłoń na framudze, żeby nie mogła zamknąć drzwi.

– Co to jest?

– Co takiego? – spytał, jakby szykowała jakiś podstęp, ale jej nie wyszedł. Jednak zobaczył coś odbitego w szybie i szybko się odwrócił.

Niedaleko domu znajdował się szeroki pas ziemi, nad którym o tej porze roku często zbierała się nocna mgła. Dziś też tam była, przez cały czas. Ale teraz coś się zmieniło. Mgła zgęstniała, przybrała oddzielny kształt, zmieniła się w coś kolczastego i promiennego. Najpierw w żywą kulę dmuchawca lecącą naprzód, a potem w nieziemskie zwierzę, śnieżnobiałe, zdeterminowane, pędzące na nich jak jakiś wielki jednorożec.

– O Jezu – powiedział cicho i z przejęciem Clark, chwytając Sylvię za ramię. Jego dotyk zupełnie jej nie przestraszył, przyjęła go ze świadomością, że zrobił to, aby jej bronić lub aby się samemu uspokoić.

Tymczasem zjawisko wybuchło. Z mgły i z wyolbrzymiającego światła – które okazało się reflektorem jadącego boczną drogą samochodu, zapewne szukającego miejsca do zaparkowania – wynurzyła się biała koza. Mała, tańcząca biała koza, niewiele większa od owczarka.

Clark puścił ramię Sylvii.

– Skąd się tu wzięła? – zapytał.

– To jest wasza koza – stwierdziła Sylvia. – Czy to nie wasza koza?

– Flora – powiedział. – Flora.

Koza przystanęła jakiś metr przed nimi i nieśmiało opuściła łeb.

– Flora – powtórzył Clark. – Skąd się tu, do diabła, wzięłaś? Cholernie nas wystraszyłaś.

„Nas".

Flora podeszła bliżej, ale nadal nie podniosła głowy. Trąciła Clarka w nogi.

– Przeklęta głupia koza – powiedział drżącym głosem. – Skąd się tu wzięłaś?

– Zginęła – przypomniała Sylvia.

– Tak, zginęła i nie myślałem, że ją jeszcze zobaczymy.

Flora podniosła łeb. Światło księżyca błysnęło jej w oczach.

– Cholernie nas przeraziłaś – powiedział do niej Clark. – Poszłaś poszukać sobie przyjaciela? Cholernie, co? Myśleliśmy, że jesteś duchem.

– To przez tę mgłę – wyjaśniła Sylvia. Wyszła teraz na taras. Czuła się całkiem bezpiecznie.

– Aha.

– I światła samochodu.

– Jak zjawa – powiedział, dochodząc do siebie. Zadowolony, że przypomniał sobie takie określenie.

– Tak.

– Koza z kosmosu. Wydało się. Jesteś cholerną kozą z kosmosu – dodał, poklepując Florę.

Kiedy jednak Sylvia wyciągnęła do niej wolną rękę – w drugiej wciąż trzymała torbę z ubraniem, które pożyczyła Carli – Flora natychmiast opuściła głowę, jakby szykowała się do ataku.

– Kozy są nieprzewidywalne – stwierdził Clark. – Wydają się oswojone, ale tak naprawdę nie są. Jak już dorosną.

– Flora jest dorosła? Wygląda na małą.

– Już więcej nie urośnie.

Stali, przyglądając się kozie, jakby oczekiwali, że zapewni im temat do dalszej rozmowy. Ale tak się nie stało. Od tej chwili nie mogli ani się cofnąć, ani pójść naprzód. Sylvii wydało się, że po twarzy Clarka przemknął z tego powodu wyraz żalu.

– Już późno – powiedział, potwierdzając jej wrażenie.

– Chyba tak – odparła Sylvia, jakby to była zwykła towarzyska wizyta.

– No, dobra, Flora, czas do domu.

– Jeśli będę potrzebować pomocy, to coś sobie załatwię – stwierdziła Sylvia. – Zresztą pewnie nie będę już nikogo potrzebowała. I nie będę wchodzić wam w drogę – dodała niemal ze śmiechem.

– Jasne – powiedział. – Proszę iść do domu, bo się pani przeziębi.

– Dawniej ludzie myśleli, że nocna mgła jest niebezpieczna.

– Pierwsze słyszę.

– Dobranoc – powiedziała Sylvia. – Dobranoc, Flora.

Zadzwonił telefon.

– Przepraszam.

Uniósł rękę i się odwrócił.

– Dobranoc.

Dzwoniła Ruth,

– Zmiana planów – poinformowała ją Sylvia.

Sylvia nie spała w nocy, myśląc o kózce, której pojawienie się we mgle wydawało się jej coraz bardziej magiczne. Zastanawiała się nawet, czy przypadkiem Leon nie miał z tym czegoś wspólnego. Gdyby była poetką, napisałaby o czymś takim wiersz. Jednak z doświadczenia wiedziała, że Leona nie pociągały tematy, które jej zdaniem nadawały się na wiersz.

Carla nie słyszała, jak Clark wychodził, ale obudziła się, kiedy wrócił. Powiedział jej, że sprawdzał, co dzieje się w stajni.

– Jakiś czas temu przejeżdżał tędy samochód, ciekaw byłem, kto i po co się tutaj kręci. Nie mogłem zasnąć, dopóki się nie przekonałem, że wszystko jest w porządku.

– I co?

– W porządku, na ile się mogłem zorientować. A jak już wstałem, to pomyślałem, że mogę tam pójść z wizytą. Odniosłem ubrania.

Carla usiadła na łóżku.

– Nie obudziłeś jej?

– Sama się obudziła. Nic się nie stało. Trochę rozmawialiśmy.

– Ach, tak?

– Nic się nie stało.

– Nie mówiłeś nic o tamtym, co?

– Nie.

– Wszystko zmyśliłam. Naprawdę. Musisz mi uwierzyć. Kłamałam.

– W porządku.

– Musisz mi uwierzyć.

– No to ci wierzę.

– Wszystko zmyśliłam.

– Dobrze.

Clark położył się do łóżka.

– Masz zimne stopy – powiedziała Carla. – Jakbyś je przemoczył.

– Jest dużo rosy.

– Chodź tutaj – dodał po chwili. – Kiedy przeczytałem twoją kartkę, zrobiło mi się pusto w środku. Naprawdę. Gdybyś odeszła, nic by we mnie nie zostało.

Pogoda nadal dopisywała. Na ulicach, w sklepach, na poczcie ludzie witali się, mówiąc, że wreszcie przyszło lato. Trawa na pastwiskach i nawet biedne pobite zboża podniosły się w górę. Kałuże wyschły, błoto zmieniło się w suchy pył. Wiał lekki, ciepły wiatr i wszyscy znowu nabrali chęci do roboty. Dzwonił telefon. Pytano o przejażdżki, o lekcje jazdy. Zgłaszały się letnie obozy, zrezygnowawszy z wycieczek do muzeów. Podjeżdżały mikrobusy pełne niespokojnych dzieciaków. Konie brykały przy ogrodzeniu, uwolnione od derek.

Clarkowi udało się kupić wystarczająco duży kawałek pokrycia dachu za niezłą cenę. Cały następny dzień po Ucieczce (tak nazywali autobusową wyprawę Carli) spędził na naprawie zadaszenia areny.

Przez kilka dni Carla i Clark machali do siebie podczas wykonywania swoich prac. Jeśli Carla przechodziła blisko męża i nikogo nie było w pobliżu, całowała go w ramię przez cienki materiał letniej koszuli.

– Jeżeli jeszcze raz spróbujesz ode mnie uciec, wygarbuję ci skórę – powiedział.

– Naprawdę?

– Co takiego?

– Wygarbujesz mi skórę?

– Żebyś wiedziała. – Był pełen życia, nie do odparcia, jak na początku ich znajomości.

Ptaki były wszędzie. Czerwonoskrzydłe kosy, sikorki, para gołębi, które gruchały o świcie. Mnóstwo wron i mew znad jeziora na misjach rozpoznawczych, i wielkie sępniki różowogłowe, które siedziały w gałęziach uschłego dębu kilkaset metrów dalej, na skraju lasu. Początkowo tylko siedziały, susząc rozłożyste skrzydła, czasem wzbijały się w górę w próbnym locie, przez chwilę krążyły dookoła, a potem znowu zasiadały, aby słońce i ciepłe powietrze zrobiły swoje. Po jednym czy dwóch dniach odżyły i pofrunęły wysoko, krążąc i opadając ku ziemi, zniknęły nad lasem, by w końcu wrócić na odpoczynek w gałęziach znajomego, nagiego drzewa.

Właścicielka Lizzie – Joy Tucker – zjawiła się opalona i w przyjaznym nastroju. Miała już dość deszczu i wyjechała na wakacyjną wędrówkę w Góry Skaliste. Teraz wróciła.

– Pod względem pogody idealna pora na powrót – powiedział Clark.

Po chwili żartowali razem, jakby nic się nie stało.

– Lizzie jest w dobrej formie – stwierdziła Joy. – Ale gdzie jest jej mała przyjaciółka? Jak ona się nazywa, Flora?

– Poszła sobie – odparł Clark. – Może wybrała się w Góry Skaliste.

– Tam jest mnóstwo dzikich kóz. Z fantastycznymi rogami.

– Słyszałem.

Przez trzy czy cztery dni nie mieli czasu, aby zajrzeć do skrzynki na listy. Kiedy w końcu Carla to zrobiła, znalazła rachunek za telefon, obietnicę, że jeśli zaprenumerują pewne pismo, mogą wygrać milion dolarów, i list od pani Jamieson.

Droga Carlo,

rozmyślam nad (dość dramatycznymi) wydarzeniami ostatnich dni i rozmawiam przy tym sama ze sobą, ale tak naprawdę z Tobą, na tyle często, że postanowiłam się do Ciebie odezwać, nawet jeżeli miałoby to być na razie tylko listownie. I nie przejmuj się, nie musisz mi odpowiadać.

Potem pani Jamieson pisała, że chyba za bardzo zaangażowała się w życie Carli i błędnie założyła, że jej szczęście i wolność to jedno i to samo. Zależało jej tylko na szczęściu Carli, a teraz przekonała się, że ona – Carla – musi je znaleźć w małżeństwie. Miała nadzieję, że może ucieczka i burzliwe emocje wyzwoliły w Carli prawdziwe uczucia, a może też obudziły w jej mężu świadomość jego prawdziwych uczuć.

Napisała, że zrozumie, jeśli Carla zechce jej w przyszłości unikać, i że zawsze pozostanie jej wdzięczna za pomoc i obecność w tak trudnym dla niej okresie.

Najdziwniejszą i najcudowniejszą rzeczą w tym wszystkim jest dla mnie odnalezienie się Flory. Wygląda to na prawdziwy cud. Gdzie ona była przez cały czas i dlaczego wybrała akurat tę chwilę na powrót? Jestem pewna, że mąż Ci to opowiedział. Rozmawialiśmy przy drzwiach na taras i ja – zwrócona na zewnątrz – pierwsza spostrzegłam to coś białego, co wyszło na nas z ciemności. Był to naturalnie skutek przyziemnej mgły. Dość przeraźliwy. Chyba głośno krzyknęłam. Pierwszy raz w życiu odczułam coś tak dosłownie magicznego. Muszę szczerze powiedzieć, że mnie to przeraziło. Staliśmy, w końcu dorośli ludzie, jak zahipnotyzowani i nagle z mgły wyszła mała, zagubiona Flora.

Musi być w tym coś nadzwyczajnego. Oczywiście wiem, że Flora jest tylko zwykłym zwierzątkiem i że przypuszczalnie poszła gdzieś, aby znaleźć partnera. W pewnym sensie jej powrót nie ma zupełnie związku z naszym życiem. A jednak to, że pojawiła się w tej chwili, wywarło głębokie wrażenie na Twoim mężu i na mnie. Kiedy dwoje wrogich wobec siebie ludzi wpada jednocześnie w osłupienie, czy raczej przerażenie, na widok tego samego zjawiska, powstaje między nimi pewna więź i nieoczekiwane poczucie jedności. Jedności we wspólnym człowieczeństwie – tylko tak mogę to nazwać. Rozstaliśmy się jak dobrzy znajomi. Flora zajęła zatem miejsce dobrego anioła w moim życiu, a może również w życiu Twoim i Twojego męża.

Przesyłam najserdeczniejsze pozdrowienia

Sylvia Jamieson

Carla przeczytała list i od razu zmięła go w dłoni. Potem spaliła w zlewie. Płomienie skoczyły przeraźliwie wysoko i Carla odkręciła wodę, a potem zebrała obrzydliwą, miękką czarną papkę i wrzuciła do ubikacji, co powinna była zrobić od razu.

Miała dużo pracy następnego dnia, i następnego, i następnego. W tym czasie musiała zająć się dwiema grupami, które przyjechały na jazdy, i poprowadzić indywidualne i grupowe lekcje dla dzieci. W nocy, kiedy Clark ją obejmował – ostatnio też bardzo zajęty, ale na to nigdy zbyt zmęczony czy zły – bez trudu poddawała się jego woli.

Miała wrażenie, jakby gdzieś w jej płucach utkwiła morderсza igła, i tylko oddychając bardzo ostrożnie, unikała kłucia. Jednakże od czasu do czasu musiała głębiej odetchnąć i wtedy czuła tę igłę.

Sylvia wynajęła mieszkanie w mieście uniwersyteckim, gdzie uczyła. Domu nie próbowała sprzedać, w każdym razie nie pojawiła się przed nim tabliczka: „Na sprzedaż". Leon Jamieson dostał jakąś pośmiertną nagrodę, napisali o tym w gazetach. Tym razem nie było wzmianki o pieniądzach.

Gdy nadeszły suche dni złotej jesieni – obiecującej i dochodowej pory roku – Carla przywykła do tkwiącej w niej ostrej myśli. Już nie tak ostrej i nie tak zaskakującej. Teraz czuła w sobie coś niemal uwodzicielskiego, stałą, głęboko schowaną pokusę.

Musiała tylko podnieść wzrok, spojrzeć w jednym kierunku, aby wiedzieć, dokąd mogłaby pójść. Wieczorny spacer po zakończeniu codziennych zajęć. Na skraj lasu do nagiego drzewa, gdzie zbierały się padlinożerne ptaki.

A później małe brudne kości w trawie. Czaszka, może z resztką zakrwawionej skóry. Czaszka, którą mogła trzymać w jednej ręce jak filiżankę. Wiedza w jednej dłoni.

A może i nie. Może nic tam nie ma.

Mogło być całkiem inaczej. Może po prostu wypędził Florę. Albo uwiązał ją na skrzyni ciężarówki, wywiózł daleko i wypuścił. Zawiózł tam, skąd wcześniej ją przywiózł. Żeby nie była tu, nie przypominała.

Może jest wolna.

Mijały dni, a Carla nie zbliżyła się do tamtego miejsca. Nie uległa pokusie.

Szansa

W połowie czerwca 1965 roku letni semestr w Torrance House jest już zakończony. Juliet nie zaproponowano stałej pracy – nauczycielka, którą zastępowała, wyzdrowiała – i właściwie mogłaby być teraz w drodze do domu. Ale postanowiła, jak to nazwała, zrobić objazd i odwiedzić koleżankę, która mieszka na wybrzeżu.

Jakiś miesiąc temu pojechała z inną nauczycielką – Juanitą, jedyną w szkole osobą mniej więcej w jej wieku i jedyną, z którą była zaprzyjaźniona – na nową wersję filmu *Hiroszima, moja miłość*. Później Juanita przyznała, że ona sama, tak jak bohaterka filmu, zakochała się w żonatym mężczyźnie, ojcu uczennicy. Juliet powiedziała, że też kiedyś znalazła się w podobnej sytuacji, ale nie pozwoliła, by to trwało, ze względu na ciężki stan jego żony. Jego żona była całkowitą inwalidką, jej mózg był już w zasadzie martwy. Juanita stwierdziła, że chciałaby, aby żona jej kochanka znalazła się w takim stanie, ale ta była jak najbardziej żywa, miała duże możliwości i Juanita mogła przez nią stracić pracę.

Wkrótce potem, niby wyczarowany przez takie niegodne kłamstwa czy półkłamstwa, przyszedł list. W wyświechtanej kopercie, jakby tkwił przez jakiś czas w czyjejś kieszeni, i zaadresowany tylko: „Juliet (nauczycielka), Torrance House, 1482 Mark St., Vancouver, B.C.". Dyrektorka dała go Juliet ze słowami:

– Przypuszczam, że to do pani. Dziwne, że nie ma nazwiska, ale adres jest prawidłowy. Chyba nadawca mógł to sprawdzić.

Droga Juliet,

zapomniałem, w której uczysz szkole, ale pewnego dnia nagle mi się przypomniało, wziąłem to więc za znak, że powinienem do Ciebie napisać. Mam nadzieję, że nadal tam jesteś, ale praca musiałaby rzeczywiście być okropna, żebyś zrezygnowała przed końcem roku, a poza tym nie zrobiłaś na mnie wrażenia osoby, która się łatwo poddaje.

Jak Ci się podoba pogoda na zachodnim wybrzeżu? Jeśli wydaje Ci się, że w Vancouver dużo pada, to wyobraź sobie dwa razy tyle deszczu, bo tak jest u nas.

Często myślę o Tobie, jak siedzisz i patrzysz w ~~gwizdy~~ gwiazdy. Napisałem „gwizdy", bo jest już późna noc i powinienem spać.

U Ann nic się nie zmieniło. Kiedy wróciłem do domu, wydawało mi się, że jej stan bardzo się pogorszył, ale to głównie dlatego, że naraz zobaczyłem, jakie pogorszenie nastąpiło w ciągu ostatnich dwóch czy trzech lat. Nie zauważałem tego, widując ją codziennie.

Chyba nie powiedziałem Ci, że zamierzam zatrzymać się w Reginie, żeby zobaczyć się z synem, który ma teraz jedenaście lat. Mieszka tam z matką. W nim też spostrzegłem dużą zmianę.

Cieszę się, że w końcu przypomniała mi się nazwa szkoły, ale strasznie mi przykro, że zapomniałem Twoje nazwisko. W każdym razie zakleję kopertę, z nadzieją, że mi się ono przypomni.

Często o Tobie myślę.

Często o Tobie myślę

Często o Tobie myślę chrrrrrr

Juliet dojeżdża autobusem ze śródmieścia Vancouver do Zatoki Podkowy i do promu. Potem jedzie przez środek półwyspu, znowu płynie promem i znów trafia na stały ląd, do miejsca, gdzie mieszka mężczyzna, który do niej napisał. Zatoka Wielorybów. Jakże prędko, jeszcze nawet przed Zatoką Podkowy, krajobraz miejski zmienia się w pustkowie. Juliet przez cały semestr mieszkała wśród trawników i ogrodów Kerrisdale, z widokiem na góry północnego wybrzeża, które przy poprawie pogody pojawiały się niczym kurtyna w teatrze. Teren szkoły był zaciszny i uporządkowany, odgrodzony kamiennym murem, z roślinami kwitnącymi o każdej porze roku. Otaczające szkołę posesje wyglądały podobnie. Mnóstwo przyciętych krzaków – rododendrony, ostrokrzew, wawrzyn, glicynia. Ale nawet zanim dojedzie się do Zatoki Podkowy, otacza człowieka prawdziwy las, nie żaden park. A potem już woda i skały, ciemne drzewa, wiszące mchy. Czasami smuga dymu z jakiegoś wilgotnego i zniszczonego domku, z podwórkiem zastawionym drewnem na opał, tarcicą i oponami, samochodami i częściami samochodowymi, zepsutymi i sprawnymi rowerami, zabawkami, wszystkimi tymi rzeczami, które muszą leżeć na dworze, gdy brak garażu lub piwnicy.

Miejscowości, w których zatrzymuje się autobus, nie są uporządkowane. Gdzieniegdzie stoi blisko siebie kilka podobnych domów zbudowanych dla pracowników jednej firmy, ale większość budynków przypomina te z lasu – każdy na swoim dużym i zagraconym podwórku, jakby tylko przypadkiem zbudowano je niedaleko siebie. Nie ma wybrukowanych ulic, oprócz biegnącej środkiem autostrady, nie ma chodników ani dużych, solidnych domów, które pomieściłyby pocztę czy urząd gminy, ani ozdobnych budynków sklepowych, budowanych tak, aby przyciągały wzrok. Nie ma pomników wojennych, wodotrysków z wodą pitną, ukwieconych parków. Od czasu do czasu spotyka się hotel, który wygląda jak zwykły bar. Czasem jest nowa szkoła albo szpital, porządne, choć niskie, w prostych budynkach przypominających baraki.

W pewnym momencie – na drugim promie – Juliet zaczyna mieć poważne wątpliwości.

Często o Tobie myślę

Myślę o Tobie często

Ludzie mówią takie rzeczy tylko na pocieszenie albo z chęci trzymania kogoś na uwięzi.

Ale w Zatoce Wielorybów musi być jakiś hotel, a przynajmniej kemping dla turystów. Tam pójdzie. Zostawiła dużą walizę w szkole, aby ją później odebrać, ma tylko torbę podróżną przewieszoną przez ramię i nie będzie zwracać na siebie uwagi. Zostanie na jedną noc. Może do niego zadzwoni.

I co powie?

Że przyjechała odwiedzić znajomą. Juanitę, znajomą ze szkoły, która ma tu letni domek – gdzie? Juanita ma domek w lesie, niczego się nie boi i lubi spędzać czas na świeżym powietrzu (w przeciwieństwie do prawdziwej Juanity, która zawsze chodzi w szpilkach). Okazało się, że domek znajduje się niedaleko Zatoki Wielorybów, na południu. Juliet pomyślała, że jak już przyjechała do Juanity... Pomyślała... Że jak już tu jest... Pomyślała, że równie dobrze może...

Skały, drzewa, woda, śnieg. Te rzeczy, w nieustannie zmieniającej się konfiguracji, tworzyły pół roku temu scenerię za oknem pociągu, pewnego ranka między Bożym Narodzeniem a Nowym Rokiem. Skały były duże, czasem sterczące, czasem wygładzone, ciemnoszare albo całkiem czarne. Drzewa przeważnie wiecznie zielone, sosny, świerki albo cedry. Świerki – czarne świerki – miały coś, co wyglądało jak dodatkowe małe drzewka, ich własne miniatury na czubkach. Inne drzewa, te, które straciły liście, były patykowate i nagie – to mogły być topole albo amerykańskie modrzewie, albo olchy. Niektóre miały plamistą korę. Śnieg zalegał w grubych czapach na szczytach skał i przylepiał się do nawietrznej strony drzew. Przykrywał miękką gładką warstwą powierzchnię wielu dużych i małych zamarzniętych jezior. Woda nie zamarzła jedynie w nielicznych wartkich, ciemnych i wąskich strumieniach.

Juliet trzymała na kolanach otwartą książkę, ale nie czytała. Nie odrywała oczu od tego, co działo się wokół. Siedziała sama na podwójnym siedzeniu, naprzeciwko pustego podwójnego siedzenia. W nocy w tym miejscu rozłożone było jej posłanie. Konduktor w wagonie sypialnym zajmował się teraz składaniem łóżek. Gdzieniegdzie ciemnozielone, zamykane na suwak zasłony nadal zwisały do ziemi. W powietrzu unosił się zapach tego materiału, podobnego do tkaniny namiotowej, i może lekka woń nocnej bielizny i toalet. Za każdym razem kiedy ktoś otwierał drzwi z któregoś końca wagonu, wpadał podmuch świeżego zimowego powietrza. Ostatni pasażerowie szli na śniadanie, pierwsi już wracali.

Na śniegu widać było ślady, ślady małych zwierząt. Sznury koralików, pozakręcane, znikające.

Juliet miała dwadzieścia jeden lat i tytuł licencjata oraz magistra nauk humanistycznych. Z filologii klasycznej. Pracowała nad doktoratem, ale przerwała pracę, aby uczyć łaciny w prywatnej szkole dla dziewcząt w Vancouver. Nie miała przygotowania pedagogicznego, lecz nagły brak nauczyciela w połowie semestru sprawił, że szkoła ją zatrudniła. Przypuszczalnie nikt inny nie odpowiedział na ogłoszenie. Pensja była niższa niż ta, którą otrzymałby wykwalifikowany nauczyciel, Juliet jednak z radością przyjęła jakikolwiek zarobek po latach życia ze skromnego stypendium.

Była wysoką dziewczyną o jasnej cerze i drobnych kościach, z jasnobrązowymi włosami, które nawet spryskane lakierem nie utrzymywały natapirowanej fryzury. Wyglądała jak pilna uczennica. Wysoko uniesiona głowa, ładna, okrągła broda, szerokie usta o cienkich wargach, zadarty nos, jasne spojrzenie i czoło często poczerwieniałe z wysiłku lub wdzięczności za docenienie. Jej profesorowie byli nią zachwyceni – zadowoleni, że w dzisiejszych czasach ktoś chce studiować języki starożytne, zwłaszcza ktoś tak uzdolniony – choć jednocześnie się martwili. Problem polegał na tym, że była dziewczyną. Gdyby wyszła za mąż, co mogło się zdarzyć, była bowiem niebrzydka jak na stypendystkę, całkiem niebrzydka, cała jej praca i ich wysiłki poszłyby na marne, gdyby zaś nie wyszła za mąż, przypuszczalnie popadłaby w przygnębienie i osamotnienie, nie mając szans na awans w konkurencji z mężczyznami (którzy potrzebowali go bardziej ze względu na rodziny na utrzymaniu). I nie potrafiłaby bronić swego wyboru filologii klasycznej, akceptować tego, że ludzie uważaliby go za nieważny lub nudny, zignorować tego tak, jak zrobiłby to mężczyzna. Dziwne wybory były łatwiejsze dla mężczyzn, których większość i tak znalazłaby sobie żony. W drugą stronę to nie działało.

Kiedy ukazała się oferta pracy w szkole, profesorowie namawiali Juliet, aby ją przyjęła. Bardzo dobrze! Trzeba trochę wyjść na świat. Poznać prawdziwe życie.

Juliet była przyzwyczajona do takich rad, choć rozczarowana tym, że słyszy je od tych ludzi, którzy raczej nie sprawiali wrażenia, że sami chętnie poznają prawdziwy świat. W miejscowości, w której się wychowała, jej rodzaj inteligencji był często zaliczany do tej samej kategorii co utykanie czy dodatkowy palec, a ludzie nader skwapliwie wyliczali jej wady – nie umiała szyć na maszynie, zrobić zgrabnej paczki czy w odpowiednim momencie zauważyć, że wystaje jej halka. Nie wiadomo było, co z niej wyrośnie.

Tym martwili się nawet rodzice Juliet, którzy poza tym byli z niej dumni. Matka chciała, aby córka cieszyła się powodzeniem, i w tym celu namawiała ją do nauki jazdy na łyżwach i gry na pianinie. Juliet nie lubiła i nie umiała dobrze ani jednego, ani drugiego. Ojcu zależało, aby się nie wyróżniała. Nie możesz się wyróżniać, powtarzał, bo ludzie zrobią ci piekło na ziemi. (Ignorował fakt, że i on, i tym bardziej matka Juliet nie bardzo pasowali do otoczenia, a przecież nie byli nieszczęśliwi. Może wątpił, że Juliet będzie miała tyle szczęścia).

Wcale się nie wyróżniam, stwierdziła Juliet, kiedy wyjechała na studia. Pasuję do wydziału filologii klasycznej. Wszystko jest w absolutnym porządku.

Jednak to samo doradzali jej profesorowie, którzy ją cenili i lubili. Ich jowialność nie była w stanie zamaskować troski. Idź w świat, mówili. Jakby do tej pory przebywała w nicości.

Ale w pociągu była szczęśliwa.

„Tajga", pomyślała. Nie wiedziała, czy to odpowiednie słowo dla tego, co widzi za oknem. Na jakimś poziomie świadomości utożsamiała się z młodą bohaterką rosyjskiej powieści, która jedzie w nieznane, przerażające i emocjonujące okolice, gdzie nocami wyją wilki i gdzie spotka swe przeznaczenie. Nie przeszkadzało jej to, że przeznaczenie – w rosyjskiej powieści – okaże się prawdopodobnie nudne lub tragiczne, albo jedno i drugie.

Zresztą nie chodziło o osobiste przeznaczenie. Pociągały ją, nawet zachwycały obojętność, powtarzalność, beztroska i pogarda dla harmonii, widoczne na skomplikowanej powierzchni prekambryjskiej skorupy.

Kątem oka zauważyła jakiś cień. Potem nogę w spodniach wchodzącą do przedziału.

– Czy to miejsce jest wolne?

Przecież było. Co miała powiedzieć?

Pantofle z frędzlami, beżowe spodnie, marynarka w brązowo-beżową kratkę z cienkimi rdzawoczerwonymi kreskami, ciemnoniebieska koszula, rdzawoczerwony krawat z niebieskimi i złotymi punkcikami. Wszystko zupełnie nowe i wszystko – oprócz butów – jakby lekko za duże, jakby od chwili zakupów ciało trochę się skurczyło.

Mężczyzna miał może trochę po pięćdziesiątce, pasma jasnych złotobrązowych włosów przylegały płasko do jego głowy. (Chyba nie były farbowane, kto by farbował takie marne kosmyki?). Brwi – ciemniejsze, rudawe, nastroszone i krzaczaste. Skóra na twarzy – dość guzowata, gruba jak powierzchnia zsiadłego mleka.

Czy był brzydki? Oczywiście, że tak. Był brzydki, ale zdaniem Juliet mężczyźni w jego wieku bardzo często są brzydcy. Później, z perspektywy czasu, nie powiedziałaby, że był szczególnie brzydki.

Uniósł brwi i szeroko otworzył jasne, wilgotne oczy, jakby chciał okazać jej serdeczność. Usiadł naprzeciwko.

– Nie za wiele do oglądania – powiedział.

– Nie. – Opuściła oczy na książkę.

– Ach – westchnął, jakby sprawy przybierały obiecujący obrót. – Dokąd pani jedzie?

– Do Vancouver.

– Ja też. Przez cały kraj. Równie dobrze można przy okazji zobaczyć kawałek świata, prawda?

– Mhm.

Mężczyzna nie dał się zniechęcić.

– Czy pani też wsiadła w Toronto?

– Tak.

– To moje rodzinne miasto. Mieszkam tam od urodzenia. Pani też?

– Nie – powiedziała Juliet, znowu spoglądając na książkę i starając się jak najbardziej wydłużyć pauzę. Jednakże coś – jej wychowanie, zażenowanie, Bóg wie co, może współczucie, okazało się za silne i rzuciła mu nazwę rodzinnej miejscowości, a potem określiła jej położenie, podając odległość od różnych większych miast i usytuowanie względem jeziora Huron i zatoki Georgian.

– Mam kuzynkę w Collingwood. To ładna okolica. Parę razy odwiedziłem ją i jej rodzinę. Sama pani podróżuje? Tak jak ja?

Przez cały czas zacierał dłonie.

– Tak. – Już nie, myśli. Już nie.

– Pierwszy raz wybrałem się na dłuższą wyprawę. Niezła wycieczka, w dodatku w pojedynkę.

Juliet nic nie powiedziała.

– Zobaczyłem, że czyta pani książkę, całkiem sama, i pomyślałem: może jest sama i też jedzie daleko, i moglibyśmy się jakoś zakolegować?

Na to słowo, „zakolegować", Juliet poczuła zimny dreszcz niepokoju. Zrozumiała, że ten człowiek nie chce jej podrywać. Czasami przydarzało jej się, że niezdarni, samotni i nieatrakcyjni mężczyźni składali jej bezpośrednie propozycje, zakładając, że jadą na tym samym wózku. Ale ten mężczyzna tak się nie zachowywał. Szukał towarzysza podróży, a nie dziewczyny. Szukał kolegi.

Juliet wiedziała, że wielu ludziom wydawała się dziwna i samotna, i w pewnym sensie taka była. Jednocześnie przez większość życia otaczali ją ludzie, którzy chcieli wykorzystać jej energię, jej czas, jej duszę. I na ogół im na to pozwalała.

Bądź dla wszystkich dostępna, bądź przyjacielska (zwłaszcza jeśli nie jesteś lubiana) – tego się uczysz w małym mieście i w internacie dla dziewcząt. Pozwalaj, aby każdy mógł cię wykorzystać, nawet jeżeli nie ma pojęcia, kim naprawdę jesteś.

Spojrzała wprost na tego mężczyznę, bez uśmiechu. Zobaczył jej determinację i po jego twarzy przemknął wyraz przestrachu.

– To dobra książka? O czym? – spytał.

Nie zamierzała mu mówić, że czyta o starożytnej Grecji, o upodobaniach Greków do rzeczy irracjonalnych. Nie miała uczyć greki, lecz prowadzić zajęcia pod tytułem *Myśl grecka*, jeszcze raz zatem wróciła do Doddsa, aby znaleźć coś przydatnego.

– Naprawdę chciałabym poczytać. Przejdę do wagonu panoramicznego – powiedziała.

Wstała i wyszła, myśląc, że nie powinna była mówić, dokąd idzie, gdyż mężczyzna mógł pójść za nią, przepraszając i szukając jakiegoś innego pretekstu do bliższej znajomości. Poza tym w wagonie panoramicznym na pewno będzie zimno i przydałby jej się sweter. Ale teraz już nie mogła się po niego wrócić.

Panoramiczny widok, jaki roztaczał się przed nią z ostatniego wagonu, wydawał jej się mniej atrakcyjny niż widok z okna wagonu sypialnego. Teraz w polu widzenia stale znajdowała się przednia część pociągu.

Być może problemem było to, że – tak jak przewidywała – zrobiło jej się zimno. Czuła się zaniepokojona, ale nie było jej przykro. Jeszcze chwila i ofiarowałby jej swoją spoconą rękę – albo spoconą, albo suchą i łuszczącą się – nastąpiłaby wymiana nazwisk i Juliet zostałaby uwięziona. Odniosła pierwsze w życiu zwycięstwo tego rodzaju nad najbardziej godnym współczucia, najbardziej żałosnym przeciwnikiem. Słyszała go w wyobraźni, międlącego słowo „zakolegować". Przeprosiny i bezczelność. Przepraszanie miał w zwyczaju. A bezczelność wynikała z nadziei czy determinacji przebijającej się przez powierzchnię jego samotności, jego głodu towarzystwa.

Zrobiła to, co było konieczne, chociaż niełatwe, wcale niełatwe. W gruncie rzeczy zwycięstwo nad kimś w takim stanie bardziej się liczyło. Bardziej niż nad kimś sprytnym i pewnym siebie. Tym niemniej przez jakiś czas Juliet nie będzie z siebie zadowolona.

W panoramicznym wagonie siedziały tylko dwie osoby. Dwie starsze kobiety, każda oddzielnie. Kiedy Juliet zobaczyła dużego wilka, który szedł po ośnieżonej, idealnie gładkiej powierzchni niewielkiego jeziorka, była pewna, że i one muszą go widzieć. Ale żadna z nich nie przerwała ciszy, i to jej sprawiło przyjemność. Wilk nie zwrócił uwagi na pociąg, nie zawahał się ani nie przyspieszył. Miał długie, srebrzyste futro, przechodzące w biel. Czy myślał, że jest dzięki temu niewidoczny?

Gdy przyglądała się wilkowi, wszedł kolejny pasażer. Mężczyzna, który usiadł po drugiej stronie przejścia. On także miał ze sobą książkę. Po nim weszła starsza para – kobieta drobna i dziarska, mężczyzna duży i niezgrabny, pogardliwie i głośno prychający.

– Zimno tu – powiedział, kiedy usiedli.

– Chcesz, żebym ci przyniosła marynarkę?

– Nie zawracaj sobie głowy.

– To żaden kłopot.

– Nic mi nie będzie.

Po chwili kobieta powiedziała:

– Tu jest naprawdę niezły widok. – Mężczyzna nie odezwał się, a ona spróbowała jeszcze raz: – Widać wszystko dookoła.

– Nie ma nic specjalnego do oglądania.

– Poczekaj, aż wjedziemy w góry. To będzie coś. Smakowało ci śniadanie?

– Jajecznica była za rzadka.

– Wiem – przyznała kobieta. – Pomyślałam, że powinnam po prostu wparować do kuchni i sama ją zrobić.

– Kambuz. To się nazywa kambuz.

– Myślałam, że tylko na statku.

Juliet i mężczyzna naprzeciwko w tej samej chwili podnieśli oczy znad książki i spojrzeli na siebie, starannie powstrzymując się od okazywania czegokolwiek. W tym samym momencie pociąg zwolnił i zaraz stanął, oni zaś odwrócili wzrok.

Dojechali do niewielkiej osady w lesie. Po jednej stronie torów znajdował się budynek stacyjny pomalowany na ciemnoczerwony kolor, po drugiej – parę domów w tym samym kolorze. Domki czy baraki dla pracowników kolejowych. Ogłoszono, że pociąg postoi dziesięć minut.

Peron był oczyszczony ze śniegu i Juliet, patrząc przed siebie, zobaczyła, że niektórzy pasażerowie wysiadają, aby rozprostować nogi. Sama chętnie by to zrobiła, ale nie bez płaszcza.

Mężczyzna z naprzeciwka wstał i zszedł po stopniach, nie rozglądając się wokół. Gdzieś na dole otwarły się drzwi, wpuszczając dyskretny powiew zimnego powietrza. Mąż spytał żonę, co się dzieje i jak się nazywa to miejsce. Żona poszła na przód wagonu, ale nie udało jej się przeczytać nazwy przystanku.

Juliet czytała o menadyzmie. Dodds podawał, że rytuały odbywały się w nocy w środku zimy. Kobiety chodziły na szczyt góry Parnas, a kiedy pewnego razu zostały odcięte od świata przez burzę śnieżną, wysłano ekspedycję ratunkową. Niedoszłe menady sprowadzono na dół w sztywnych od zimna ubraniach. Pomimo szału nie odmówiły przyjęcia pomocy. Juliet wydało się to zachowaniem dość współczesnym i stawiało uczestniczki obrzędu w nowoczesnym świetle. Czy uczniowie też tak to ocenią? Raczej nie. Zapewne okażą się odporni na wszelkie próby wciągnięcia ich w zabawę, zaangażowania. A ci mniej odporni nie będą chcieli tego po sobie pokazać.

Pasażerów wezwano do powrotu do pociągu, ustał dopływ świeżego powietrza, zastukały wagony. Juliet podniosła wzrok i zobaczyła przed sobą znikający za zakrętem parowóz.

A potem wstrząs czy szarpnięcie przetaczające się przez cały pociąg. Wrażenie, jakby wagon się zakołysał. Gwałtowne hamowanie.

Wszyscy czekali, aż pociąg znowu ruszy, i nikt się nie odzywał. Nawet marudny mąż milczał. Mijały minuty. Słychać było otwieranie i zamykanie drzwi. Jakieś męskie głosy, rosnące uczucie lęku i niepokoju. Poniżej, w wagonie pierwszej klasy, ktoś, może konduktor, mówił coś stanowczym głosem, ale nie dało się odróżnić słów.

Juliet wstała i przeszła na przód wagonu, skąd widziała dachy wszystkich pozostałych wagonów. Po śniegu biegli jacyś ludzie.

Jedna z samotnych kobiet podeszła i stanęła obok Juliet.

– Przeczuwałam, że się coś stanie – powiedziała. – Czułam to, kiedy pociąg się zatrzymał. Nie chciałam, żeby znów ruszył, wiedziałam, że coś się stanie.

Druga samotna kobieta podeszła i stanęła za nimi.

– To pewnie nic takiego – stwierdziła. – Może gałąź na torach.

– Przed pociągiem jedzie bufor specjalnie po to, aby wyłapywać takie rzeczy jak gałęzie na torach – powiedziała pierwsza kobieta.

– Może dopiero co spadła.

Obie kobiety mówiły z takim samym północnoangielskim akcentem, bez uprzejmości typowej dla obcych lub znajomych. Teraz, gdy Juliet dobrze im się przyjrzała, zobaczyła, że przypuszczalnie są siostrami, choć jedna miała młodszą i bardziej okrągłą twarz. A zatem podróżowały razem, ale siedziały osobno. Albo się pokłóciły.

Konduktor wchodził po schodach do wagonu panoramicznego. W połowie drogi odwrócił się i powiedział:

– Nic poważnego, proszę państwa. Wygląda na to, że uderzyliśmy w jakąś przeszkodę na torach. Przepraszamy za opóźnienie. Ruszymy, jak się tylko da, ale to może chwilę potrwać. Steward mówi, że za parę minut będzie wydawał w bufecie darmową kawę.

Juliet zeszła na dół za konduktorem. Kiedy wstała, zdała sobie sprawę, że ma własny problem i musi wrócić na swoje miejsce, do swojej walizki, bez względu na to, czy mężczyzna, którego zlekceważyła, wciąż tam jest. Idąc przez wagony, spotykała innych pasażerów. Ludzie przyciskali twarze do okien po jednej stronie pociągu albo stali między wagonami, jakby czekali na otwarcie drzwi. Juliet nie miała czasu na pytania, ale idąc, słyszała, że mógł to być niedźwiedź albo łoś, albo krowa. Pasażerowie zastanawiali się, skąd by się tutaj wzięła krowa, czy niedźwiedzie nie śpią teraz snem zimowym lub czy to jakiś pijak nie usnął na szynach.

W wagonie restauracyjnym ludzie siedzieli przy stolikach, z których zdjęto białe obrusy, i pili darmową kawę.

Nikt nie zajął miejsca Juliet, ani nie siedział naprzeciwko. Wzięła torbę i pospiesznie ruszyła do damskiej toalety. Miesięczne krwawienie było zmorą jej życia. Pewnego razu zakłóciło jej nawet ważny, trzygodzinny egzamin pisemny, podczas którego nie wolno było opuszczać sali.

Zarumieniona, obolała, trochę oszołomiona i bliska wymiotów usiadła na sedesie, usunęła przesiąkniętą podpaskę, owinęła ją w papier toaletowy i umieściła w przeznaczonym na to pojemniku. Kiedy wstała, założyła nową podpaskę, którą wyjęła z torby. Zauważyła, że woda i mocz w muszli klozetowej są czerwone od krwi. Dotknęła przycisku do spuszczania wody i spostrzegła przed oczyma napis, aby nie spuszczać wody podczas postoju pociągu. Oznaczało to oczywiście postój na stacji, kiedy woda wypłukałaby zawartość muszli tam, gdzie byłaby widoczna dla innych. Tutaj mogła sobie na to pozwolić.

Kiedy jednak znowu dotknęła przycisku, usłyszała gdzieś blisko ludzkie głosy, nie w pociągu, lecz za szybą z tłoczonego szkła. Pewnie przechodzili robotnicy kolejowi.

Mogła zostać w ubikacji do odjazdu pociągu, ale nie wiadomo było, kiedy on nastąpi. A gdyby ktoś koniecznie musiał skorzystać z toalety? Uznała, że jedyne, co może zrobić, to zamknąć klapę i wyjść.

Wróciła na swoje miejsce. Naprzeciwko cztero- czy pięcioletnie dziecko rozcinało kredką kartki książeczki do malowania.

– Kawa może i jest za darmo, ale wygląda na to, że trzeba samemu po nią pójść – powiedziała matka dziecka do Juliet. – Popilnuje go pani, jak pójdę?

– Nie chcę z nią zostać – powiedziało dziecko, nie podnosząc oczu.

– Ja pójdę – zaproponowała Juliet. W tej chwili wszedł kelner z wózkiem z kawą.

– Proszę, za wcześnie zaczęłam narzekać – powiedziała matka. – Słyszała pani, że to był c z ł o w i e k ?

Juliet pokręciła głową.

– Nawet nie miał na sobie płaszcza. Ktoś widział, jak wysiada z pociągu i idzie przed siebie, ale nikt nie zdawał sobie sprawy, co zamierza. Wszedł na tory zaraz za zakrętem, więc kiedy maszynista go zobaczył, już było za późno.

Parę miejsc dalej, po stronie matki, odezwał się jakiś mężczyzna:

– Wracają.

Część pasażerów siedzących po stronie Juliet wstała i pochyliła się do okna. Chłopiec też wstał i przycisnął twarz do szyby. Matka kazała mu usiąść.

– Maluj. Zobacz, jak brzydko wyszedłeś za linie.

– Nie mogę patrzeć – powiedziała do Juliet. – Nie mogę niczego takiego oglądać.

Juliet wstała i wyjrzała przez okno. Zobaczyła grupkę mężczyzn wracających na stację. Niektórzy zdjęli płaszcze, rzucono je na nosze, które dwaj z nich nieśli.

– Nic nie widać – powiedział mężczyzna zza pleców Juliet do kobiety, która nie podniosła się z miejsca. – Jest cały przykryty.

Nie wszyscy mężczyźni, którzy szli z pochylonymi głowami, byli pracownikami kolei. Juliet rozpoznała człowieka, który siedział naprzeciwko niej w wagonie panoramicznym.

Po dziesięciu czy piętnastu minutach pociąg ruszył. Za zakrętem z żadnej strony nie było widać krwi. Ale teren był zadeptany, śnieg odgarnięty. Mężczyzna za Juliet znów wstał.

– To chyba tutaj – powiedział, i rozglądał się przez chwilę, a potem odwrócił się i usiadł.

Pociąg, zamiast przyspieszyć, żeby nadrobić stracony czas, jechał jeszcze wolniej niż przedtem. Może dla okazania szacunku, a może z obawy, co może napotkać przed sobą, za następnym zakrętem. Kelner przeszedł przez wagon, ogłaszając pierwszą turę obiadu. Matka z dzieckiem od razu za nim poszła. Ruszyła procesja pasażerów, i Juliet słyszała, jak jakaś kobieta powiedziała:

– Naprawdę?

Jej towarzyszka dodała cicho:

– Tak mówiła. Pełna krwi. Musiała tam wlecieć, kiedy pociąg przejechał...

– Nie mów.

Trochę później, kiedy procesja się skończyła i pierwsza tura zasiadła do obiadu, korytarzem przeszedł mężczyzna, ten z wagonu panoramicznego, który potem na dworze towarzyszył noszom.

Juliet wstała i szybko poszła za nim. W czarnej, zimnej przestrzeni między wagonami, kiedy pchnięciem otwierał przed sobą ciężkie drzwi, powiedziała:

– Przepraszam, muszę pana o coś zapytać.

Przestrzeń wypełnia gwałtowny hałas, stukot ciężkich kół po szynach.

– O co chodzi?

– Czy jest pan lekarzem? Widział pan tego człowieka, który...

– Nie jestem lekarzem. W pociągu nie ma lekarza. Ale trochę się znam na medycynie.

– Ile miał lat?

Mężczyzna spojrzał na nią cierpliwie, ale z niezadowoleniem.

– Trudno powiedzieć. Nie był młody.

– Czy miał niebieską koszulę? I jasnobrązowawe włosy?

Mężczyzna pokręcił głową, nie w odpowiedzi na jej pytanie, lecz odmawiając jej.

– Znała go pani? – spytał. – Jeśli tak, trzeba było powiedzieć konduktorowi.

– Nie znałam.

– To przepraszam. – Popchnął drzwi i odszedł.

Oczywiście. Myślał, że pyta z obrzydliwej ciekawości, jak wielu innych ludzi.

„Pełna krwi". To dopiero jest obrzydliwe.

W życiu nie mogłaby nikomu opowiedzieć o tej pomyłce, tym okropnym żarcie. Ludzie uznaliby ją za osobę wyjątkowo prymitywną i bez serca, gdyby kiedykolwiek o tym wspomniała. A to, co było z jednej strony tego nieporozumienia – przejechane ciało samobójcy – wypadłoby w tej historii niewiele bardziej przerażająco i wstrętnie niż jej własna krew miesiączkowa.

Nigdy nikomu nie mówić. (Chociaż w końcu opowiedziała, kilka lat później, kobiecie imieniem Christa, kobiecie, której imienia nawet jeszcze nie znała).

Jednakże bardzo chciała coś komuś powiedzieć. Wyjęła notes i na jednej z poliniowanych stron zaczęła pisać list do rodziców.

Jeszcze nie dojechaliśmy do granicy Manitoby i większość ludzi narzeka na monotonne widoki, ale nie mogą twierdzić, że w podróży zabrakło dramatycznych wydarzeń. Dziś rano zatrzymaliśmy się w jakiejś zapadłej dziurze w północnych lasach, gdzie wszystko pomalowano na Okropną Kolejową Czerwień. Siedziałam z tyłu pociągu w wagonie widokowym, strasznie marznąc, bo na górze oszczędzają na ogrzewaniu (chyba myślą, że piękne krajobrazy odwracają uwagę od zimna), a nie chciało mi się wracać po sweter. Pociąg stał jakieś dziesięć czy piętnaście minut, a potem znów ruszył i widziałam, jak parowóz wjeżdża za zakręt, i nagle był taki Straszny Łomot...

Juliet i jej rodzice zawsze starali się przynosić do domu interesujące historie. Wymagało to subtelnej korekty nie tylko faktów, lecz także swojej pozycji w świecie. Przynajmniej do tego wniosku doszła Juliet, kiedy jej światem była szkoła. Uczyniła z siebie zdystansowaną, niepodatną na wzruszenia obserwatorkę. A teraz, gdy była cały czas poza domem, taka pozycja stała się już zwyczajowa, niemal obowiązkowa.

Kiedy jednak napisała słowa „Straszny Łomot", poczuła, że nie jest w stanie dalej pisać. Nie jest w stanie pisać takim językiem jak zwykle.

Spróbowała wyglądać przez okno, ale sceneria, złożona z tych samych elementów, teraz się zmieniła. Zaledwie sto pięćdziesiąt kilometrów dalej panował cieplejszy klimat. Jeziora nie zamarzły, tylko przy brzegach otaczał je lód. Czarna woda, czarne skały pod zimowymi chmurami wypełniały powietrze ciemnością. Juliet zmęczona oglądaniem krajobrazu sięgnęła po Doddsa i otworzyła na chybił trafił, bo przecież w końcu znała książkę. Co parę stron musiała mieć jakieś napady podkreślania. Zaznaczone fragmenty przyciągały jej uwagę, ale kiedy je ponownie czytała, okazywało się, że to, co kiedyś dawało jej tyle satysfakcji, teraz wydawało się niejasne i niepokojące.

*...to, co z niedoskonałego ludzkiego punktu widzenia wydawało się być działaniem złego ducha, w szerszej perspektywie, jaką obdarzeni są zmarli, postrzegane było jako akt kosmicznej sprawiedliwości**...*

* Fragment książki *Grecy i irracjonalność* Erica R. Doddsa, tłum. Jacek Partyka (wyd. Homini, Bydgoszcz 2002, s. 44–45) (przyp. red.).

Książka wypadła jej z rąk, oczy same się zamknęły i Juliet spacerowała teraz z jakimiś dziećmi (uczniami?) po powierzchni jeziora. Wszędzie, gdzie któreś z nich stanęło, pojawiało się pięcioboczne pęknięcie, wszystkie bardzo symetryczne, tak że lód wyglądał jak podłoga z kafelków. Dzieci pytały ją o nazwę tych lodowych kafelków i Juliet z przekonaniem odpowiadała – „pentametr jambiczny". Ale one się z tego śmiały i od tego śmiechu pęknięcia w lodzie stale się powiększały. Wtedy Juliet zrozumiała swój błąd i pojęła, że tylko właściwe słowo może uratować sytuację, ale nie mogła go sobie przypomnieć.

Obudziła się i zobaczyła tego samego człowieka, mężczyznę, którego wypytywała między wagonami, siedzącego naprzeciwko.

– Spała pani. – Uśmiechnął się lekko z tego, co sam powiedział. – Najwyraźniej.

Spała z głową zwisającą w dół, jak stara kobieta, i w kąciku jej ust zebrała się strużka śliny. Poza tym wiedziała, że musi natychmiast pójść do toalety, i miała nadzieję, że na spódnicy nie zrobiła się plama.

– Przepraszam – powiedziała (tak jak on przedtem do niej), wzięła torbę i odeszła, starając się za wszelką cenę nie spieszyć.

Kiedy wróciła, umyta, ogarnięta i umocniona wewnętrznie, mężczyzna nadal tam siedział.

Od razu oznajmił, że chce ją przeprosić.

– Mam wrażenie, że byłem niegrzeczny. Gdy spytała pani...

– Tak.

– Zgadza się. Pani opis się zgadza.

Z jego strony zabrzmiało to nie tyle jak zadośćuczynienie, co jak bezpośrednia i konieczna transakcja. Gdyby Juliet w ogóle się nie odezwała, mógłby wstać i pójść sobie, nieszczególnie rozczarowany, zrobiwszy to, po co przyszedł.

Oczy Juliet, ku jej wstydowi, napełniły się łzami. Stało się to tak nieoczekiwanie, że nie zdążyła się odwrócić.

– W porządku – powiedział. – W porządku.

Szybko pokiwała głową, kilka razy, żałośnie pociągnęła nosem i wydmuchała go w chusteczkę, którą w końcu znalazła w torbie.

– Już dobrze – stwierdziła, a potem opowiedziała mu po prostu, co się stało. Jak tamten mężczyzna pochylił się i spytał, czy miejsce jest wolne, jak usiadł, jak ona wyglądała przez okno, a potem już dłużej nie mogła tego robić i próbowała czytać książkę, czy też udawała, że czyta, jak spytał, gdzie wsiadła do pociągu, i dowiedział się, gdzie mieszka, i usiłował cały czas wciągnąć ją do rozmowy, aż wreszcie wstała i wyszła.

Jedyną rzeczą, której nie powtórzyła, był zwrot „zakolegować się". Miała wrażenie, że jeśli go wypowie, znowu się rozpłacze.

– Ludzie zaczepiają kobiety – powiedział. – Częściej niż mężczyzn.

– Tak, to prawda.

– Uważają, że kobiety powinny być milsze.

– Ale on tylko chciał z kimś porozmawiać – powiedziała, zmieniając trochę punkt widzenia. – Potrzebował kogoś bardziej niż ja nie potrzebowałam. Tak to teraz widzę. Nie jestem złą osobą. Ani okrutną. A tak się zachowałam.

Pauza, podczas której ponownie opanowała pociąganie nosem i cieknące łzy.

– Nigdy wcześniej nie chciała pani zrobić czegoś takiego?

– Tak. Ale nie zrobiłam. Nigdy się tak daleko nie posunęłam. Dlaczego tym razem... Dlatego, że był taki pokorny. I miał na sobie całkiem nowe ubranie, które zapewne kupił na wyjazd. Pewnie miał depresję i pomyślał, że wyjedzie i że to dobry sposób, aby kogoś poznać, z kimś się zaprzyjaźnić. Może gdyby jechał niedaleko... – dodała. – Ale powiedział, że jedzie do Vancouver, i byłabym na niego skazana przez wiele dni.

– Tak.

– Naprawdę.

– Tak.

– No, właśnie.

– Pech – powiedział z lekkim uśmiechem. – Pierwszy raz zdobyła się pani, żeby się komuś postawić, a on rzucił się pod pociąg.

– Może to była kropla, która przelała czarę – rzekła Juliet obronnym tonem. – Przecież mogło tak być.

– Na przyszłość musi pani uważać.

Juliet uniosła brodę i spojrzała na niego uważnie.

– Uważa pan, że przesadzam.

Potem stało się coś równie nagłego i mimowolnego jak łzy. Usta Juliet zadrgały. Wzbierał w niej szelmowski śmiech.

– Chyba faktycznie przesadziłam.

– Trochę.

– Sądzi pan, że dramatyzuję?

– Nie ma w tym nic dziwnego.

– Ale pan uważa to za błąd – stwierdziła, panując nad śmiechem. – Pańskim zdaniem uleganie poczuciu winy to zwykła słabostka?

– Myślę, że... Myślę, że to jest mało ważne. Przeżyje pani rzeczy, prawdopodobnie przeżyje pani takie rzeczy, że ta wyda się przy nich drobnostką. Inne rzeczy, które spowodują poczucie winy.

– Ludzie zawsze tak mówią, prawda? Do kogoś młodszego? Mówią, och, kiedyś będziesz myśleć inaczej. Przekonasz się. Jakby nie miało się prawa do poważnych uczuć. Jakby się nie było do nich zdolnym.

– Uczucia. Ja mówiłem o doświadczeniu.

– Ale chce pan powiedzieć, że poczucie winy nie ma sensu. Ludzie tak mówią. Czy to prawda?

– To ja mam wiedzieć?

Rozmawiali na ten temat przez dłuższy czas, przyciszonymi głosami, ale tak intensywnie, że przechodzący pasażerowie byli czasem zdumieni, a nawet oburzeni, jak zwykle, gdy ludzie przypadkiem słyszą dyskusje, które wydają się im bezsensownie abstrakcyjne. Po jakimś czasie Juliet doszła do wniosku, że mimo argumentacji – niezłej jej zdaniem – za koniecznością odczuwania winy, zarówno w życiu publicznym, jak i prywatnym, ona sama chwilowo do żadnej winy się nie poczuwa. Można nawet powiedzieć, że się dobrze bawi.

Mężczyzna zaproponował, żeby poszli do bufetu napić się kawy. Na miejscu Juliet odkryła, że jest całkiem głodna, chociaż pora obiadu dawno minęła. Dostali jedynie precle i orzeszki, i Juliet pochłaniała je tak szybko, że wyważona i ambitna rozmowa, jaką toczyli wcześniej, okazała się niemożliwa. W zamian rozmawiali o sobie. Mężczyzna nazywał się Eric Porteous i mieszkał w Zatoce Wielorybów, gdzieś na północ od Vancouver, na zachodnim wybrzeżu. Nie jechał tam jednak od razu, miał wysiąść z pociągu w Reginie, żeby odwiedzić dawno niewidzianych znajomych. Był rybakiem i łowił krewetki. Juliet spytała go o doświadczenie medyczne, o którym wspomniał wcześniej, na co odparł:

– Och, nic wielkiego. Trochę studiowałem medycynę. Kiedy się jest w dziczy albo na łodzi, wszystko może się przydarzyć. Ludziom, z którymi pracujesz, albo tobie.

Był żonaty, jego żona miała na imię Ann.

Osiem lat temu, powiedział, Ann miała wypadek samochodowy. Przez wiele tygodni leżała w śpiączce. Wybudziła się, ale nadal jest sparaliżowana, nie może chodzić, nawet jeść samodzielnie. Chyba wie, kim jest i kim jest kobieta, która się nią opiekuje – dzięki pomocy tej kobiety mogła zostać w domu – ale wszelkie próby Ann, aby coś powiedzieć czy rozumieć, co się wokół niej dzieje, szybko poszły w zapomnienie.

Byli na przyjęciu. Ona niespecjalnie chciała tam jechać, ale on nalegał. Potem postanowiła wrócić do domu piechotą, bo przyjęcie jej się nie spodobało.

Pijana grupa wracająca z innej imprezy zjechała autem z drogi i wpadła na Ann. Nastolatki.

Na szczęście nie mieli dzieci. Tak, na szczęście.

– Mówisz ludziom, a oni koniecznie muszą powiedzieć, że to straszne. Co za tragedia. I tak dalej.

– Dziwi się pan? – spytała Juliet, która właśnie zamierzała powiedzieć coś w tym rodzaju.

Zaprzeczył, ale to wszystko było znacznie bardziej skomplikowane. Czy Ann uważa, że to tragedia? Raczej nie. A on? To było coś, do czego człowiek się przyzwyczaja. Nowe życie. I tyle.

Wszystkie przyjemne doświadczenia z mężczyznami Juliet przeżyła do tej pory wyłącznie w wyobraźni. Jeden czy dwóch znanych aktorów, cudowny tenor – nie bohater, którego odgrywał, samiec bez serca – ze starego nagrania *Don Giovanniego*. Henryk V, taki, jakiego poznała, czytając Szekspira, i jakiego zagrał w filmie Laurence Olivier.

Było to śmieszne, żałosne, ale przecież nikt nie musiał wiedzieć. W prawdziwym życiu doznawała upokorzeń i rozczarowań, które usiłowała jak najszybciej wypchnąć z pamięci.

Wśród jej doświadczeń było wystawanie pod ścianami na szkolnych potańcówkach, w stadku innych niechcianych dziewcząt, niższych od niej o głowę; było znudzenie i brawurowe próby okazywania żywego zainteresowania na spotkaniach z chłopakami, którzy niezbyt się jej podobali i którym ona niezbyt się podobała. Zeszłoroczna randka z siostrzeńcem promotora jej pracy magisterskiej i penetracja – nie można nazwać tego gwałtem, bo Juliet też była na to zdecydowana – późnym wieczorem na ziemi w Willis Park.

W powrotnej drodze wyjaśnił jej, że nie jest w jego typie. A Juliet czuła się zanadto upokorzona, aby odpowiedzieć, czy nawet zdać sobie sprawę, że on też nie jest w jej.

Nigdy nie fantazjowała na temat konkretnego, rzeczywistego mężczyzny, a już w żadnym razie na temat któregoś z wykładowców. Starsi mężczyźni w prawdziwym życiu wydawali jej się lekko niesmaczni.

Ile lat miał ten człowiek? Był żonaty co najmniej od ośmiu lat, a może i dwa, dwa albo trzy lata dłużej. To by znaczyło jakieś trzydzieści pięć, trzydzieści sześć lat. Miał ciemne, kręcone włosy z nitkami siwizny na skroniach, szerokie i ogorzałe czoło, silne, trochę przygarbione ramiona. Był niewiele wyższy od niej, jego szeroko osadzone, ciemne oczy były żywe, choć nieufne, a broda z dołeczkiem – okrągła i wojownicza.

Juliet opowiedziała mu o swojej pracy i podała nazwę szkoły – Torrance House. („Mogę się założyć, że uczniowie mówią: Tortury"). Wyjaśniła, że nie jest etatową nauczycielką, ale że dyrekcja ucieszyła się z kogoś, kto skończył filologię klasyczną. Mało kto wybiera dziś ten kierunek.

– To dlaczego pani to zrobiła?

– Och, chyba żeby się czymś wyróżnić.

Potem powiedziała mu to, o czym od dawna wiedziała, że nigdy nie powinna mówić tego żadnemu mężczyźnie czy chłopcu, jeśli nie chce, by natychmiast stracił dla niej zainteresowanie.

– I dlatego, że ja to bardzo lubię. Kocham. Naprawdę.

Zjedli razem kolację, wypili po kieliszku wina, a później przeszli do wagonu panoramicznego, gdzie siedzieli po ciemku, tylko we dwoje. Tym razem Juliet wzięła ze sobą sweter.

– Ludzie myślą, że wieczorem nie ma tu czego oglądać – powiedział. – Ale niech pani spojrzy na gwiazdy, które widać, kiedy nie ma chmur.

Chmur rzeczywiście nie było. Nie było też księżyca, przynajmniej na razie, a gwiazdy tworzyły gęste skupiska, niektóre przyćmione, inne jasne. Jak każdy, kto żył i pracował na statkach, mężczyzna znał mapę nieba. Juliet potrafiła zidentyfikować tylko Wielki Wóz.

– To jest początek – powiedział. – Teraz dwie gwiazdy z boku Wozu naprzeciwko dyszla. Ma pani? To są wskaźniki. Proszę iść za nimi, dojdzie pani do Gwiazdy Polarnej. – I tak dalej.

Znalazł dla niej Oriona, największą konstelację na północnej półkuli w zimie. I Syriusza, Psią Gwiazdę, o tej porze roku najjaśniejszą gwiazdę na całym północnym niebie.

Juliet z przyjemnością słuchała jego wskazówek, ale z równą przyjemnością przejęła instruktorską pałeczkę. Znał nazwy gwiazd, lecz nie znał ich historii.

Powiedziała mu, że Ojnopion oślepił Oriona, który jednak odzyskał wzrok, patrząc na słońce.

– Został oślepiony, ponieważ był tak piękny, ale z pomocą przyszedł mu Hefajstos. Później i tak zabiła go Artemida i zmienił się w gwiezdną konstelację. Często się zdarzało, że kiedy ktoś naprawdę wartościowy wpadł w poważne kłopoty, zmieniał się w konstelację. Gdzie jest Kasjopeja?

Pokazał jej niezbyt wyraźny kształt litery W.

– To ma być siedząca kobieta.

– I to też stało się z powodu urody – powiedziała.

– Uroda była niebezpieczna?

– Jeszcze jak. Kasjopeja była żoną króla Etiopii i matką Andromedy. Przechwalała się swoją urodą i za karę wygnano ją na niebo. Andromeda też tu jest, prawda?

– To jest galaktyka. Powinna być dziś widoczna. To najbardziej odległy gwiazdozbiór, jaki widać gołym okiem.

Nawet kiedy tłumaczył, mówił, gdzie ma patrzeć, nigdy jej nie dotknął. Oczywiście. Przecież ma żonę.

– Kim była Andromeda? – spytał.

– Była przykuta łańcuchem do skały, ale Perseusz ją uwolnił.

Zatoka Wielorybów.

Długi port, sporo dużych łodzi, stacja benzynowa i sklep, który ma na wystawie tabliczkę z informacją, że jest tu też przystanek autobusowy i poczta.

Samochód zaparkowany obok sklepu ma za szybą domowej roboty napis „taxi". Juliet stoi tam, gdzie wysiadła z autobusu. Autobus odjeżdża. Taksówkarz naciska na klakson, wysiada i podchodzi do niej.

– Całkiem sama – mówi. – Dokąd się pani wybiera?

Juliet pyta, czy jest tu jakieś miejsce dla turystów. Na hotel nie ma co liczyć.

– Nie wiem, czy o tej porze roku ktoś wynajmuje pokoje. Mogę zapytać w środku. Nikogo pani tu nie zna?

Nie ma wyjścia i wymienia nazwisko Erica.

– Och, jasne – mówi z ulgą kierowca. – Niech pani wsiada, zaraz tam będziemy. Niestety spóźniła się pani na czuwanie.

W pierwszej chwili myśli, że powiedział „czekanie". A może „suwanie"? Nie bardzo rozumie.

– To smutne – mówi kierowca, siadając za kierownicą. – No, ale wiadomo było, że się jej nie polepszy.

„Czuwanie". Czuwanie przy zwłokach. Żona. Ann.

– Nie szkodzi – mówi kierowca. – Na pewno będą jeszcze jacyś ludzie. Oczywiście ominął panią pogrzeb. Wczoraj. Ogromny. Nie mogła się pani wcześniej wyrwać, co?

– Nie – mówi Juliet.

– Nie powinienem nazywać tego czuwaniem, prawda? Czuwanie jest przecież przed pogrzebem. Nie wiem, jak się nazywa to, co jest potem. Chyba nie przyjęcie? Może panią tam zawiozę i pokażę te wszystkie wieńce i szarfy, dobrze?

W głębi lądu, po jakichś czterystu metrach wyboistej gruntowej drogi, znajduje się cmentarz komunalny Zatoki Wielorybów. A niedaleko płotu jest kopczyk z ziemi, który tonie w kwiatach. Zwiędłe cięte kwiaty i jaskrawe sztuczne, mały drewniany krzyż z nazwiskiem i datą. Błyszczące pozwijane wstążki, które wiatr rozrzucił po trawie. Kierowca zwraca uwagę Juliet na koleiny, wczorajsze ślady po kołach bardzo wielu samochodów.

– Połowa z nich nie widziała jej na oczy. Ale znają jego, to chcieli przyjechać. Wszyscy znają Erica.

Zawracają i jadą z powrotem, ale nie aż do autostrady. Chce powiedzieć kierowcy, że zmieniła zamiar, nie chce nikogo odwiedzać, chce poczekać w sklepie na autobus w drugą stronę. Może powie, że pomyliła dzień pogrzebu i teraz tak jest tym zawstydzona, że woli się nie pokazywać.

Ale nie potrafi zacząć. A poza tym on i tak opowiedziałby o jej przyjeździe.

Jadą wąskimi, krętymi bocznymi drogami, mijając nieliczne domy. Za każdym razem, kiedy przejeżdżają obok jakiegoś podjazdu i nie skręcają, Juliet oddycha z ulgą.

– A to niespodzianka – mówi kierowca i teraz skręcają na podjazd. – Gdzie się wszyscy podziali? Było z pół tuzina samochodów, kiedy przejeżdżałem tędy godzinę temu. Nie ma nawet jego ciężarówki. Przyjęcie skończone. Przepraszam, nie powinienem tego mówić.

– Skoro nikogo nie ma – zaczyna pospiesznie Juliet – to właściwie mogłabym wrócić.

– Ktoś jest na pewno, niech się pani nie martwi. Jest Ailo. To jej rower. Zna pani Ailo? Ona się wszystkim zajmowała.

Wysiadł i otwiera jej drzwi.

Juliet wysiada i w tej samej chwili nadbiega wielki żółty pies, skacząc i szczekając, a z ganku woła go jakaś kobieta.

– Daj spokój, Pet – mówi kierowca. Chowa zapłatę za kurs do kieszeni i szybko wsiada z powrotem do samochodu.

– Zamknij się. Zamknij się, Pet. Uspokój się. Nic pani nie zrobi – woła kobieta. – To szczeniak.

Może i szczeniak, ale to wcale nie znaczy, że jej nie przewróci, myśli Juliet. W dodatku do ogólnego harmideru dołącza się mały, rudawo-brązowy piesek. Kobieta schodzi po schodach, krzycząc:

– Pet. Corky. Oj, spokój! Jeśli zobaczą, że się pani ich boi, będą jeszcze bardziej zaczepni.

Słowo „jeszcze" brzmi w jej ustach jak „chaszcze".

– Nie boję się – mówi Juliet, odskakując, gdy żółty pies trąca jej rękę nosem.

– Proszę wejść. Hej, wy dwaj, zamknijcie się albo dostaniecie po łbach. Pomylił się pani dzień pogrzebu?

Juliet kręci głową, jakby chciała przeprosić. Przedstawia się.

– Kiepska sprawa. Jestem Ailo.

Podają sobie ręce.

Ailo jest wysoką kobietą o szerokich ramionach i tęgim, choć nie obwisłym ciele, z żółtawosiwymi włosami do ramion. Ma silny, stanowczy głos i gardłowo wymawia niektóre dźwięki. Z niemieckim, holenderskim czy skandynawskim akcentem?

– Proszę usiąść tutaj, w kuchni. Wszędzie jest straszny bałagan. Dam pani kawy.

Kuchnia jest jasna, światło wpada przez świetlik w wysokim, skośnym suficie. Wszędzie stoją sterty naczyń, szklanek i garnków. Pet i Corky potulnie przyszły za Ailo do kuchni i zaczęły wyjadać to, co im postawiła na podłodze w brytfannie.

Za kuchnią, na podwyższeniu, do którego prowadzą dwa szerokie stopnie, jest ocieniony, wielki salon z dużymi poduchami rozrzuconymi na podłodze.

Ailo odsuwa krzesło od stołu.

– Proszę usiąść. Niechże pani usiądzie, napije się kawy i coś zje.

– Nie trzeba – mówi Juliet.

– Nie. Jest kawa, którą właśnie zaparzyłam, swoją wypiję przy pracy. I zostało bardzo dużo jedzenia.

Razem z kawą stawia przed Juliet kawałek ciasta – jasnozielonego, pokrytego pomarszczoną bezą.

– Z galaretką z limonki – mówi bez entuzjazmu. – Ale może dobrze smakuje. Czy woli pani ciasto z rabarbarem?

– Świetnie.

– Straszny bałagan. Posprzątałam po czuwaniu i wszystko uporządkowałam. Potem pogrzeb. I teraz po pogrzebie znowu muszę zaczynać od początku.

W jej głosie brzmi prawdziwa skarga. Juliet czuje się zobowiązana, żeby powiedzieć:

– Jak to skończę, mogę pani pomóc.

– Nie, chyba jednak nie – mówi Ailo. – Ja wiem, co i jak.

Porusza się niespiesznie, ale celowo i efektywnie. (Takie kobiety nigdy nie chcą twojej pomocy. Widzą, jaka jesteś). Wyciera szklanki, talerze i sztućce, a wytarte chowa do szafek i szuflad. Potem skrobie garnki i patelnie, łącznie z brytfanną odebraną psom, wkłada je do czystej wody z płynem do zmywania, zmywa stół i lady, wyżymając ścierki, jakby ukręcała główki kurczakom. I rozmawia, z przerwami, z Juliet.

– Jest pani znajomą Ann? Znała ją pani wcześniej?

– Nie.

– Tak mi się wydawało. Jest pani za młoda. To dlaczego chciała pani przyjechać na jej pogrzeb?

– Nie chciałam – wyjaśnia Juliet. – Nic nie wiedziałam. Przyjechałam z wizytą. – Stara się zrobić wrażenie, jakby miała taki kaprys, jakby miała mnóstwo znajomych i jeździła do nich z niezapowiedzianymi wizytami.

Ailo z wyjątkową energią i zaangażowaniem czyści garnek i nie raczy odpowiedzieć. Trwa w milczeniu, czyszcząc kolejne garnki.

– Przyjechała pani do Erica. Znalazła pani właściwy dom. Eric tu mieszka – odzywa się w końcu.

– Ale pani tu nie mieszka, prawda? – mówi Juliet, jakby mogła w ten sposób zmienić temat.

– Nie, nie mieszkam tutaj. Mieszkam na zboczu wzgórza, z mężem.

Słowo „mąż" ma w sobie ciężar dumy i wyrzutu.

Ailo bez pytania dolewa kawy Juliet, a potem sobie. Przynosi dla siebie kawałek ciasta. Ciasto ma różową dolną warstwę i krem na górze.

– Rodzaj budyniu z rabarbarem. Trzeba szybko zjeść, bo się zepsuje. Ja nie przepadam, ale jem. Może przyniosę pani kawałek?

– Nie, dziękuję.

– Tak. Eric wyjechał. Dzisiaj już nie wróci. Raczej nie. Pojechał do Christy. Zna pani Christę?

Juliet sztywno kręci głową.

– My tutaj wszyscy orientujemy się w tym, jak kto żyje. Dobrze wiemy, co i jak. Nie wiem, jak to jest tam, gdzie pani mieszka. W Vancouver? – Juliet kiwa głową. – W mieście. To nie to samo. Żeby Eric był tak dobry i opiekował się żoną, potrzebuje pomocy, rozumie pani? Ja mu pomagam.

– Ale przecież nie robi pani tego za darmo – mówi Juliet niemądrze.

– Pewnie że nie za darmo. Ale to nie tylko praca. Jest też inny rodzaj pomocy ze strony kobiety, on tego potrzebuje. Rozumie mnie pani? Nie kobieta z mężem, w to nie wierzę, tak nie przystoi, to tylko prowadzi do kłótni. Najpierw Eric miał Sandrę, potem ona się przeprowadziła i ma Christę. Przez jakiś czas były obie, Sandra i Christa, ale one się przyjaźniły, nie było sprawy. Tylko Sandra ma dzieci i chce mieszkać tam, gdzie są lepsze szkoły. Christa jest artystką. Robi różne rzeczy z drewna, które morze wyrzuca na plażę. Jak się nazywa takie drewno?

– Dryftowe – odpowiada wbrew sobie Juliet. Jest sparaliżowana ze wstydu i rozczarowania.

– Tak. Zawozi je gdzieś i oni je sprzedają. Duże rzeczy. Zwierzęta i ptaki, ale nie realne. Nie realne?

– Realistyczne?

– Tak. Tak. Nigdy nie miała dzieci. Ona się raczej nie będzie stąd przeprowadzać. Eric mówił to pani? Czy chciałaby pani jeszcze kawy? Jest w dzbanku.

– Nie, dziękuję. Nie, nie mówił.

– No, to ja pani powiedziałam. Jak już pani wypiła, to zbiorę rzeczy do zmywania.

Zbacza z drogi, żeby szturchnąć butem żółtego psa, który położył się z drugiej strony lodówki.

– Wstawaj, leniuchu. Niedługo idziemy do domu.

– Jest autobus do Vancouver, przejeżdża dziesięć po ósmej – mówi, stojąc przy zlewie, tyłem do stołu. – Może pani iść ze mną do domu, a mój mąż potem zawiezie panią na czas. Zje pani z nami kolację. Jadę na rowerze. Będę jechać powoli, żeby pani nadążyła. To niedaleko.

Najbliższa przyszłość wydaje się tak zdecydowanie zaplanowana, że Juliet bez zastanowienia wstaje i rozgląda się za torbą. Potem znowu siada, ale na innym krześle. Nowy widok na kuchnię dodaje jej determinacji.

– Chyba zostanę tutaj – mówi.

– Tutaj?

– Nie mam dużo bagażu. Pójdę piechotą do autobusu.

– Nie zna pani drogi. To z półtora kilometra.

– Niedaleko. – Juliet myśli o tym, jak znajdzie drogę, ale w końcu wystarczy iść w dół.

– On nie wróci – oznajmia Ailo. – Nie dziś.

– Nie szkodzi.

Ailo zamaszyście, może nawet pogardliwie wzrusza ramionami.

– Wstawaj, Pet. No, już. Corky tu zostaje – rzuca przez ramię. – Chce pani, żeby była w domu czy na dworze?

– Na dworze.

– Uwiążę ją, żeby nie poszła za nami. Może nie chcieć zostawać z kimś obcym.

Juliet się nie odzywa.

– Drzwi same się za nami zatrzasną. Widzi pani? Jak pani wyjdzie i będzie chciała wejść z powrotem, to trzeba tu nacisnąć. Ale niech pani nie naciska przy wychodzeniu. Same się zamkną. Rozumie pani?

– Tak.

– Kiedyś nie zamykaliśmy tutaj drzwi, ale teraz kręci się dużo obcych.

Po tym, jak oglądali gwiazdy, pociąg zatrzymał się na jakiś czas w Winnipeg. Wysiedli i spacerowali przy tak zimnym wietrze, że nawet oddychanie było bolesne, a co dopiero mówienie. Kiedy wsiedli z powrotem do pociągu, usiedli w barze; on zamówił brandy.

– Rozgrzeje nas i pomoże pani usnąć – powiedział.

Sam nie zamierzał spać. Chciał czuwać aż do Reginy, gdzie wysiadał nad ranem.

Kiedy odprowadzał ją do jej wagonu, większość łóżek była już rozłożona; ciemnozielone zasłony zawęziły przejście. Wszystkie wagony miały swoje nazwy, jej nazywał się „Miramichi".

– To tutaj – szepnęła w przejściu między wagonami, gdy otwierał przed nią drzwi.

– Zatem do widzenia.

Cofnął rękę od drzwi i złapali równowagę w chybotliwym przejściu, tak żeby mógł ją porządnie pocałować. Potem jej nie puścił, lecz nadal obejmował i gładził po plecach, po czym znów zaczął ją całować po całej twarzy.

Odsunęła się i powiedziała z naciskiem:

– Jestem dziewicą.

– Tak, tak.

Roześmiał się, pocałował ją w szyję, a potem puścił i otworzył przed nią drzwi do wagonu. Przeszli korytarzem aż do jej łóżka. Przylgnęła do zasłony i odwróciła się, oczekując, że znowu ją pocałuje czy choćby dotknie, ale przeszedł obok niej, jakby znaleźli się obok siebie przypadkiem.

Głupio i fatalnie. Oczywiście bała się, że jego błądząca dłoń przesunie się w dół i dotknie supełka, którym przywiązała podpaskę do pasa. Gdyby była dziewczyną, która potrafi radzić sobie z tamponami, coś takiego by się jej nie przydarzyło.

I dlaczego „dziewica”? Skoro zdobyła się na coś tak nieprzyjemnego w Willis Park po to, aby ta rzecz już nie była przeszkodą? Powinna wymyślić, co mu powiedzieć – nie byłaby w stanie wspomnieć o miesiączce – na wypadek, gdyby chciał posunąć się dalej. Ale jak mógł w ogóle coś takiego planować? Jak? Gdzie? Na tym wąskim łóżku, gdy wokół inni pasażerowie z pewnością jeszcze nie spali? Na stojąco, kołysząc się w przód i w tył, opierając się o drzwi, które w każdej chwili ktoś mógł otworzyć, w tej niebezpiecznej przestrzeni między wagonami?

Teraz będzie mógł opowiadać, jak przez cały wieczór słuchał tej głupiutkiej dziewczyny przechwalającej się swoją wiedzą o mitologii greckiej, a kiedy na koniec pocałował ją na dobranoc, żeby się od niej uwolnić, ona zaczęła krzyczeć, że jest dziewicą.

Nie wyglądał na mężczyznę, który zrobiłby coś takiego, który mógłby opowiadać takie rzeczy, ale trudno jej było uwolnić się od tej myśli.

Bardzo długo nie spała, ale zasnęła, gdy pociąg zatrzymał się w Reginie.

Juliet – zostawiona sama – może się teraz rozejrzeć po domu. Nic takiego jednak nie robi. Co najmniej dwadzieścia minut zabiera jej uwolnienie się od obecności Ailo. Nie żeby się bała, że Ailo wróci, aby ją przyłapać czy wziąć coś, czego zapomniała. Ailo nie należy do osób, które zapominają rzeczy, nawet pod koniec wyczerpującego dnia. A gdyby podejrzewała, że Juliet coś ukradnie, po prostu by ją wyrzuciła.

Należy za to do kobiet, które zawłaszczają przestrzeń, szczególnie przestrzeń kuchenną. Wszystko w zasięgu wzroku Juliet mówi o zajęciach Ailo – od roślin w doniczkach (ziół?) na parapecie okna, przez deskę do krojenia, po wypastowane linoleum.

Kiedy udało jej się wypchnąć Ailo, nawet nie z kuchni, ale chociaż za lodówkę, musi się zmierzyć z Christą. Eric ma kobietę. Oczywiście. Christę. Juliet widzi młodszą, bardziej uwodzicielską wersję Ailo. Szerokie biodra, silne ramiona, długie włosy – tylko blond, bez siwych – piersi swobodnie podskakujące pod luźną bluzką. Ten sam agresywny, a u Christy dodatkowo seksowny brak elegancji. Ten sam sposób delektowania się słowami, ich przeżuwania, a potem wypluwania.

Juliet przychodzą na myśl dwie inne kobiety: Bryzeida i Chryzeida. Towarzyszki zabaw Achillesa i Agamemnona. O każdej z nich pisano, że miała „ładne policzki". Kiedy profesor przeczytał to greckie słowo (którego nawet teraz nie pamiętała), jego czoło całkiem się zaróżowiło i wyglądał, jakby tłumił w sobie chichot. Juliet zaczęła nim wtedy gardzić.

Czy jeśli Christa okaże się prymitywniejszą i bardziej północną wersją Bryzeidy/Chryzeidy, to Juliet będzie w stanie poczuć pogardę wobec Erica?

Czy kiedykolwiek się tego dowie, jeżeli pójdzie na przystanek i wsiądzie do autobusu?

Tak naprawdę nigdy nie zamierzała odjechać tym autobusem. Na to wygląda. Bez Ailo jest jej łatwiej odkryć własne zamiary. W końcu wstaje, robi kawę i nalewa ją do kubka, nie do jednej z tych filiżanek, które wystawiła Ailo.

Jest zbyt podekscytowana, żeby odczuwać głód, ale ogląda butelki na kontuarze, na pewno ludzie przynieśli je na stypę. Wiśniówka, brzoskwiniówka, likier Tia Maria, słodki wermut. Te butelki są otwarte, ale nie cieszyły się wielkim powodzeniem. Porządnie pito z tych, które – puste – Ailo ustawiła przy drzwiach. Dżin i whisky, piwo i wino.

Dolewa sobie Tii Marii do kawy, bierze butelkę i idzie do wielkiego salonu.

To jeden z najdłuższych dni w roku, ale rosnące wokół domu duże, krzaczaste wiecznie zielone drzewa i arbutusy o czerwonej korze zasłaniają światło zniżającego się słońca. W kuchni jest jasno dzięki świetlikowi, ale okna w salonie to po prostu długie szczeliny w ścianie i ciemność już zaczęła się tu gromadzić. Podłoga nie jest wykończona – stare, wytarte dywaniki leżą na kwadratowych płytach ze sklejki – a pokój umeblowano dziwnie i przypadkowo. Głównie poduszkami leżącymi na podłodze i kilkoma podnóżkami pokrytymi popękaną skórą. Jest wielki skórzany fotel, taki z odchylanym oparciem i podpórką na nogi. Kanapa przykryta oryginalną, choć wystrzępioną kapą, stary telewizor i półki na książki z cegieł i desek, na których nie ma książek, tylko sterty starych wydań „National Geographic", parę pism żeglarskich i kilka numerów „Popular Mechanics".

Ailo najwyraźniej nie zdążyła posprzątać tego pokoju. Po wywróconych popielniczkach na dywanikach zostały smugi popiołu. I wszędzie są okruchy. Juliet przychodzi do głowy, żeby poszukać odkurzacza, o ile gdzieś jest, ale potem myśli, że nawet gdyby udało jej się go uruchomić, na pewno zdarzyłoby się coś niefortunnego – na przykład cienki dywanik zwinąłby się i został częściowo wciągnięty w odkurzacz. Siedzi więc w skórzanym fotelu i tylko dolewa likieru, w miarę jak poziom kawy się obniża.

Na tym wybrzeżu nie bardzo jej się podoba. Drzewa są za duże, stłoczone i nie mają własnej osobowości. Po prostu tworzą las. Góry są za wysokie i nieprzekonujące, a wyspy, które unoszą się na wodach cieśniny Georgia, są zbyt nachalnie malownicze. Ten dom, z przestronnym wnętrzem, ukośnym sufitem i niewykończonym drewnem, jest nagi i zawstydzony.

Pies szczeka od czasu do czasu, ale nie natarczywie. Może chce wejść do środka dla towarzystwa. Juliet jednak nigdy nie miała psa i dla niej pies w domu nie byłby towarzyszem, lecz świadkiem i czułaby się przy nim skrępowana.

Może szczeka na jakiegoś kręcącego się w pobliżu jelenia, niedźwiedzia czy kuguara. W gazetach w Vancouver było coś o kuguarze – chyba właśnie na tym wybrzeżu – który poturbował dziecko.

Kto chciałby mieszkać w takim miejscu, gdzie trzeba dzielić każdy kawałek otwartej przestrzeni ze swobodnie buszującymi, wrogimi zwierzętami?

Kallipareos. „O ładnych policzkach". Przypomniała sobie. Homeryckie słowo błyszczy na jej haczyku. I nagle pamięta całe greckie słownictwo, wszystko, co odłożyła na półkę na prawie pół roku. Odłożyła, bo nie uczyła greki.

Tak to wygląda. Odkładasz coś na chwilę i od czasu do czasu szukasz na tej półce czegoś innego, i przypominasz sobie, i myślisz: „Już niedługo". A potem to coś staje się po prostu jedną z rzeczy, które tam leżą, przysłoniętą innymi, aż w końcu w ogóle o niej nie myślisz.

Coś, co było twoim największym skarbem. Nie myślisz o tym. Strata, jakiej kiedyś nie brałabyś nawet pod uwagę, teraz staje się czymś, o czym ledwo pamiętasz.

Tak to wygląda.

A nawet jeśli tego nie odłożysz, nawet jeśli żyjesz z tego na co dzień? Juliet myśli o starszych nauczycielkach w szkole, o tym, jak niewiele wagi przywiązują do tego, czego uczą. Na przykład Juanita, która wybrała hiszpański, bo pasuje do jej imienia (jest Irlandką) i chce dobrze mówić w tym języku, żeby wykorzystać go w podróżach. Nie można powiedzieć, że hiszpański jest jej skarbem.

Niewielu ludzi, bardzo niewielu ma skarb, a jak się go ma, to należy go pilnować. Nie można dać się napaść i go sobie odebrać.

Tia Maria w kawie zadziałała. Juliet czuje się niefrasobliwie, a jednocześnie jest pewna siebie. Myśli, że Eric ostatecznie nie jest taki ważny. Jest kimś, z kim może sobie poflirtować. To jest właściwe słowo. Tak jak Afrodyta flirtowała z Anchizesem. A potem, któregoś poranka, odejdzie.

Juliet wstaje, znajduje łazienkę, wraca, kładzie się na kanapie, przykrywa kapą – zbyt śpiąca, żeby zwracać uwagę na sierść Corky czy jej zapach.

Kiedy się budzi, jest już rano, według kuchennego zegara dopiero dwadzieścia po szóstej.

Boli ją głowa. W łazience stoi buteleczka z aspiryną – Juliet bierze dwie tabletki, myje się, czesze, wyjmuje z torby szczoteczkę i myje zęby. Później robi dzbanek świeżej kawy i zjada kromkę chleba domowej roboty, nie zadając sobie trudu, by ją podpiec albo posmarować masłem. Siedzi przy kuchennym stole. Światło słoneczne przeświecające przez drzewa rzuca miedziane plamy na gładkie czerwone pnie. Corky zaczyna szczekać i szczeka całkiem długo, aż ciężarówka wjeżdża na podwórko i pies milknie.

Juliet słyszy odgłos zamykanych drzwi samochodu, słyszy, jak on mówi coś do psa, i ogarnia ją lęk. Chciałaby się gdzieś schować (później powie: „mogłabym wejść pod stół", ale oczywiście nic tak głupiego nie przychodzi jej do głowy). Jest tak jak w szkole, tuż przed ogłoszeniem, kto dostał nagrodę. Tylko gorzej, bo Juliet nie ma na nic nadziei. I już nigdy w życiu nie zdarzy jej się równie doniosła szansa.

Kiedy otwierają się drzwi, nie jest w stanie podnieść głowy. Na kolanach trzyma splecione palce obu rąk, mocno zaciśnięte.

– Jesteś – mówi Eric.

Śmieje się triumfalnie i z podziwem, jakby z najbardziej spektakularnego przejawu zuchwalstwa i odwagi. Kiedy rozkłada ramiona, Juliet ma wrażenie, że do środka wleciał podmuch wiatru i zmusił ją do podniesienia oczu.

Pół roku temu nie miała pojęcia o istnieniu tego mężczyzny. Pół roku temu człowiek, który miał zginąć pod kołami pociągu, jeszcze żył i może właśnie wybierał ubranie na wyjazd.

– Jesteś.

Z tonu jego głosu rozumie, że Eric bierze ją w posiadanie. Juliet wstaje, odrętwiała, i widzi, że on jest starszy, grubszy, bardziej porywczy, niż go zapamiętała. Podchodzi do niej i Juliet czuje się, jakby ktoś przewrócił w niej wszystko do góry nogami, zalana falą ulgi, rażona szczęściem. Jakie to zdumiewające. I jakie bliskie przerażeniu.

Okazuje się, że Eric nie był tak zaskoczony, jak udawał. Ailo zadzwoniła do niego poprzedniego wieczoru, aby go uprzedzić o przyjeździe tej obcej dziewczyny, Juliet, i zaproponowała, że sprawdzi, czy wsiadła do autobusu. Uważał za słuszne, aby Ailo to zrobiła, może prowokując los, ale kiedy zadzwoniła powtórnie, by powiedzieć, że Juliet nie odjechała, Eric był zaskoczony radością, jaką poczuł. Mimo to nie wrócił od razu do domu i nic nie powiedział Chriście, chociaż wiedział, że będzie ją musiał poinformować, i to całkiem niedługo.

Wszystko to Juliet przyswaja sobie po trochu w nadchodzących tygodniach i miesiącach. Pewne informacje docierają do niej przypadkowo, inne – w wyniku jej nierozważnych dociekań.

Jej własna rewelacja (o braku dziewictwa) nie robi większego wrażenia.

Christa wcale nie jest podobna do Ailo. Nie ma szerokich bioder ani jasnych włosów. Jest ciemnowłosą, chudą kobietą, dowcipną, czasem posępną, która zostanie najlepszą przyjaciółką Juliet i jej główną podporą w nadchodzących latach – chociaż nigdy całkiem nie zaniecha chytrych żarcików, ironicznych przebłysków skrytej rywalizacji.

Wkrótce

Dwa profile naprzeciwko siebie. Jeden jest profilem śnieżnobiałej jałówki o bardzo łagodnym i czułym wyrazie pyska, drugi – zielonego na twarzy mężczyzny, który nie jest ani młody, ani stary. Wygląda na jakiegoś niezbyt ważnego urzędnika, może listonosza – ma tego rodzaju czapkę. Jego usta są blade, a białka oczu – błyszczące. Ręka, przypuszczalnie należąca do niego, ofiarowuje, u dołu obrazu, małe drzewko lub wybujałą gałąź obwieszoną klejnotami.

W górnej części obrazu są ciemne chmury, a pod nimi – kilka małych, krzywych domków i zabawkowy kościółek z zabawkowym krzyżykiem, przycupnięte na zakrzywionej powierzchni ziemi. Na tej krzywiźnie mały mężczyzna (chociaż narysowany w większej skali niż budynki) maszeruje z kosą na ramieniu, a narysowana w tej samej skali kobieta zdaje się na niego czekać. Tyle że wisi do góry nogami.

Są tam jeszcze inne rzeczy. Na przykład dziewczyna, która doi krowę, narysowana na policzku jałówki.

Juliet od razu postanowiła, że kupi ten obraz jako prezent gwiazdkowy dla rodziców.

– Bo mi ich przypomina – powiedziała do swojej przyjaciółki Christy, która przyjechała z nią z Zatoki Wielorybów na zakupy. Były w sklepie z upominkami w Galerii Sztuki w Vancouver.

Christa się zaśmiała.

– Zielony człowiek i krowa? To się dopiero ucieszą.

Christa nigdy z początku nie traktowała niczego poważnie, musiała sobie najpierw pożartować. Juliet się tym nie przejmowała. Po trzech miesiącach ciąży z dzieckiem, które miało się później okazać Penelopą, nagle przestała mieć nudności, i z tego powodu, lub z jakiegoś innego, doświadczała napadów euforii. Przez cały czas myślała o jedzeniu i nawet nie bardzo chciała wejść do sklepu z upominkami, bo obok zauważyła restaurację.

Na obrazie wszystko jej się podobało, ale najbardziej małe postacie i krzywe domki na górze. Mężczyzna z kosą i wisząca do góry nogami kobieta.

Poszukała tytułu. *Ja i wieś.*

To miało cudowny sens.

– Chagall. Lubię Chagalla – powiedziała Christa. – Picasso był sukinsynem.

Juliet tak się zachwyciła tym, co znalazła, że nie zwracała na nią uwagi.

– Wiesz, co podobno powiedział? „Chagall jest dla ekspedientek" – poinformowała ją Christa. – A w czym mu przeszkadzają ekspedientki? Chagall powinien powiedzieć, że Picasso jest dla ludzi z dziwnymi twarzami.

– Sprawia, że myślę o ich życiu – stwierdziła Juliet. – Nie wiem dlaczego, ale tak jest.

Już wcześniej trochę opowiadała przyjaciółce o rodzicach – o tym, że żyją w dziwnej, lecz nie nieszczęśliwej izolacji, mimo że ojciec jest lubianym nauczycielem. Po części od innych ludzi odcięły ich sercowe problemy Sary, ale też to, że prenumerowali pisma, jakich nikt w ich otoczeniu nie czytał, i słuchali programów ogólnokrajowej sieci radiowej, których nikt inny nie słuchał. I to, że Sara sama szyła sobie ubrania, czasem nieudolnie, na podstawie wykrojów z „Vogue", a nie od Buttericka. Nawet to, że zachowali pozory młodości, zamiast przytyć i zgarbić się, jak rodzice szkolnych koleżanek Juliet. Opisując ich, Juliet powiedziała, że Sam jest podobny do niej – ma taką samą długą szyję, lekką wypukłość na brodzie i jasnobrązowe opadające włosy, a Sara jest delikatną jasną blondynką, nieporządnym pięknym chucherkiem.

Kiedy Penelopa miała trzynaście miesięcy, Juliet poleciała z nią do Toronto, a tam przesiadła się do pociągu. Było to w roku 1969. Wysiadła w miejscowości oddalonej o jakieś trzydzieści kilometrów od miejsca, gdzie dorastała, i gdzie Sara i Sam nadal mieszkali. Najwyraźniej pociąg już się tam nie zatrzymywał.

Była rozczarowana, że musiała wysiąść na nieznanej stacji i nie zobaczyła od razu drzew, chodników i domów, które pamiętała, a zaraz potem własnego domu, domu Sama i Sary, przestronnego, choć zwyczajnego, na pewno z tą samą obłażącą białą farbą, za rozłożystym klonem.

Sam i Sara, tu, w tym mieście, w którym Juliet nigdy przedtem ich nie widziała, uśmiechali się, ale byli jacyś niespokojni, przegrani.

Sara wydała z siebie dziwny okrzyk, jakby ją coś dziobnęło. Parę osób na peronie obejrzało się w jej stronę.

To był tylko okrzyk podekscytowania.

– Jesteśmy długa i krótka, ale i tak do siebie pasujemy – powiedziała.

W pierwszej chwili Juliet jej nie zrozumiała. Potem domyśliła się, o co chodzi – Sara miała na sobie czarną lnianą spódnicę do połowy łydki i pasujący do niej żakiet. Kołnierz i mankiety były z błyszczącego zielonkawego materiału w czarne kropki. Włosy Sary przykrywał turban z tego samego zielonego materiału. Musiała uszyć to wszystko sama albo zamówić u jakiejś krawcowej. Kolory nie były korzystne dla jej cery, która wyglądała jak obsypana sproszkowaną kredą.

Juliet miała na sobie czarną minisukienkę.

– Zastanawiałam się, co sobie pomyślisz o mnie w czerni, w lecie, jakbym nosiła żałobę – powiedziała Sara. – A tu proszę, ubrałaś się podobnie. Bardzo dobrze wyglądasz, podobają mi się te krótkie sukienki.

– I długie włosy – dodał Sam. – Hipiska. – Pochylił się nad buzią dziecka. – Cześć, Penelopo.

– Laleczka – powiedziała Sara.

Wyciągnęła ręce do Penelopy, chociaż ramiona, które wysunęły się z jej rękawów, były zbyt wątłymi patyczkami, aby mogły unieść taki ciężar. I nie musiały, bo Penelopa, która zesztywniała na dźwięk głosu babki, teraz krzyknęła, odwróciła się i wtuliła buzię w szyję Juliet.

– Taka jestem straszna? – spytała ze śmiechem Sara.

Nie panowała nad głosem, który wznosił się na piskliwe szczyty i opadał, zwracając uwagę obcych ludzi. To było coś nowego, choć może nie do końca. Juliet przyszło do głowy, że ludzie zawsze patrzyli na matkę, kiedy się śmiała czy mówiła, ale dawniej zauważali raczej tryskającą z niej radość, coś dziewczęcego i pociągającego (chociaż nie każdemu to się podobało i mówiono, że Sara zawsze usiłuje zwrócić na siebie uwagę).

– Jest zmęczona – powiedziała Juliet.

Sam przedstawił młodą kobietę, która stała za nimi, trzymając się na dystans, jakby nie chciała, żeby ją brano za osobę, która należy do tego towarzystwa. I Juliet rzeczywiście nie odniosła wrażenia, że należy.

– Juliet, to jest Irene. Irene Avery.

Juliet wyciągnęła rękę na tyle, na ile mogła, trzymając Penelopę i torbę z pieluchami, a kiedy stało się jasne, że Irene nie zamierza uścisnąć jej dłoni – może nie zauważyła wyciągniętej ręki – uśmiechnęła się do niej. Irene nie odwzajemniła uśmiechu. Stała nieruchomo, ale robiła wrażenie, jakby chciała stamtąd uciec.

– Dzień dobry – powiedziała Juliet.

– Miło mi panią poznać – odrzekła Irene dość głośno, choć jej twarz pozostała bez wyrazu.

– Irene jest naszą dobrą wróżką – powiedziała Sara.

Teraz na twarzy Irene coś się zmieniło. Skrzywiła się lekko z zauważalnym zażenowaniem.

Nie tak wysoka jak Juliet – która była naprawdę wysoka – miała szersze ramiona i biodra, silne ręce i upartą brodę. Miała też gęste, sprężyste, czarne włosy ściągnięte do tyłu w krótki koński ogon, grube i raczej wrogo nastroszone czarne brwi i taką cerę, która się łatwo opala. Jej oczy były zielone lub niebieskie, zaskakująco jasnego koloru przy jej karnacji, i głęboko osadzone, przez co trudno było w nie spojrzeć. W dodatku trzymała głowę lekko pochyloną i przekręconą w bok. Jej rezerwa i usztywnienie wyglądały na rozmyślne.

– Strasznie dużo pracuje jak na wróżkę – zauważył Sam z szerokim strategicznym uśmiechem. – Mówię o tym całemu światu.

Teraz Juliet przypomniała sobie, oczywiście, wzmianki w listach o jakiejś kobiecie, która przychodziła pomagać, ponieważ Sara tak bardzo opadła z sił. Juliet myślała jednak, że chodzi o kogoś znacznie starszego. Irene z pewnością nie była starsza od niej samej.

Na parkingu stał ten sam pontiac, który Sam kupił używany jakieś dziesięć lat wcześniej. Gdzieniegdzie było widać smugi pierwotnej niebieskiej farby, ale w większości miejsc poszarzała, a rezultatem zimowego solenia dróg była falbanka rdzy przy podwoziu.

– Stara szara klacz – powiedziała Sara, niemal bez tchu po krótkim spacerze z peronu.

– Nie poddaje się – stwierdziła Juliet z podziwem, jakiego od niej oczekiwano. Już zapomniała, że tak nazywali samochód, chociaż sama kiedyś to wymyśliła.

– Nigdy się nie poddaje – potwierdziła Sara, kiedy z pomocą Irene usadowiła się na tylnym siedzeniu. – I my też nigdy byśmy z niej nie zrezygnowali.

Juliet usiadła z przodu, manewrując dzieckiem, które znowu zaczęło popłakiwać. W samochodzie było okropnie gorąco, chociaż stał z otwartymi oknami w mizernym cieniu dworcowych topoli.

– Prawdę mówiąc – powiedział Sam, wyjeżdżając tyłem – zastanawiam się, czy by jej nie zamienić na ciężarówkę.

– Nie mówi tego poważnie – pisnęła Sara.

– Byłoby to z korzyścią dla interesów – mówił dalej Sam. – I można by się reklamować przy każdym kursie, wystarczy nazwa na drzwiach.

– Żartuje – powiedziała Sara. – Jak miałabym jeździć samochodem z napisem „Świeże warzywa"? Czy ja jestem kabaczek albo kapusta?

– Przymknij się, mamuśka – poradził Sam – bo nie będziesz mogła złapać oddechu, jak wrócimy do domu.

Po blisko trzydziestu latach nauczania w szkołach państwowych w całym hrabstwie, w tym dziesięciu w ostatniej szkole, Sam nagle rzucił tę pracę i postanowił zająć się na dobre sprzedażą warzyw. Zawsze uprawiał duży ogród warzywny i maliny na dodatkowym polu za domem, a nadwyżkę sprzedawali kilku ludziom w mieście. Teraz jednak najwyraźniej zamierzał w ten sposób zarabiać na życie, sprzedając produkty do sklepów i być może, z czasem, wystawiając własne stoisko przed bramą.

– To wszystko na poważnie? – spytała cicho Juliet,

– Jak najbardziej.

– Nie będziesz tęsknił za nauczaniem?

– W żadnym wypadku. Miałem już dość. Miałem tego powyżej uszu.

Fakt, że po tylu latach nigdy, w żadnej ze szkół, nie zaproponowano mu stanowiska dyrektora. Zdaniem Juliet tego właśnie miał dość. Był nadzwyczajnym nauczycielem, takim którego błazeństwa i zapał pamięta każdy, a ostatnia klasa była w życiu każdego rocznika jego uczniów czymś wyjątkowym.

A jednak raz po raz pomijano go przy awansach, może właśnie dlatego. Jego metody nauczania można było uznać za podważanie autorytetów. I łatwo sobie wyobrazić, że władze uważają go za nieodpowiedniego człowieka do kierowania szkołą, za takiego, który wyrządzi mniej szkód, pozostając na swoim miejscu.

Sam lubił pracę na świeżym powietrzu, umiał rozmawiać z ludźmi, pewnie sobie poradzi ze sprzedawaniem warzyw.

Ale dla Sary będzie to nie do zniesienia.

Juliet też się ten pomysł nie podobał. Jeżeli jednak miałaby stanąć po czyjejś stronie, wybrałaby ojca. Nie zamierzała uchodzić za snobkę.

Choć prawdę mówiąc, uważała siebie – siebie, Sama i Sarę, ale szczególnie siebie i Sama – za w pewnym sensie lepszych od innych. Jakie więc znaczenie miało sprzedawanie warzyw?

Sam odezwał się ciszej, bardziej konspiracyjnym tonem:

– Jak się nazywa?

Miał na myśli dziecko.

– Penelopa. Nigdy nie będziemy mówić do niej Penny. Penelopa.

– Chodzi mi... Chodzi mi o nazwisko.

– Aha. No, chyba Henderson-Porteous. Albo Porteous-Henderson. Może to za długie, gdy na dodatek ma na imię Penelopa? Ale mimo wszystko chcieliśmy, żeby była Penelopą. Będziemy musieli jakoś to ustalić.

– Czyli dał jej nazwisko – stwierdził Sam. – To już coś. Chciałem powiedzieć, że to dobrze.

Juliet zdziwiła się na moment, potem zrozumiała.

– To przecież oczywiste – powiedziała. Udając zdumioną i rozbawioną. – Przecież to jego dziecko.

– No, tak. Tak. Ale biorąc pod uwagę okoliczności.

– Zapomniałam o okolicznościach. Jeśli masz na myśli to, że nie jesteśmy małżeństwem, to naprawdę nie ma większego znaczenia. Tam, gdzie mieszkamy, wśród ludzi, których znamy, to nie jest coś, co by się brało pod uwagę.

– Rozumiem – powiedział Sam. – A z tą pierwszą był żonaty?

Juliet mówiła im kiedyś o żonie Erica, którą opiekował się przez osiem lat po wypadku samochodowym.

– Z Ann? Tak. Właściwie nie wiem dokładnie. Ale tak. Tak myślę. Tak.

– Moglibyśmy zatrzymać się na lody – zawołała Sara z tylnego siedzenia.

– W domu mamy lody w lodówce – odparł Sam. I dodał cicho, szokując Juliet: – Jeśli się ją gdzieś weźmie, żeby jej sprawić przyjemność, zrobi całe przedstawienie.

Okna nadal były otwarte, ciepły wiatr wpadał do wnętrza samochodu. Było lato, pora roku, która – na ile Juliet zdążyła zaobserwować – nigdy nie dociera na zachodnie wybrzeże. Drzewa liściaste rosły przygarbione nad dalekim końcem pól, tworząc niebieskoczarne jaskinie cienia, a uprawy i łąki przed nimi, w ostrym świetle słońca, były złote i zielone. Bujna młoda pszenica, owies, kukurydza i fasola niemal oślepiały.

– Co to za konferencja? – spytała Sara. – Tam z przodu? My tu nic przez ten wiatr nie słyszymy.

– Nic ciekawego – powiedział Sam. – Pytałem Juliet, czy ten jej facet wciąż łowi.

Eric zarabiał na życie, łowiąc krewetki, i to już od bardzo dawna. Kiedyś studiował medycynę. To się skończyło, bo zrobił skrobankę przyjaciółce (nie była jego dziewczyną). Zabieg się udał, ale sprawa jakoś wyszła na jaw. Tę historię Juliet chciała opowiedzieć swym tolerancyjnym rodzicom. Być może chciała przedstawić Erica jako człowieka wykształconego, a nie zwykłego rybaka. Ale dlaczego miałoby to coś znaczyć, zwłaszcza teraz, kiedy Sam został sprzedawcą warzyw? Zresztą na ich tolerancji nie można było polegać aż tak bardzo, jak jej się kiedyś zdawało.

Sam sprzedawał nie tylko świeże warzywa i owoce. W kuchni przygotowywano dżemy, soki w butelkach, sosy. Pierwszego ranka po przyjeździe Juliet produkcja malinowego dżemu trwała w najlepsze. Rządziła tym Irene, w bluzce mokrej od pary czy potu, klejącej się do skóry między łopatkami. Co rusz rzucała okiem na telewizor, przyciągnięty korytarzem na stoliku z kółkami i ustawiony w kuchennych drzwiach, tak że chcąc wejść do kuchni, trzeba się było koło niego przeciskać. W telewizji pokazywano film rysunkowy dla dzieci o Łosiu Superktosiu. Od czasu do czasu Irene śmiała się głośno z przygód bohaterów kreskówki, Juliet też się trochę śmiała dla towarzystwa. Irene nie zwracała na nią uwagi.

Trzeba było uprzątnąć blat, żeby Juliet mogła ugotować jajko na śniadanie dla Penelopy i zrobić sobie kawę i grzankę.

– Czy tyle miejsca wystarczy? – spytała Irene niepewnym tonem, jakby Juliet była intruzem o nieprzewidywalnych żądaniach.

Z bliska widać było liczne cienkie czarne włoski na ramionach Irene. I na policzkach koło uszu.

Irene ukradkiem obserwowała wszystko, co robi Juliet, przyglądała się, jak kręci pokrętłami kuchenki (z początku nie pamiętała, które było od którego palnika), przyglądała się, jak wyjmuje jajko z garnuszka i obiera je ze skorupki (która tym razem trudno odchodziła, w drobnych, zamiast w dużych kawałkach), przyglądała się, jak szuka spodeczka, żeby rozgnieść jajko.

– Tylko żeby nie upuściła go na podłogę. – Irene mówiła o porcelanowym spodku. – Nie ma pani dla niej plastikowego talerzyka?

– Będę uważać – obiecała Juliet.

Okazało się, że Irene też jest matką. Miała trzyletniego syna i niespełna dwuletnią córkę. Nazywali się Trevor i Tracy. Ich ojciec zginął poprzedniego lata w wypadku w kurzej fermie, gdzie pracował. Irene była o trzy lata młodsza od Juliet, miała dwadzieścia dwa lata. Informacje o dzieciach i mężu Juliet otrzymała w odpowiedzi na swoje pytania, a wieku Irene domyśliła się z jej następnych słów.

Kiedy Juliet powiedziała: „Och, przykro mi" – mówiąc o wypadku i czując, że nie powinna się dopytywać, a teraz nieszczerze współczuć – Irene dodała: „Tak, akurat na moje dwudzieste pierwsze urodziny", jakby nieszczęścia były czymś, co można kolekcjonować, jak breloczki do bransoletki.

Penelopa zjadła tyle jajka, ile mogła, po czym Juliet posadziła ją sobie na biodrze i zaniosła na górę.

W połowie drogi zdała sobie sprawę, że nie umyła spodeczka.

Nie miała gdzie zostawić dziecka, które jeszcze nie chodziło, ale potrafiło szybko raczkować. Na pewno nie można jej było nawet na pięć minut zostawić w kuchni, gdzie stał sterylizator z gotującą się wodą, garnek z gorącym dżemem i leżały noże – Juliet nie chciała prosić Irene, żeby jej przypilnowała. A rano dziewczynka znowu odmówiła zaprzyjaźnienia się z Sarą. Juliet zaniosła więc Penelopę wewnętrznymi schodami na poddasze, zamknęła za sobą klapę i posadziła małą na stopniach, a sama zaczęła rozglądać się za starym kojcem. Na szczęście Penelopa umiała sobie radzić ze schodami.

Dom miał dwa piętra i wysokie, choć małe pokoje – a przynajmniej takie się teraz wydały Juliet. Dach był spiczasty i środkiem poddasza można było chodzić. Juliet robiła to jako dziecko. Chodziła w kółko, opowiadając sobie jakąś przeczytaną historię, z pewnymi zmianami i dodatkami. I tańczyła przed wyimaginowaną publicznością. Prawdziwą widownię stanowiły połamane albo po prostu odstawione meble, stare kufry, potwornie ciężki płaszcz z bawolej skóry, domek dla jaskółczaków (prezent od dawnego ucznia Sama, w którym nigdy nie zagnieździły się żadne jaskółczaki), niemiecki hełm, który podobno ojciec Sama przywiózł do domu z pierwszej wojny światowej, i niezamierzenie śmieszny amatorski obraz przedstawiający okręt „Empress of Ireland" tonący w Zatoce Świętego Wawrzyńca, z kreskowymi ludzikami rozrzuconymi na wszystkie strony.

A oparty o ścianę stał obraz *Ja i wieś*. Nawet nie odwrócony do ściany, całkiem jawnie, prawie nie zakurzony, czyli nie stał tam długo.

Po paru chwilach poszukiwań Juliet znalazła kojec. Był to ładny, ciężki mebelek, z drewnianą podłogą i bocznymi ściankami z drewnianych prętów. Juliet znalazła też wózek. Rodzice wszystko zachowali, mieli nadzieję na drugie dziecko. Matka przynajmniej raz poroniła. Śmiechy w ich łóżku w niedzielny poranek sprawiały, że Juliet czuła się tak, jakby podstępny, wstydliwy i nieprzychylny dla niej niepokój zaatakował dom.

Wózek dawał się złożyć i zmienić w spacerówkę. To było coś, o czym Juliet nie pamiętała, a może nigdy nie wiedziała. Spocona i zakurzona wzięła się do składania. Tego rodzaju prace sprawiały jej trudności, nigdy nie była w stanie od razu pojąć, jak takie rzeczy są skonstruowane, i może ściągnęłaby cały ten sprzęt na dół i wyniosła do ogrodu, żeby poprosić o pomoc Sama, gdyby nie Irene. Jej migocące jasne oczy, ukradkowe taksujące spojrzenia, zręczne ręce. Jej czujność, w której kryło się coś, co nie całkiem można było nazwać pogardą. Juliet sama nie wiedziała, jak to nazwać. To jej nastawienie, obojętne, ale bezkompromisowe, jak u kota.

W końcu udało jej się złożyć spacerówkę. Była nieporęczna, dużo większa od wózka, do jakiego się przyzwyczaiła. I, oczywiście, brudna. Tak jak w tej chwili ona sama, i Penelopa na schodach, jeszcze brudniejsza. A tuż przy rączce dziecka było coś, czego przedtem w ogóle nie spostrzegła. Gwóźdź. Jedna z tych rzeczy, na które nie zwraca się uwagi, dopóki nie ma się dziecka, które bierze wszystko do buzi, i wtedy trzeba być czujnym cały czas.

A Juliet się zagapiła. Wszystko tutaj rozpraszało jej uwagę. Upał, Irene, rzeczy znane i rzeczy nieznane.

Ja i wieś.

– Och! – wykrzyknęła Sara. – Miałam nadzieję, że nie zauważysz. Nie bierz sobie tak tego do serca.

Oszklona weranda była teraz sypialnią Sary. We wszystkich oknach wisiały bambusowe rolety, dzięki którym mały pokój – kiedyś część otwartej werandy – wypełniało brązowożółte światło i jednolite ciepło. Mimo to Sara siedziała w wełnianej różowej piżamie. Wczoraj na dworcu, z uczernionymi brwiami i malinową szminką na wargach, w turbanie i kostiumie przypominała Juliet Francuzkę w starszym wieku (choć Juliet nie znała wielu Francuzek w starszym wieku), teraz jednak, z kosmykami siwych włosów i zaniepokojonym spojrzeniem jasnych oczu pod prawie nieistniejącymi brwiami, wyglądała raczej jak dziwnie stare dziecko. Siedziała oparta o poduszki, z kołdrą podciągniętą do pasa. Kiedy Juliet wcześniej pomogła jej przejść do łazienki, okazało się, że mimo gorąca Sara leży w łóżku w skarpetkach i w kapciach.

Przy łóżku ustawiono krzesło o prostym oparciu, gdyż do jego siedzenia było jej łatwiej dosięgnąć niż do stolika. Na krześle leżały pigułki, lekarstwa, talk, tonik, do połowy pełna filiżanka herbaty z mlekiem, szklanka z nalotem jakiegoś ciemnego płynu, pewnie z żelazem. Na łóżku leżały pisma – stare egzemplarze „Vogue" i „Ladies' Home Journal".

– Nie biorę – powiedziała Juliet.

– Powiesiliśmy go. W korytarzu przy drzwiach do jadalni. Potem tatuś go zdjął.

– Dlaczego?

– Nic mi nie powiedział. Nie mówił, że go zdejmie. A potem jednego dnia obraz zniknął.

– Dlaczego go zdjął?

– Och, z pewnością coś mu przyszło do głowy.

– Co takiego?

– Och, wydaje mi się... No, wiesz, myślę, że chodziło o Irene. Że obraz jej przeszkadza.

– Nie ma na nim nikogo nagiego. Nie tak jak u Botticellego.

Kiedyś w salonie Sama i Sary wisiała kopia *Narodzin Wenus*. Przed laty obraz stał się przedmiotem nerwowych żartów, kiedy zaprosili na kolację innych nauczycieli.

– Nie, ale jest nowoczesny. Wydaje mi się, że tatuś czuł się przy nim nieswojo. Albo że czuł się nieswojo, kiedy patrzył, jak Irene na niego patrzy. Może się obawiał, że ona z tego powodu będzie nas traktować z pogardą. No, wiesz, że będzie nas uważać za dziwadła. Nie chciałby, żeby Irene myślała, że jesteśmy takimi ludźmi.

– Ludźmi, którzy wieszają tego rodzaju obrazy? – spytała Juliet. – Chcesz powiedzieć, że tak go obchodzi, co ona sądzi o naszych obrazach?

– Wiesz, jaki jest tatuś.

– Nie boi się sprzeciwiać ludziom. Miał nawet z tego powodu kłopoty w pracy.

– Co? – powiedziała Sara. – Ach, tak. Potrafi się sprzeciwić. Ale czasem uważa. I Irene. Irene jest... Jest przy niej ostrożny. Irene jest dla nas bardzo cenna.

– Myślał, że rzuci pracę, bo będzie uważać, że mamy dziwaczny obraz?

– Ja bym go zostawiła, skarbie. Cenię wszystko, co jest od ciebie. Ale tatuś...

Juliet nic nie powiedziała. Odkąd miała dziewięć czy dziesięć lat do mniej więcej czternastego roku życia ona i Sara miały takie samo zdanie na temat Sama. „Wiesz, jaki jest tatuś".

Panowała wtedy między nimi kobieca zażyłość. Próbowały domowych metod trwałej ondulacji na krnąbrnych, delikatnych włosach Juliet, na swoich krawieckich sesjach produkowały stroje, jakich nikt nie miał. Kiedy Sam wracał później z zebrań szkolnych, jadły na kolację kanapki z masłem orzechowym, pomidorem i majonezem. Sara wielokrotnie opowiadała o swoich dawnych chłopakach i koleżankach, o dowcipach i wesołych wydarzeniach z czasów, kiedy sama też była nauczycielką, zanim zachorowała na serce. I jeszcze wcześniejsze historie o tym, jak leżała w łóżku z gorączką reumatyczną i miała wyimaginowanych przyjaciół, Rolla i Maxine, którzy rozwiązywali zagadki, nawet kryminalne, jak postacie z książek dla dzieci. Migawki z czasów, kiedy zalecał się do niej zadurzony Sam, pechowe perypetie z pożyczonym samochodem, to, że kiedyś zjawił się u niej w domu przebrany za włóczęgę.

Wspólne robienie krówek, nawlekanie wstążek przez dziurki w lamówkach halek; Sara i Juliet były nierozłączne. A potem nagle Juliet już tego wszystkiego nie chciała, wolała rozmawiać nocami w kuchni z Samem, pytać go o czarne dziury, epokę lodowcową, Boga. Nienawidziła tego, że Sara bagatelizuje te rozmowy, zadając naiwne pytania, i zawsze usiłuje skierować uwagę na siebie. Dlatego musieli rozmawiać późno w nocy i kierować się milczącym porozumieniem. „Najpierw musimy się pozbyć Sary". Oczywiście tylko na jakiś czas.

Towarzyszyło temu przypomnienie. „Bądź dobra dla Sary. Ryzykowała własnym życiem, żeby cię urodzić, warto o tym pamiętać".

– Tatuś lubi się sprzeciwiać ludziom, którzy są nad nim – stwierdziła Sara, biorąc głęboki oddech. – Ale wiesz, jaki jest w stosunku do ludzi, którzy mu podlegają. Zrobi wszystko, żeby przypadkiem nie pomyśleli, że jest kimś innym, i będzie się zniżał do ich poziomu.

Oczywiście Juliet o tym wiedziała. Widziała, jak Sam rozmawiał z chłopakiem na stacji benzynowej, jak żartował w sklepie z narzędziami. Nic jednak nie powiedziała.

– Musi się im podlizywać – stwierdziła nagle Sara innym tonem, na krawędzi złośliwości, z cichym chichotem.

Juliet doprowadziła do porządku wózek, siebie i Penelopę, i wyruszyła do miasta. Skorzystała z pretekstu, że musi kupić konkretny rodzaj łagodnego mydła dezynfekującego do prania pieluszek, bo gdyby je wyprała zwykłym mydłem, Penelopa dostałaby wysypki. Miała jednak inne powody, nie do odparcia, choć żenujące.

Tą drogą chodziła całymi latami do szkoły. Nawet kiedy wyjechała na studia i przyjeżdżała do domu z wizytą, nadal była tą samą dziewczyną, która chodzi do szkoły. Czy nigdy nie skończy z chodzeniem do szkoły? Ktoś zapytał o to Sama, kiedy Juliet wygrała międzyuczelniany konkurs na tłumaczenie z łaciny, a on powiedział: „Obawiam się, że nie". Sam opowiadał tę historię. Ale broń Boże nie wspominał o nagrodzie. Zostawiał to Sarze, chociaż ona mogła nawet nie pamiętać, za co była ta nagroda.

I oto się zrehabilitowała. Stała się teraz młodą kobietą z dzieckiem, taką jak inne młode kobiety. Zatroskaną o mydło do pieluch. A Penelopa nie była po prostu dzieckiem. Była nieślubnym dzieckiem. Juliet mówiła tak o niej czasem do Erica. Traktował to jako żart, a ona mówiła to żartem, bo oczywiście mieszkali razem, trwało to już jakiś czas i planowali dalszą wspólną przyszłość. O ile wiedziała, to, że nie mieli ślubu, nie miało dla Erica żadnego znaczenia, sama często o tym nie pamiętała. Czasami jednak, a zwłaszcza teraz, tutaj w domu, panieński stan dawał Juliet poczucie spełnienia, dziecinne poczucie rozkoszy.

– Wybrałaś się dziś w miasto – powiedział Sam. (Czy on zawsze mówił „w miasto"? Sara i Juliet mówiły „do miasta"). – Spotkałaś kogoś znajomego?

– Musiałam pójść do drogerii – odparła Juliet. – Był tam Charlie Little.

Ta rozmowa odbywała się w kuchni, po jedenastej wieczorem. Juliet doszła do wniosku, że to najlepsza pora, żeby przygotować butelki z mlekiem dla Penelopy na następny dzień.

– Mały Charlie? – Sam zawsze miał ten zwyczaj, o którym też zapomniała: nadal nazywał ludzi ich szkolnymi przezwiskami. – I co, podziwiał dziecko?

– Oczywiście.

– I słusznie.

Sam siedział przy stole, pił whisky i palił papierosa. Picie whisky było czymś nowym. Ponieważ ojciec Sary pił – nie aż tak, żeby się stoczyć, cały czas pracował jako weterynarz, ale w domu był postrachem i jego córkę picie alkoholu przerażało – Sam nigdy nie pijał w domu nawet piwa, przynajmniej Juliet tak się wydawało.

Juliet poszła do drogerii, bo tylko tam mogła dostać mydło do prania pieluch. Nie spodziewała się, że spotka Charliego, chociaż to był interes rodzinny. Ostatnie, co o nim słyszała, to że zamierzał zostać inżynierem. Wspomniała mu dziś o tym, może niezbyt taktownie, ale Charlie bez najmniejszego zakłopotania wyjaśnił, że mu się nie udało. Przytył, szczególnie w okolicy brzucha, a włosy mu się przerzedziły i straciły trochę falistości i połysku. Powitał ją entuzjastycznie, komplementując zarówno Juliet, jak i dziecko, a to wprawiło ją w zakłopotanie, tak że przez całą rozmowę czuła żar i pot na twarzy i na szyi. W szkole nie zwracał na nią uwagi, oprócz tego, że się porządnie witał, bo zawsze miał dobre, demokratyczne maniery. Umawiał się z najładniejszymi dziewczynami i teraz, jak powiedział Juliet, był mężem jednej z nich, Janey Peel. Mieli dwoje dzieci, jedno mniej więcej w wieku Penelopy, drugie starsze. To dlatego, jak poinformował Juliet, ze szczerością, która chyba miała coś wspólnego z jej własną sytuacją, to właśnie dlatego nie został inżynierem.

Umiał więc nakłonić Penelopę do uśmiechu i gaworzenia, a z Juliet rozmawiał jak rodzic z rodzicem, jak równy z równym. Czuła się z tego powodu idiotycznie przejęta i zadowolona. Ale w jego zainteresowaniu było coś więcej – szybki rzut oka na jej lewą dłoń bez obrączki, żart na temat jego małżeństwa. I coś jeszcze. Ukradkiem taksował ją wzrokiem, może widział w niej teraz kobietę, która obnosi się z owocem zuchwałego życia seksualnego. Juliet, coś takiego. Ta gapa, prymuska.

– Jest do ciebie podobna? – spytał, gdy ukucnął, aby przyjrzeć się Penelopie.

– Bardziej do swojego ojca – odparła od niechcenia Juliet, chociaż zalała ją fala dumy. Na górnej wardze perliły się kropelki potu.

– Naprawdę? – Charlie wyprostował się i dodał przyciszonym głosem: – Jedno ci powiem. To nie było w porządku...

– Powiedział mi, że to, co się z tobą stało, nie było w porządku – poinformowała Juliet Sama.

– Tak, a co ty na to?

– Nie wiedziałam, co powiedzieć. Nie wiedziałam, o co mu chodzi. Ale nie chciałam mu tego mówić.

– Jasne.

Juliet usiadła przy stole.

– Napiłabym się, ale nie lubię whisky.

– To teraz też pijesz?

– Wino. Robimy własne wino. W Zatoce wszyscy robią wino.

Na to opowiedział dowcip, jakiego dawniej nigdy by jej nie opowiedział. Chodziło w nim o parę, która jedzie razem do motelu, a puenta była następująca:

– To jest tak, jak zawsze tłumaczę dziewczętom ze szkółki niedzielnej: nie musisz pić ani palić, żeby się dobrze zabawić.

Juliet zaśmiała się, ale poczuła żar na twarzy, jak w czasie rozmowy z Charliem.

– Dlaczego zrezygnowałeś z pracy? – spytała. – Zwolnili cię z mojego powodu?

– Daj spokój. – Sam się roześmiał. – Nie myśl, że jesteś taka ważna. Nie zwolnili mnie. Nie wyrzucili.

– Dobrze, sam odszedłeś.

– Tak.

– Czy to miało coś wspólnego ze mną?

– Odszedłem, bo to wszystko mnie już znudziło. Od dawna chciałem się zwolnić.

– W żaden sposób mnie to nie dotyczyło?

– No, dobrze, pokłóciłem się – przyznał Sam. – Było gadanie.

– Jakie gadanie?

– Nie musisz wiedzieć.

– I nie przejmuj się – dodał po chwili. – Nie wyrzucili mnie. Nie mogli mnie wyrzucić. Są jakieś przepisy. Poza tym mówiłem ci – chciałem już odejść.

– Ale ty nie rozumiesz – powiedziała Juliet. – Nie rozumiesz. Nie rozumiesz, jakie to głupie, i jak obrzydliwe jest miejsce, gdzie ludzie mówią takie rzeczy. Gdybym to powtórzyła moim znajomym, po prostu by nie uwierzyli. Potraktowaliby to jako dowcip.

– Cóż. Niestety twoja matka i ja nie mieszkamy tam, gdzie ty. Mieszkamy tu. Czy ten twój facet też myśli, że to żart? Nie chcę już dziś o tym rozmawiać, idę spać. Zajrzę do matki i idę do łóżka.

– A pociąg? – powiedziała Julie zapalczywie, nawet ze wzgardą. – Wciąż się tu zatrzymuje, prawda? Nie chcieliście, żebym tutaj wysiadła. Prawda?

Ojciec wychodzi z kuchni bez odpowiedzi.

Światło ostatniej latarni w mieście padało teraz na łóżko Juliet. Wielki klon został ścięty, tam, gdzie stał, była teraz grządka rabarbaru Sama. Poprzedniej nocy Juliet zaciągnęła story, żeby zasłonić łóżko, dziś jednak czuła, że trzeba jej świeżego powietrza. Przeniosła poduszkę w nogi łóżka, razem z Penelopą, która spała jak aniołek mimo światła padającego wprost na jej buzię.

Żałowała, że nie napiła się trochę whisky. Leżała sztywna ze złości i frustracji, układając w głowie list do Erica. „Nie wiem, co ja tu robię, wcale nie powinnam była przyjeżdżać, nie mogę się doczekać powrotu do domu".

Dom.

Ledwo świtało, kiedy Juliet obudził hałas odkurzacza. Potem jakiś głos – Sama – przebił się przez ten hałas, a Juliet znowu zasnęła. Gdy się później obudziła, pomyślała, że chyba jej się to przyśniło, bo Penelopa też by się przebudziła, a tymczasem ona wciąż smacznie spała.

Tego ranka w kuchni było chłodniej, nie pachniało gotującymi się owocami. Irene nakładała na słoiki małe czapeczki z kraciastej bawełny i przyklejała nalepki.

– Wydawało mi się, że słyszałam, jak odkurzasz – zagaiła Juliet, starając się, by zabrzmiało to wesoło. – Chyba mi się śniło. Była dopiero piąta rano.

Przez chwilę Irene nie odpowiadała. Wypisywała nalepkę. Pisała z wielkim skupieniem, zagryzając wargi.

– To ona – odparła, kiedy skończyła. – Obudziła twojego tatę i musiał tam iść i kazać, żeby przestała.

Wydawało się to nieprawdopodobne. Wczoraj Sara wstała z łóżka tylko, żeby pójść do łazienki.

– Mówił mi – powiedziała Irene. – Ona się budzi w środku nocy i zaczyna coś robić, a on musi wstać i ją uspokoić.

– Musi dostawać jakichś przypływów energii – zauważyła Juliet.

– Aha. – Irene zabrała się do następnej nalepki. Kiedy skończyła, odwróciła się do Juliet.

– Chce obudzić twojego tatę i zwrócić na siebie uwagę, o to chodzi. Jest taki zmęczony, a musi wstawać, żeby się nią zajmować.

Juliet odwróciła się do niej tyłem. Nie chciała sadzać Penelopy – tak jakby dziecko nie było tu bezpieczne – i trzymając ją na biodrze, wyłowiła łyżką jajo, obtłukła je, obrała i jedną ręką rozgniotła na papkę.

Kiedy karmiła Penelopę, bała się odezwać, by ton jej głosu nie przestraszył małej i nie pobudził jej do płaczu. Coś jednak dotarło do Irene. Powiedziała bardziej powściągliwym tonem, choć z nutą arogancji:

– Tak to już jest, jak są chore. Nie mogą nic poradzić. Myślą tylko o sobie.

Sara miała zamknięte oczy, ale od razu je otworzyła.

– Och, moje drogie – zawołała, jakby śmiała się z siebie. – Moja Juliet. Moja Penelopa.

Penelopa powoli się do niej przyzwyczajała. Przynajmniej tego ranka nie rozpłakała się ani nie odwróciła głowy.

– Proszę – powiedziała Sara, sięgając po jedno ze swych pism. – Posadź ją i niech się tym zajmie.

Penelopa przez moment się wahała, a potem złapała za kartkę i energicznie ją wyrwała.

– Widzisz. Wszystkie dzieci lubią drzeć czasopisma. Pamiętam.

Na krześle przy łóżku stała miska ledwo tkniętych płatków.

– Nie zjadłaś śniadania? – spytała Juliet. – Nie dostałaś tego, co chciałaś?

Sara spojrzała na miskę, jakby należała jej się poważna koncentracja, której jednak nie mogła z siebie wykrzesać.

– Nie pamiętam. Nie, chyba tego nie chciałam. – Zaczęła chichotać i chwytać powietrze. – Kto wie? Przyszło mi do głowy, że może ona chce mnie otruć.

– Żartowałam – dodała, kiedy się uspokoiła. – Ale ona jest bardzo groźna. Irene. Nie wolno jej nie doceniać. Widziałaś włosy na jej rękach?

– Jak u kota – powiedziała Juliet.

– Jak u skunksa.

– Miejmy nadzieję, że nie powpadały do dżemu.

– Nie rozśmieszaj mnie...

Penelopa była tak zajęta darciem czasopism, że po chwili Juliet mogła ją zostawić w pokoju Sary i wynieść płatki do kuchni. Nic nie mówiąc, zaczęła przyrządzać ajerkoniak. Irene chodziła tam i z powrotem wynosząc słoiki z dżemem do samochodu. Na schodach z tyłu domu Sam szlauchem spłukiwał ziemię ze świeżo wykopanych kartofli. Podśpiewywał przy tym, najpierw za cicho, żeby można było zrozumieć słowa, potem, kiedy Irene weszła po schodach, głośniej:

Irene, dobranoc,
Irene, dobranoc,
Dobranoc, Irene, dobranoc, Irene,
Zobaczę cię w mych snach.

Irene, w kuchni, odwróciła się na pięcie i zawołała:

– Nie śpiewaj tej piosenki o mnie.

– Jakiej piosenki o tobie? – spytał Sam z udawanym zdziwieniem. – Kto śpiewa o tobie piosenkę?

– Ty. Przed chwilą.

– Och, tę piosenkę. Piosenkę o Irene? O dziewczynie z piosenki? Coś takiego, zapomniałem, że też masz tak na imię.

Znowu zaczął, tym razem nucąc bez słów, ukradkiem. Irene nasłuchiwała, zaczerwieniona, z falującym biustem, gotowa do ataku, gdyby coś usłyszała.

– Nie śpiewaj tego. Jeśli jest tam moje imię, to znaczy, że to o mnie.

Nagle Sam ryknął pełnym głosem:

Ożeniłem się w zeszłą sobotę,
Żyjemy sobie razem z żoną...

– Przestań. Weź i przestań – zawołała Irene, rozjuszona, szeroko otwierając oczy. – Jak nie przestaniesz, wyjdę i obleję cię wodą ze szlaucha.

Po południu Sam rozwoził dżem do sklepów spożywczych i kilku sklepów z upominkami, które złożyły zamówienia.

Zaprosił Juliet, żeby z nim pojechała. Wcześniej w sklepie z towarami przemysłowymi kupił nowiutki fotelik samochodowy dla Penelopy.

– To jedyna rzecz, jakiej nie mamy na strychu – powiedział. – Nie wiem, czy je produkowano, kiedy byłaś mała. Zresztą to bez znaczenia, bo nie mieliśmy samochodu.

– Jest świetny, mam nadzieję, że nie kosztował cię majątku – stwierdziła Juliet.

– Bagatelka – odparł Sam, zapraszając ją z ukłonem do samochodu.

Irene zbierała na polu maliny na ciastka. Sam zatrąbił dwa razy i pomachał, kiedy odjeżdżali, a Irene postanowiła zareagować, unosząc jedną rękę takim ruchem, jakby odpędzała muchę.

– To fantastyczna dziewczyna – zauważył Sam. – Nie wiem, jak byśmy bez niej przeżyli. Chociaż wyobrażam sobie, że tobie wydaje się nieokrzesana.

– Prawie jej nie znam.

– Ależ nie. Ona się okropnie ciebie boi.

– Niemożliwe.

Juliet, usiłując znaleźć coś pozytywnego, a przynajmniej neutralnego, co mogłaby powiedzieć o Irene, spytała, w jaki sposób zginął jej mąż na kurzej fermie.

– Nie wiem, czy miał zadatki na kryminalistę, czy tylko się głupio zachował. W każdym razie wdał się w konszachty z jakimiś typami, którzy planowali kradzież kurczaków i, oczywiście, uruchomili alarm, a farmer wyleciał ze strzelbą i, nie wiadomo, umyślnie czy przypadkiem, zastrzelił męża Irene...

– Mój Boże!

– Irene i jej teściowie wytoczyli mu sprawę, ale faceta uniewinniono. Jak można się było spodziewać. Musiało to być dla niej ciężkie przeżycie. Nawet jeśli ten mąż nie był wygraną na loterii.

Juliet powiedziała, że na pewno było ciężkie, i spytała, czy Irene jest jego dawną uczennicą.

– Nie, nie, nie. O ile się orientuję, Irene nie spędziła dużo czasu w szkole.

Wyjaśnił, że rodzina Irene pochodziła z północy, gdzieś z okolic Huntsville. Tak, skądś gdzieś tam. Pewnego dnia pojechali całą rodziną do miasta. Ojciec, matka, dzieciaki. Ojciec powiedział im, że ma sprawy do załatwienia i że spotkają się później. Powiedział im gdzie i kiedy. Chodzili po mieście bez grosza aż do wyznaczonej godziny. A on w ogóle się nie zjawił.

– Wcale nie miał takiego zamiaru. Porzucił rodzinę. Musieli przejść na garnuszek opieki społecznej. Mieszkali w jakimś baraku na wsi, gdzie było taniej. Starsza siostra Irene, która, o ile wiem, bardziej opiekowała się rodziną niż matka, umarła na zapalenie wyrostka. Nie było jej jak zawieźć do miasta, szalała burza śnieżna, a oni nie mieli telefonu. Potem Irene nie chciała już chodzić do szkoły, bo ta siostra, póki żyła, broniła ją przed innymi dziećmi. Irene teraz wydaje się gruboskórna, ale kiedyś chyba taka nie była. Może i dziś to jest rodzaj maskarady.

A teraz, powiedział Sam, teraz matka Irene zajmowała się jej synkiem i córeczką, aż tu nagle, po tylu latach, zjawił się ojciec i chce, żeby matka do niego wróciła, a gdyby tak się stało,

Irene nie będzie wiedziała, co zrobić, bo nie chce, żeby dzieci przebywały w jego towarzystwie.

– To fajne dzieciaki. Dziewuszka ma jakiś problem z rozszczepionym podniebieniem i miała już jedną operację, a później czeka ją następna. Wszystko będzie w porządku. Ale jest jeszcze jedna rzecz.

Jeszcze jedna rzecz.

Co się stało Juliet? Nie czuła prawdziwego współczucia. Czuła, że w głębi serca buntuje się przeciwko tej okropnej litanii nieszczęść. Było ich za dużo. Kiedy w opowieści pojawił się rozszczep podniebienia, miała ochotę złożyć zażalenie. Za dużo.

Wiedziała, że nie ma racji, ale to niczego nie zmieniło. Bała się odezwać, żeby przypadkiem nie zdradzić się ze swym twardym sercem. Bała się, że powie Samowi: „I co jest takiego cudownego w całym tym nieszczęsnym życiu, co czyni z niej świętą?". Albo że powie coś niewybaczalnego: „Mam nadzieję, że nie chcesz nas skazywać na towarzystwo takich ludzi".

– Mówię ci, kiedy przyszła nam pomóc, odchodziłem wprost od zmysłów – powiedział Sam. – Zeszłej jesieni twoja matka to była istna katastrofa. I nie chodziło o to, że wszystko zaniedbała. Nie. Byłoby lepiej, gdyby sobie wszystko odpuściła. Gdyby nic nie robiła. Zaczynała coś robić, ale nie mogła skończyć. I tak cały czas. Nie żeby to było coś zupełnie nowego. Zawsze musiałem różne rzeczy za nią kończyć, zajmować się nią i pomagać jej w pracach domowych. My oboje musieliśmy – pamiętasz? Zawsze była tą słodką śliczną panienką z chorym sercem, przyzwyczajoną, że się ją obsługuje. Przez te wszystkie lata czasami myślałem sobie, że mogłaby się trochę bardziej wysilić.

– Ale tak się jej pogorszyło – ciągnął – że wracałem do domu, a pralka stała na środku kuchni i wszędzie leżały porozrzucane mokre rzeczy. Jakieś wypieki, które zaczęła i porzuciła, jedzenie spalone na węgiel w piecyku. Bałem się, że się poparzy. Że podpali dom. Stale ją przekonywałem, żeby leżała w łóżku, ale nie chciała, a potem z płaczem lądowała w całym tym bałaganie. Przychodziły tu na próbę różne dziewczyny, ale nie dawały sobie z nią rady. Aż wreszcie – Irene.

– Irene – powtórzył z wyraźnym westchnieniem. – Mówię ci, błogosławię ten dzień. Błogosławię ten dzień.

Ale, jak powiedział, wszystkie dobre rzeczy się kiedyś kończą. Irene wychodziła za mąż. Za czterdziesto- czy pięćdziesięcioletniego wdowca. Farmera. Podobno był zamożny i ze względu na nią Sam miał nadzieję, że to prawda. Bo poza tym ten człowiek nie miał się czym pochwalić.

– Niczym więcej. W dodatku, jeśli się nie mylę, ma tylko jeden ząb. To zły znak. Nie podoba mi się. Za dumny czy za skąpy, żeby sobie wstawić sztuczne zęby. Tylko pomyśl, taka świetna dziewczyna.

– Kiedy to się odbędzie?

– Jakoś tak na jesieni. Na jesieni.

Penelopa spała przez cały ten czas, zasnęła w swoim foteliku zaraz po tym, jak samochód ruszył. Przednie okna były otwarte i Juliet czuła zapach siana, świeżo ściętego i pozwijanego w bele; nikt już nie stawiał siana w kopy. Niektóre wiązy jeszcze rosły na swych starych miejscach, odosobnione cuda przyrody.

Zatrzymali się we wsi zbudowanej wzdłuż drogi w wąskiej dolinie. Ze ścian doliny sterczały skały – było to jedyne miejsce w okolicy, w którym można było zobaczyć takie wielkie głazy. Juliet pamiętała, że przyjeżdżała tu do specjalnego parku z płatnym wstępem. Była w nim fontanna i kawiarnia, w której podawano ciasto z truskawkami i lody, i na pewno jeszcze inne rzeczy, które zapomniała. Jaskinie w skale nosiły imiona siedmiu krasnoludków. Sam i Sara siedzieli na ziemi obok fontanny, jedząc lody, a ona biegała po wszystkich jaskiniach. (Dość płytkich, naprawdę nic specjalnego). Juliet chciała, żeby rodzice poszli razem z nią, ale Sam powiedział: „Wiesz, że twoja matka nie może się wspinać".

„Ty biegnij – powiedziała Sara. – A jak wrócisz, to nam opowiesz". Była elegancko ubrana. Spódnica z czarnej tafty leżała rozłożona wokół niej na trawie. To się nazywało spódnica baletnicy.

Na pewno był to jakiś szczególny dzień.

Juliet spytała o to Sama, kiedy wyszedł ze sklepu. Z początku nie pamiętał. Potem sobie przypomniał. Złodziejski interes, powiedział. Nie miał pojęcia, kiedy zniknął.

Juliet nigdzie w pobliżu ulicy nie widziała śladów fontanny ani kawiarni.

– Wnosi spokój i porządek – powiedział Sam i Juliet dopiero po chwili zorientowała się, że wciąż mówi o Irene. – Zajmuje się wszystkim. Zetnie trawę i podleje ogród. Co by nie robiła, stara się zrobić jak najlepiej i zachowuje się tak, jakby to był dla niej zaszczyt. Stale mnie to zdumiewa.

Cóż to była za beztroska okazja? Urodziny? Rocznica ślubu?

Sam mówił z przekonaniem, wręcz podniośle, przekrzykując hałas samochodu z trudem wjeżdżającego pod górę.

– Przywróciła mi wiarę w kobiety.

Sam za każdym razem wbiegał do kolejnego sklepu, mówiąc Juliet, że nie będzie go tylko parę minut, a wracał do samochodu dopiero po dłuższym czasie, wyjaśniając, że nie mógł się wyrwać. Ludzie chcieli rozmawiać, opowiadać specjalnie dla niego zapamiętane dowcipy. Kilka osób wyszło za nim, żeby obejrzeć jego córkę i jej dziecko.

– To jest ta dziewczyna, co mówi po łacinie – stwierdziła jedna z kobiet.

– Trochę już zapomniała – powiedział Sam. – Teraz jest okropnie zajęta.

– Jasne – przytaknęła kobieta, pochylając się, aby zobaczyć Penelopę. – Czyż nie są rozkoszne? Och, te maluchy.

Juliet planowała, że porozmawia z Samem o doktoracie, do którego chciała wrócić, choć na razie było to tylko marzenie. Takie tematy nasuwały im się w sposób naturalny. Nie z Sarą. Sara mówiła: „Opowiedz mi, co robisz na studiach", i Juliet jej opowiadała, a Sara pytała, jak ona sobie właściwie radzi z tymi wszystkimi greckimi imionami. Ale Sam wiedział, o czym Juliet mówi. Na zajęciach wspomniała, że ojciec wyjaśnił jej znaczenie słowa „taumaturgia", kiedy się na nie natknęła w wieku dwunastu czy trzynastu lat. Na pytanie, czy jej ojciec jest uczonym, odpowiedziała: „Oczywiście, uczy w szkole podstawowej".

Teraz miała wrażenie, że Sam chciałby subtelnie odwieść ją od myśli o pracy naukowej. A może i niezbyt subtelnie.

Powiedzieć o „bujaniu w obłokach". Albo twierdzić, że zapomniał rzeczy, których jej zdaniem nie sposób zapomnieć.

Może zresztą naprawdę zapomniał. Pewne pomieszczenia w jego mózgu zostały zamknięte, ich okna – zaciemnione, jakby to, co w środku, Sam uznał za niepotrzebne, zbyt kompromitujące, by to wydobywać na światło dzienne.

Juliet odezwała się ostrzej, niż zamierzała:

– Czy ona chce wyjść za mąż? Irene?

Pytanie zaskoczyło Sama, zwłaszcza zadane tym tonem i po dłuższym milczeniu.

– Nie wiem – odparł.

– Nie wyobrażam sobie, żeby tego chciała – dodał po chwili.

– Zapytaj ją – powiedziała Juliet. – Na pewno chciałbyś wiedzieć, skoro tak bardzo ją podziwiasz.

Przejechali kilka kilometrów, zanim Sam się odezwał. Najwyraźniej poczuł się urażony.

– Nie mam pojęcia, o co ci chodzi – stwierdził.

– Wesołek, Gburek, Gapcio, Śpioszek, Apsik – wyliczyła Sara.

– Mędrek – dodała Juliet.

– Mędrek. Mędrek. Wesołek, Apsik, Mędrek, Gburek, Gapcio, Apsik... Nie. Apsik, Mędrek, Wesołek, Nieśmiałek, Gburek... Śpioszek, Wesołek, Mędrek...

Sara policzyła na palcach i powiedziała:

– Chyba wyszło mi ośmiu.

– Byliśmy tam więcej niż jeden raz – dodała. – Nazywaliśmy to miejsce Świątynią Ciasta z Truskawkami... Ach, jakbym chciała znów tam pojechać.

– Nic tam nie ma – powiedziała Juliet. – Nawet nie znalazłam miejsca po kawiarni.

– Ja bym na pewno znalazła. Dlaczego z wami nie pojechałam? Na letnią przejażdżkę. Ile trzeba siły na jazdę samochodem? Tatuś ciągle powtarza, że nie mam siły.

– Przyjechałaś po mnie na stację.

– To prawda, ale nie chciał mnie zabrać. Musiałam wpaść w szał.

Sięgnęła do tyłu, żeby sobie poprawić poduszki pod głową, ale nie dała rady i Juliet jej pomogła.

– Niech to! – zawołała Sara. – Jestem nieużytecznym wrakiem. Chociaż wydaje mi się, że mogłabym się wykąpać. Bo co będzie, jak ktoś przyjdzie?

Juliet spytała, czy Sara się kogoś spodziewa.

– Nie, ale gdyby?

Juliet wzięła Sarę do łazienki, a Penelopa poraczkowała za nimi. Potem, kiedy wanna już była gotowa i babka do niej weszła, Penelopa postanowiła, że też chce się wykąpać. Juliet ją rozebrała i dziewczynka i stara kobieta wykąpały się razem. Choć naga Sara nie wyglądała jak stara kobieta, raczej jak stara dziewczyna, na przykład dziewczyna, która cierpi na jakąś egzotyczną, wyniszczającą, odwadniającą chorobę.

Penelopa przyjęła towarzystwo Sary bez protestu, ale kurczowo trzymała się swojego żółtego mydła-kaczuszki.

To w wannie Sara ostatecznie odważyła się zapytać ostrożnie o Erica.

– Jestem pewna, że jest miłym człowiekiem – powiedziała.

– Czasami – odparła od niechcenia Juliet.

– Był taki dobry dla swojej pierwszej żony.

– Jedynej żony – poprawiła Juliet. – Póki co.

– Ale jestem pewna, że teraz, jak masz dziecko... To znaczy jesteś szczęśliwa. Jestem pewna, że jesteś szczęśliwa.

– Na tyle szczęśliwa, na ile można to pogodzić z życiem w grzechu – powiedziała Juliet, i zaskoczyła matkę, wyżymając myjkę nad jej namydloną głową.

– O to mi chodziło – stwierdziła Sara, uchylając się i zasłaniając twarz z wesołym piskiem. – Juliet?

– Tak?

– Wiesz, że nawet jak narzekam na tatusia, to tylko tak mówię. Ja wiem, że on mnie kocha. Tylko jest nieszczęśliwy.

Juliet śniło się, że znowu jest dzieckiem i że jest w tym domu, chociaż układ pokoi był nieco inny. Wyjrzała przez okno jednego z nieznanych jej pomieszczeń i zobaczyła łuk wody błyszczący w powietrzu. Woda leciała ze szlaucha. Odwrócony do niej tyłem ojciec podlewał ogród. Jakaś postać poruszała się między krzakami malin i po chwili okazało się, że to Irene, choć Irene bardziej dziecinna, gibka i wesoła. Uciekała przed wodą ze szlaucha. Chowała się i znów wracała, i prawie udawało jej się uciec przed strumieniem wody, ale w końcu zawsze była przyłapana. To miała być niewinna zabawa, lecz Juliet, zza szyby, przyglądała się jej z obrzydzeniem. Ojciec stał cały czas tyłem do niej, a jednak wiedziała – jakoś zobaczyła – że trzyma szlauch nisko przed sobą i kręci tylko jego końcówką.

W tym śnie odczuwała lepki strach. Nie taki, który bombarduje ci skórę, lecz taki, który przeciska się przez najwęższe żyłki układu krwionośnego.

Kiedy się obudziła, to uczucie nadal w niej tkwiło. Wstydziła się tego snu. Był taki oczywisty, banalny. Odzwierciedlenie jej własnych nieprzyzwoitych zachcianek.

Po południu ktoś zastukał do drzwi od frontu. Na co dzień nikt tych drzwi nie używał, Juliet trudno je było otworzyć.

Mężczyzna, który stał za nimi, miał na sobie wyprasowaną żółtą koszulę z krótkimi rękawami i jasnobrązowe spodnie. Może parę lat starszy od Juliet, wysoki, ale dość wątły, z lekko zapadniętą klatką piersiową, powitał ją energicznie, z szerokim uśmiechem.

– Przyszedłem z wizytą do pani domu – oznajmił.

Juliet zostawiła go w drzwiach i poszła na werandę.

– Przyszedł jakiś człowiek. Może coś sprzedaje. Mam się go pozbyć?

Sara podciągała się do pozycji siedzącej.

– Nie, nie – zaprotestowała bez tchu. – Popraw mnie trochę, dobrze? Słyszałam jego głos. To Don. To mój przyjaciel Don.

Don wszedł już do domu i słychać go było zza drzwi werandy.

– Nie przejmuj się, Saro. To tylko ja. Czy mogę wejść?

Sara, cała szczęśliwa i podekscytowana, sięgnęła po szczotkę do włosów, ale nie dała z nią sobie rady, poddała się i przeczesała włosy rękami.

– Obawiam się, że lepiej już wyglądać nie będę. Wchodź – zawołała wesoło.

Mężczyzna wszedł i szybkim krokiem podszedł do łóżka, a Sara wyciągnęła do niego ramiona.

– Pachniesz latem – powiedziała. – Co to jest? – Dotknęła jego koszuli. – Prasowanie. Wyprasowana bawełna. Bardzo miłe.

– Sam ją wyprasowałem – pochwalił się. – Sally bawi się w kościele z kwiatami. Nieźle mi poszło, co?

– Pięknie – przyznała Sara. – Mało brakowało, a byś nie wszedł. Juliet myślała, że jesteś domokrążcą. Juliet to moja córka. Moje kochane dziecko. Mówiłam ci, prawda? Mówiłam, że przyjedzie. Don jest pastorem, Juliet. Moim przyjacielem i pastorem.

Don wyprostował się, podał rękę Juliet.

– Dobrze, że pani przyjechała. Bardzo się cieszę. W gruncie rzeczy niewiele się pani pomyliła, jestem kimś w rodzaju sprzedawcy.

Juliet grzecznie uśmiechnęła się z żartu pastora.

– Z jakiego jest pan Kościoła?

Pytanie rozśmieszyło Sarę.

– Ojej, wszystko się wydało, prawda?

– Jestem z Trójcy – powiedział Don ze swym niewzruszonym uśmiechem. – A jeżeli chodzi o to, że się wydało, to nie jest dla mnie nowością, że Sara i Sam nie należeli do żadnego Kościoła w naszej społeczności. Zacząłem wpadać, ponieważ pani matka jest czarującą kobietą.

Juliet nie mogła sobie przypomnieć, czy to Kościół anglikański, czy zjednoczony był nazywany Trójcą.

– Czy mogłabyś podać Donowi jakieś przyzwoite krzesło, skarbie? – poprosiła Sara. – Stoi nade mną jak bocian. I coś do picia, Don? Napijesz się ajerkoniaku? Juliet robi pyszny ajerkoniak. Nie. Nie, chyba byłby za ciężki. Wszedłeś przecież prosto z upału. Herbata? Też jest gorąca. Piwo imbirowe? Jakiś sok? Jaki mamy sok, Juliet?

– Poproszę tylko szklankę wody – powiedział Don. – Chętnie się napiję.

– A nie herbaty? Naprawdę? – mówiła Sara już niemal bez tchu. – Ale ja bym się napiła herbaty. A i ty na pewno wypijesz pół filiżanki. Juliet?

Sama w kuchni – Irene była w ogrodzie, dzisiaj podlewała fasolę – Juliet zastanawiała się, czy matka skorzystała z pretekstu robienia herbaty, żeby zamienić z pastorem parę słów w cztery oczy. Parę słów, a może nawet parę słów modlitwy? Ta myśl przyprawiła ją o mdłości.

Sam i Sara nigdy nie należeli do żadnego Kościoła, chociaż Sam, kiedy się tutaj osiedlili, powiedział komuś, że są druidami. Wiadomość, że należą do Kościoła nieznanego w mieście podniosła ich prestiż o oczko w porównaniu z tym, jakby w ogóle nie chodzili do kościoła. Juliet przez jakiś czas chodziła do szkółki niedzielnej przy kościele anglikańskim, głównie dlatego, że chodziła tam jej przyjaciółka. W szkole Sam nigdy nie odmawiał czytania Biblii i wygłaszania codziennej modlitwy, tak samo jak nie protestował przeciwko śpiewaniu *Boże, chroń królową*.

„Są czasy, kiedy trzeba się wychylać, i takie, kiedy nie należy tego robić – twierdził. – Jak zadowolisz ich w ten sposób, to może uda ci się przekazać dzieciakom parę faktów o ewolucji".

Sara interesowała się kiedyś bahaizmem, ale Juliet przypuszczała, że już jej to minęło.

Przygotowała herbatę dla trzech osób i znalazła w szafce herbatniki i miedzianą tacę, której Sara zwykle używała przy szczególnych okazjach.

Don przyjął filiżankę herbaty i wypił duszkiem zimną wodę, o której Juliet pamiętała, ale odmówił herbatników.

– Dla mnie nie, dziękuję.

Powiedział to ze szczególnym naciskiem, jakby pobożność zabraniała jedzenia ciastek.

Zapytał Juliet, gdzie mieszka, jaki rodzaj pogody mają na zachodnim wybrzeżu, czym się zajmuje jej mąż.

– Łowi krewetki, ale formalnie nie jest moim mężem – powiedziała Juliet miłym tonem.

Don skinął głową. Ach, tak.

– Zdarzają się sztormy?

– Czasami.

– Zatoka Wielorybów. Nigdy o niej nie słyszałem, ale teraz sobie zapamiętam. Do jakiego kościoła chodzi pani w Zatoce Wielorybów?

– Do żadnego. Nie chodzimy do kościoła.

– Nie macie w pobliżu waszego kościoła?

Juliet z uśmiechem pokręciła głową.

– Nie ma żadnego naszego kościoła. Nie wierzymy w Boga.

Filiżanka Dona zadźwięczała, kiedy odstawiał ją na spodeczek. Powiedział, że przykro mu to słyszeć.

– Naprawdę bardzo przykro. Od jak dawna tak pani sądzi?

– Nie wiem. Odkąd się nad tym poważnie zastanowiłam.

– Pani matka powiedziała mi, że ma pani dziecko. Małą dziewczynkę, czy tak?

Juliet potwierdziła.

– I nie była ochrzczona? Zamierza pani chować ją jak pogankę?

Juliet powiedziała, że Penelopa któregoś dnia sama podejmie decyzję.

– Ale zamierzamy wychowywać ją bez religii.

– To smutne – stwierdził cicho Don. – Ze względu na was to jest smutne. Pani i pani... jakkolwiek go pani nazywa... postanowiliście odrzucić łaskę Boga. Dobrze. Jesteście dorośli. Ale odrzucić tę łaskę dla waszego dziecka, to jak odmawianie mu pokarmu.

Juliet poczuła, że traci nad sobą panowanie.

– Ale my nie wierzymy – powiedziała. – Nie wierzymy w łaskę bożą. Nie odmawiamy córce pożywienia, po prostu nie zamierzamy wychowywać jej na kłamstwach.

– Kłamstwa. To, w co wierzą miliony ludzi na całym świecie, pani nazywa kłamstwami. Czy nie uważa pani, że to jednak lekka bezczelność nazywać Boga kłamstwem?

– Miliony ludzi nie wierzą w Boga, ale chodzą do kościoła – powiedziała Juliet podniesionym głosem. – Po prostu nie myślą. Jeżeli Bóg jest, to dał mi rozum i chyba chciał, żebym go używała?

– Poza tym – dodała, starając się opanować – poza tym miliony ludzi wierzą w coś innego. Na przykład wierzą w Buddę. Dlaczego więc miliony ludzi, którzy wierzą w cokolwiek, miałyby mieć rację?

– Chrystus żyje, a Budda nie – stwierdził szybko Don.

– To tylko takie gadanie. Co to znaczy? Nie widzę żadnego dowodu, że żyje jeden czy drugi, jeśli już o to chodzi.

– Pani nie widzi. Inni widzą. Czy wie pani, że Henry Ford, Henry Ford Drugi, który ma wszystko, o czym człowiek może zamarzyć, codziennie wieczorem klęka i modli się do Boga?

– Henry Ford? – woła Juliet. – Henry Ford? Co mnie obchodzi, co robi Henry Ford?

Rozmowa przyjmowała obrót, jaki zwykle przyjmują tego rodzaju rozmowy. Głos pastora, początkowo raczej smutny niż zły, choć zawsze świadczący o żelaznym przekonaniu, stał się ostry i rugający, a Juliet, która zaczęła, jak sądziła, tonem rozsądnego oporu, spokojnie, sprytnie i aż za grzecznie, mówiła teraz z zimną i gryzącą wściekłością. Oboje szukali argumentów i kontrargumentów, dążąc raczej do konfrontacji niż do porozumienia.

Sara tymczasem pogryzała herbatnika, nie podnosząc na nich wzroku. Od czasu do czasu drżała, jakby uderzały w nią ich słowa, ale ani Juliet, ani pastor nie zwracali na nią uwagi.

Widowisko zakończył głośny płacz Penelopy, która obudziła się mokra i protestowała najpierw cicho, później bardziej energicznie, i w końcu wrzaskiem złości. Sara pierwsza ją usłyszała i usiłowała zwrócić uwagę Juliet.

– Penelopa – powiedziała słabiutko i dodała z wysiłkiem: – Juliet. Penelopa. – Juliet i pastor spojrzeli na nią nieprzytomnym wzrokiem, a potem pastor powiedział, nagle ściszając głos:

– Pani dziecko.

Juliet wybiegła z pokoju. Kiedy podniosła Penelopę, była cała roztrzęsiona i mało nie ukłuła dziecka, zapinając suchą pieluchę. Penelopa przestała płakać, nie dlatego, że poczuła się lepiej, ale dlatego, że przestraszyła się takiego szorstkiego traktowania. Jej szeroko otwarte oczy i zdumione spojrzenie dotarły wreszcie do Juliet, która spróbowała się uspokoić. Mówiła jak najłagodniejszym tonem, a potem wzięła córeczkę na ręce i nosiła ją tam i z powrotem po korytarzu na piętrze. Penelopa nie od razu zareagowała, ale po paru minutach jej ciałko się odprężyło.

Juliet czuła, że ona też się stopniowo rozluźnia, a kiedy uznała, że obie są już spokojne i opanowane, zniosła Penelopę na dół.

Pastor wyszedł z pokoju Sary i czekał na Juliet. Głosem, który mógł być skruszony, choć wydawał się raczej przestraszony, powiedział:

– To miłe dziecko.

– Dziękuję – odparła Juliet.

Myślała, że powiedzą sobie grzecznie do widzenia, ale pastora coś powstrzymywało. Przyglądał się jej i nie odchodził. Podniósł dłoń, jakby chciał ją wziąć za ramię, potem opuścił rękę.

– Czy ma pani może... – Urwał i lekko pokręcił głową. „Może" zabrzmiało jak „mobe".

– Sos – powiedział pastor i klepnął dłonią w gardło. Machnął ręką w stronę kuchni.

Juliet najpierw pomyślała, że jest pijany. Głowa chwiała mu się lekko do przodu i do tyłu, a oczy zaszły mgłą. Czy już przyszedł pijany, czy przyniósł coś ze sobą? Potem sobie przypomniała. Dziewczynę, uczennicę w szkole, gdzie uczyła kiedyś przez pół roku. Ta dziewczyna, diabetyczka, jeśli zbyt długo nic nie jadła, dostawała jakiegoś ataku, język jej się plątał, stawała się niespokojna i chwiała się na nogach.

Juliet posadziła sobie Penelopę na biodrze, wzięła pastora za ramię i pomogła mu przejść do kuchni. Sok. To dawali tej dziewczynie, a teraz pastor mówi o soku.

– Już, już, zaraz, wszystko będzie dobrze – powiedziała.

Pastor stał wyprostowany, mocno przyciskając dłonie do blatu kuchennego, z opuszczoną głową.

Soku pomarańczowego nie było, rano dała resztkę Penelopie i nie zdążyła kupić nowego. Ale w lodówce stała butelka gazowanego napoju z winogron, który pili Sam i Irene, kiedy wracali po pracy w ogrodzie.

– Proszę – powiedziała Juliet. Radząc sobie jedną ręką, tak jak była przyzwyczajona, nalała pełną szklankę. – Proszę. Przepraszam, że nie ma soku – dodała, gdy pastor pił. – Ale to chodzi o cukier, prawda? Musi pan dostać trochę cukru.

Pastor wypił napój.

– Tak. Cukier. Dziękuję.

Miał już lepszy głos. Juliet pamiętała, że tamta uczennica też tak szybko, jakby cudem dochodziła do siebie. Nim jednak pastor całkiem wrócił do równowagi, czy raczej do siebie, kiedy ciągle miał trochę przekrzywioną głowę, napotkał jej wzrok. Chyba nie specjalnie, raczej przez przypadek. Jego oczy nie wyrażały wdzięczności ani przebaczenia, nie było w nich nic osobistego, to były oczy zaskoczonego zwierzęcia, które szuka czegokolwiek, czego mogłoby się chwycić.

Po paru sekundach oczy, twarz stała się twarzą człowieka, pastora, ten zaś odstawił szklankę i bez słowa wybiegł z domu.

Sara spała albo udawała, że śpi, kiedy Juliet poszła po tacę z zastawą do herbaty. Jej stan snu, stan drzemki i stan jawy miały tak delikatne i ruchome granice, że trudno je było odróżnić. W każdym razie teraz się odezwała, prawie szeptem:

– Juliet?

Juliet przystanęła w drzwiach.

– Na pewno uważasz Dona za... głupka – powiedziała Sara. – Ale on jest chory. Na cukrzycę. To poważne.

– Tak.

– Potrzebuje swojej wiary.

– Chytry argument – powiedziała Juliet, ale tak cicho, że Sara chyba jej nie usłyszała i mówiła dalej:

– Moja wiara nie jest taka prosta – dodała drżącym głosem (i, zdaniem Juliet, w tej chwili celowo żałosnym). – Nie potrafię jej opisać. Ale to jest – tylko tyle mogę powiedzieć – to jest coś. To jest... cudowne... coś. Kiedy naprawdę się źle czuję... Kiedy się źle czuję, to... Wiesz, co wtedy myślę? Myślę, no, dobrze. Myślę... Wkrótce. Wkrótce zobaczę Juliet.

Budzący postrach (najdroższy) Ericu!

Od czego zacząć? Mam się dobrze i Penelopa też ma się dobrze. Mimo wszystko. Chodzi pewnie wokół łóżka Sary, ale wciąż boi się ruszyć bez oparcia. Letnie upały są tu zdumiewające w porównaniu z zachodnim wybrzeżem. Nawet kiedy pada. To dobrze, że pada, bo Sam pełną parą wziął się za handel warzywami i owocami. Któregoś dnia jeździłam z nim bardzo starym pojazdem, rozwożąc świeże maliny i dżem malinowy (produkcji osoby pokroju młodej Ilse Koch, która zamieszkuje naszą kuchnię), i świeżo wykopane młode kartofle. Sam jest nieźle nakręcony. Sara leży w łóżku i drzemie albo przegląda stare magazyny mody. Odwiedził ją pastor i wszczęłam z nim okropnie głupią kłótnię na temat istnienia Boga czy czegoś w tym rodzaju. Mój pobyt jest w porządku, chociaż...

Ten list Juliet znalazła po latach. Eric musiał go zachować przez przypadek, bo nie odegrał on w ich życiu żadnej roli.

Juliet jeszcze raz wróciła do rodzinnego domu na pogrzeb Sary, kilka miesięcy po napisaniu tego listu. Irene już nie było i Juliet nie pamiętała, czy się o nią spytała. Najprawdopodobniej wyszła za mąż. Sam też po paru latach ponownie się ożenił. Z koleżanką nauczycielką, dobroduszną, niebrzydką, odpowiednią dla niego kobietą. Zamieszkali w jej domu, a ten, w którym mieszkał z Sarą, Sam zburzył i powiększył ogród. Kiedy jego druga żona przeszła na emeryturę, kupili przyczepę kempingową i zaczęli wyjeżdżać na długie zimowe wyprawy. Dwukrotnie odwiedzili Juliet w Zatoce Wielorybów. Eric zabrał ich na morze swoją łodzią. On i Sam świetnie się rozumieli. W pół słowa, mawiał Sam.

Juliet, kiedy przeczytała list, skrzywiła się, jak każdy, kto odkryje zachowany gdzieś, żenujący głos swojego sztucznego ja z przeszłości. Zastanawiała się nad dziarskim tonem, który kontrastował z jej bolesnymi wspomnieniami. Potem przyszło jej do głowy, że coś musiało się zmienić, wtedy, czego już nie pamięta. Ta zmiana dotyczyła miejsca, gdzie był dom. Nie tego w Zatoce Wielorybów u boku Erica, lecz tego, gdzie był dawniej, przez całe jej wcześniejsze życie.

Bo właśnie to, co dzieje się w domu, człowiek stara się chronić najlepiej jak potrafi, jak najdłużej.

A ona nie uchroniła Sary. Gdy Sara powiedziała: „Wkrótce zobaczę Juliet", Juliet nie miała na to żadnej odpowiedzi. Czy nie mogła jej znaleźć? Dlaczego miałoby to być takie trudne? Po prostu powiedzieć: „tak". Dla Sary miałoby to wielkie znaczenie, dla niej samej – bardzo małe. Ale wtedy tylko odwróciła się, zaniosła tacę do kuchni, umyła i wytarła filiżanki, a także szklankę po napoju z winogron. I odstawiła wszystko na miejsce.

Milczenie

Podczas krótkiej podróży promem z Buckley Bay na wyspę Denman Juliet wysiadła z samochodu i stanęła z przodu statku, gdzie owiewał ją letni wiatr. Kobieta, która już tam stała, rozpoznała ją i zaczęła rozmowę. W tym, że ludzie przyglądają się Juliet i zastanawiają się, skąd ją znają, a czasem nawet to sobie przypominają, nie ma nic dziwnego. Regularnie występuje w Telewizji Lokalnej, w programie „Wydarzenia dnia" – przeprowadza wywiady z ludźmi, którzy wiodą ciekawe lub godne pochwały życie, i sprawnie kieruje dyskusjami panelowymi. Ma teraz krótkie włosy, bardzo krótkie, i farbuje je na intensywny, ciemnorudy kolor, który pasuje do oprawki okularów. Często chodzi w czarnych spodniach – tak jak dzisiaj – i kremowej jedwabnej bluzce, a czasem w czarnej marynarce. Jest kobietą, jaką jej matka nazwałaby uderzająco piękną.

– Przepraszam. Ludzie na pewno ciągle panią zaczepiają.

– Wcale mi to nie przeszkadza – mówi Juliet. – Chyba że akurat wracam od dentysty.

Kobieta jest mniej więcej w jej wieku. Długie czarne włosy z siwymi pasmami, bez makijażu, długa dżinsowa spódnica. Mieszka na wyspie Denman, więc Juliet pyta ją, co wie o Centrum Równowagi Duchowej.

– Jest tam moja córka – wyjaśnia Juliet. – Bierze udział w czymś w rodzaju odosobnienia czy w jakimś kursie, nie wiem, jak to się nazywa. Od pół roku. I dziś po raz pierwszy od pół roku mogę ją zobaczyć.

– Jest parę takich miejsc – mówi kobieta. – Pojawiają się i znikają. Nie chcę powiedzieć, że dzieje się tam coś podejrzanego. Tylko przeważnie te miejsca są gdzieś w lesie i niewiele mają wspólnego z mieszkańcami wyspy. No, tak, na tym przecież polega odosobnienie, prawda?

Kobieta mówi, że Juliet na pewno nie może się już doczekać, żeby zobaczyć córkę, i Juliet potwierdza.

– Jestem pod tym względem rozpuszczona – wyjaśnia. – Moja córka ma dwadzieścia lat, właściwie w tym miesiącu kończy dwadzieścia jeden, i rzadko się rozstajemy.

Kobieta mówi, że ma dwudziestoletniego syna i dwie córki, w wieku osiemnastu i piętnastu lat, i czasem zapłaciłaby im, żeby udali się na jakieś odosobnienie, pojedynczo albo wszyscy razem.

Juliet się śmieje.

– Ja mam tylko ją jedną. Oczywiście nie mogę zagwarantować, że po kilku tygodniach nie zechcę odesłać jej z powrotem.

Juliet łatwo przychodzi taka czuła, a zarazem pełna rozdrażnienia rozmowa „między nami matkami" (jest w końcu ekspertką od uspokajających odpowiedzi), ale w gruncie rzeczy Penelopa prawie nigdy nie daje jej powodów do narzekań, gdyby zaś chciała być całkiem szczera, musiałaby przyznać, że trudno jej wytrzymać bez kontaktu z córką jeden dzień, a co dopiero pół roku. Penelopa pracowała w lecie w Banff jako pokojówka, wyjeżdżała na wycieczki autobusowe do Meksyku i podróżowała autostopem do Nowej Funlandii. Ale zawsze mieszkały razem i nigdy nie miały aż półrocznej przerwy w kontaktach.

„Ona mnie zachwyca – mogłaby powiedzieć Juliet. – Chociaż nie jest jedną z tych tańczących i śpiewających entuzjastek słońca, radości i wynajdowania wszędzie dobrych stron. Mam nadzieję, że ją lepiej wychowałam. Ma wdzięk i współczucie dla innych, jest tak mądra, jakby żyła na tej ziemi osiemdziesiąt lat. Jest z natury refleksyjna, nie tak w gorącej wodzie kąpana jak ja. I powściągliwa po ojcu. Jest też anielsko piękna, jak moja matka, i ma włosy blond jak moja matka, ale nie jest tak krucha. Silna i szlachetna. Uformowana, moim zdaniem, jak kariatyda. I wbrew potocznym wyobrażeniom nie jestem o nią ani trochę zazdrosna. Przez cały ten czas, kiedy jej nie było – i kiedy nie miałam od niej znaku życia, ponieważ Równowaga Duchowa nie pozwala na listy i rozmowy telefoniczne – przez cały ten czas żyłam jak na pustyni, a gdy wreszcie przyszła od niej wiadomość, poczułam się jak stary kawałek wyschniętej ziemi, który dostał solidną porcję deszczu".

„Mam nadzieję, że zobaczę cię w niedzielę po południu. Już czas".

Czas wracać do domu. Juliet liczyła, że to ma na myśli Penelopa, ale oczywiście to córka podejmie decyzję.

Penelopa narysowała prowizoryczną mapkę i niebawem Juliet parkowała przed starym kościołem, to znaczy budynkiem kościelnym, zbudowanym przed siedemdziesięciu pięciu czy osiemdziesięciu laty, otynkowanym, nie tak wiekowym i nie tak imponującym jak kościoły w tej części Kanady, gdzie dorastała Juliet. Za nim stał nowszy budynek ze spadzistym dachem i oknami we frontowej ścianie, a także z prostą sceną, ławkami do siedzenia i czymś, co wyglądało jak boisko do siatkówki z wyciągniętą siatką. Wszystko było zniszczone, a wykarczowany niegdyś kawałek lasu zarosły jałowce i topole.

Kilka osób – Juliet nie widziała, czy są to kobiety, czy mężczyźni – zajmowało się pracami ciesielskimi na scenie, inni ludzie siedzieli w małych oddzielnych grupkach na ławkach. Wszyscy mieli na sobie zwykłe ubrania, a nie żółte szaty czy coś w tym rodzaju. Przez chwilę nikt nie zwracał uwagi na samochód Juliet. Potem jedna z osób wstała z ławki i niespiesznie podeszła do Juliet. Niski mężczyzna w średnim wieku, w okularach.

Wysiadła z samochodu, przywitała się i spytała o Penelopę. Nie odezwał się – może obowiązywała go zasada milczenia – lecz kiwnął głową, odwrócił się i wszedł do kościoła. Wkrótce wyszła stamtąd nie Penelopa, ale gruba, powolna kobieta z siwymi włosami, w dżinsach i wyciągniętym swetrze.

– To dla mnie zaszczyt panią poznać – powiedziała. – Proszę wejść. Poprosiłam Donny'ego, żeby nam zrobił herbaty.

Miała szeroką, młodzieńczą twarz, łobuzerski i czuły uśmiech i błyszczące oczy.

– Mam na imię Joan – powiedziała.

Juliet spodziewała się jakiegoś przybranego imienia typu Spokój albo czegoś wschodniego, a nie tak zwykłego i popularnego imienia jak Joan. Później, oczywiście, przyszła jej na myśl papieżyca Joanna.

– Dobrze trafiłam, prawda? Nie znam wyspy – stwierdziła rozbrajająco Juliet. – Wie pani, że przyjechałam zobaczyć się z Penelopą?

– Jasne. Z Penelopą. – Joan wymówiła imię w przeciągły sposób, namaszczonym tonem.

Kościół zaciemniały w środku fioletowe kotary w wysokich oknach. Wyniesiono z niego ławki i inne meble i za pomocą zwykłych białych zasłon podzielono przestrzeń na boksy, jak w szpitalu. W boksie, do którego skierowano Juliet, nie było jednak łóżka, tylko mały stolik i kilka plastikowych krzeseł oraz regał z półkami założonymi stertami papierów.

– Obawiam się, że wciąż się tutaj urządzamy – poinformowała Joan. – Juliet. Czy mogę mówić do pani po imieniu?

– Tak, oczywiście.

– Nie jestem przyzwyczajona do rozmów ze sławnymi ludźmi. – Joan złożyła ręce pod brodą jak do modlitwy. – Nie wiem, czy mogę mówić swobodnie.

– Nie jestem sławną osobą.

– Ależ jesteś. Nie mów takich rzeczy. I od razu przyznam, że podziwiam twoją pracę. Jest promykiem w ciemnościach. Jedynym programem telewizyjnym, który warto oglądać.

– Dziękuję. Dostałam kartkę od Penelopy...

– Wiem. Przykro mi, ale muszę ci to powiedzieć, Juliet, bardzo mi przykro i nie chcę, żebyś była zanadto rozczarowana. Penelopy tu nie ma.

Kobieta wymawia te słowa – „Penelopy tu nie ma" – lekkim tonem. Można by pomyśleć, że nieobecność Penelopy da się obrócić w żartobliwe rozważania, nawet się z niej ucieszyć.

Juliet musi głęboko odetchnąć. Na chwilę ją zatkało. Zalewa ją strach. Przeczucie. Potem próbuje to racjonalnie przemyśleć. Szuka w torbie.

– Napisała, że ma nadzieję...

– Wiem. Wiem – mówi Joan. – Zamierzała tutaj być, ale okazało się, że nie może...

– Gdzie ona jest? Dokąd poszła?

– Tego nie mogę powiedzieć.

– Nie może pani czy nie chce?

– Nie mogę. Nie wiem. Mogę jednak powiedzieć coś, co cię uspokoi. Niezależnie od tego, dokąd poszła i co postanowiła, to będzie dla niej dobry wybór. To będzie wybór stosowny do jej uduchowienia i stopnia rozwoju.

Juliet postanawia, że tego nie skomentuje. W gardle staje jej słowo „uduchowienie", które – jej zdaniem – może oznaczać wszystko: od tybetańskich młynków modlitewnych do uroczystej sumy. Nigdy by się nie spodziewała, że Penelopa, z jej inteligencją, będzie zamieszana w coś takiego.

– Chyba powinnam wiedzieć, gdyby chciała, żeby przysłać jej rzeczy.

– Rzeczy? – Joan nie potrafi powstrzymać szerokiego uśmiechu, chociaż zaraz na jej twarzy pojawia się wyraz czułości. – W tej chwili Penelopa nie dba za bardzo o rzeczy.

Czasami w trakcie wywiadu Juliet czuła, że osoba, z którą rozmawia, ma w sobie pokłady wrogości, niewidoczne przed włączeniem kamery. Osoba, której Juliet nie doceniła, którą uważała za głupią, może mieć tego rodzaju siłę. Żartobliwej, ale śmiertelnej wrogości. I wtedy chodzi o to, żeby niczego po sobie nie pokazać, żeby nie odpłacić wrogością.

– Mówiąc „rozwój", mam na myśli oczywiście nasz rozwój wewnętrzny – mówi Joan.

– Rozumiem – odpowiada Juliet, patrząc jej w oczy.

– Penelopa miała w życiu tę cudowną szansę, by poznać interesujących ludzi... Co ja mówię, nie musiała spotykać interesujących ludzi, wychowała się z interesującą osobą, jesteś jej matką, ale wiesz, czasem brakuje pewnego wymiaru, dorosłe dzieci czują, że czegoś im zabrakło...

– Och, tak – mówi Juliet. – Wiem, że dorosłe dzieci mają najróżniejsze pretensje.

Joan postanowiła zaatakować wprost.

– Wymiar duchowy, muszę to powiedzieć, tego właśnie zabrakło w życiu Penelopy, prawda? Rozumiem, że nie wychowywała się w atmosferze wiary.

– Religia nie była zakazanym tematem. Mogłyśmy o niej rozmawiać.

– Być może chodziło o sposób, w jaki rozmawiałyście. Intelektualnie? Wiesz, co mam na myśli, jesteś taka mądra – dodaje łaskawie.

– Tak pani uważa.

Juliet zdaje sobie sprawę, że jej kontrola nad rozmową i nad samą sobą słabnie i że lada chwila może ją stracić.

– Nie ja, Juliet. Tak uważa Penelopa. Penelopa jest kochaną, świetną dziewczyną, ale przyszła do nas bardzo wygłodniała. Łaknęła rzeczy, których nie miała w domu. W domu byłaś ty ze swoim cudownym, zajętym i pełnym sukcesów życiem, muszę ci jednak uświadomić, że twoja córka poznała samotność. Poznała, co to znaczy być nieszczęśliwym.

– Czyż większość ludzi czasami tego nie odczuwa? Samotności i poczucia, że jest się nieszczęśliwym?

– Nie mnie o tym sądzić. Och, Juliet. Jesteś kobietą o wspaniałej intuicji. Często cię oglądam w telewizji i zastanawiam się: jak ona trafia wprost w sedno, będąc cały czas taka miła i grzeczna dla ludzi? Nigdy bym się nie spodziewała, że będę z tobą rozmawiać twarzą w twarz. I co więcej, że będę mogła ci pomóc...

– Wydaje mi się, że tu się pani myli.

– Jest ci przykro. To normalne, że jest ci przykro.

– To moja sprawa.

– Cóż. Może Penelopa się do ciebie odezwie. Mimo wszystko.

Penelopa odezwała się do Juliet kilka tygodni później. Przyszła kartka urodzinowa w dzień jej – Penelopy – urodzin, 19 czerwca. W jej dwudzieste pierwsze urodziny. Taka kartka, jaką się wysyła znajomemu, o którym niewiele wiemy. Ani prymitywnie żartobliwa, ani naprawdę dowcipna, ani sentymentalna. Na pierwszej stronie był mały bukiecik bratków związanych wąską, fioletową wstążeczką, której końce tworzyły słowa „Wszystkiego najlepszego z okazji urodzin". Te same słowa powtarzały się w środku, a nad nimi dopisane było złotymi literami „Życzę Ci".

Bez podpisu. Początkowo Juliet pomyślała, że ktoś przysłał życzenia Penelopie i zapomniał się podpisać, i że ona, Juliet, otworzyła kopertę przez pomyłkę. Ktoś, kto miał imię i datę urodzenia Penelopy w swojej kartotece. Dentysta albo instruktor nauki jazdy. Ale kiedy sprawdziła pismo na kopercie, przekonała się, że to nie pomyłka. Zobaczyła swoje własne imię i nazwisko napisane charakterem pisma Penelopy.

Stempel pocztowy niczego nie wyjaśniał. Na wszystkich stemplach było napisane to samo: „Poczta kanadyjska". Juliet zdawało się, że są sposoby, żeby rozszyfrować przynajmniej nazwę hrabstwa, z którego wysłano list, ale po to trzeba by się zgłosić do urzędu pocztowego i przypuszczalnie dowieść, że ma się prawo do takiej informacji. A przy tym ktoś na pewno rozpoznałby Juliet.

Pojechała do swojej przyjaciółki Christy, która mieszkała w Zatoce Wielorybów wtedy, kiedy żyła tam Juliet, jeszcze przed urodzeniem Penelopy. Christa przebywała w domu opieki w Kitsilano. Chorowała na stwardnienie rozsiane. Miała pokój na parterze z własnym małym tarasem i Juliet tam z nią usiadła, spoglądając na oświetlony słońcem trawnik i kwitnącą wisterię oplatającą parkan, który zasłaniał pojemniki na śmieci.

Juliet opowiedziała przyjaciółce całą historię swego wyjazdu na wyspę Denman. Nikomu więcej o tym nie mówiła i miała nadzieję, że może nie będzie musiała nikomu opowiadać. Codziennie gdy wracała z pracy do domu, zastanawiała się, czy przypadkiem Penelopa już tam na nią nie czeka. Albo miała nadzieję, że przyjdzie choćby list. I kiedy przyszedł – z tą niemiłą kartką – rozerwała go drżącymi rękami.

– Kartka coś znaczy – powiedziała Christa. – Penelopa daje ci znać, że żyje. Jeszcze coś przyjdzie. Na pewno. Bądź cierpliwa.

Juliet mówiła przez chwilę o Matce Shipton. Tak ją w końcu nazwała, po odrzuceniu „papieżycy Joanny", o której wcześniej myślała. Co za wredne krętactwo, powiedziała. Co za wstrętne i podstępne zachowanie za tą byle jaką, słodką religijną fasadą. Nie mogła sobie wyobrazić, że Penelopa dała się na to nabrać.

Christa zasugerowała, że może Penelopa pojechała tam, bo planowała coś napisać. Przeprowadzić coś w rodzaju śledztwa dziennikarskiego. Praca w terenie. Z osobistego punktu widzenia. Rozwlekły osobisty tekst, takie są dzisiaj popularne.

– Półroczne śledztwo? – zdziwiła się Juliet. Penelopa rozszyfrowałaby Matkę Shipton w dziesięć minut.

– To jest dziwne – przyznała Christa.

– Ty nic więcej na ten temat nie wiesz, co? – spytała Juliet. – To naprawdę okropne, że zadaję ci takie pytanie. Jestem zagubiona. Czuję się jak idiotka. Oczywiście ta kobieta chciała, żebym się tak czuła. Jak postać w sztuce, która z czymś wyskakuje i wszyscy się od niej odwracają, ponieważ wiedzą coś, czego ona nie wie...

– Już nie grają takich sztuk – powiedziała Christa. – Dziś nikt nic nie wie. Nie, Penelopa nie zwierzała mi się bardziej niż tobie. Po co? Wiedziała, że w końcu i tak bym ci powtórzyła.

Juliet milczała przez chwilę, a potem mruknęła urażonym tonem:

– Są rzeczy, których mi nie mówiłaś.

– Och, na litość boską! – wykrzyknęła Christa, ale bez niechęci. – Tylko nie to.

– Dobrze – zgodziła się Juliet. – Jestem w parszywym nastroju i tyle.

– Trzymaj się. Tak to bywa, jak się ma dzieci. A w końcu nie miałaś z nią wielu kłopotów. Za rok nie będziesz o tym pamiętać.

Juliet nie przyznała się jej, że jednak nie potrafiła odejść z godnością. Że odwróciła się i krzyknęła błagalnie, z wściekłością: „Co ona pani powiedziała?".

Matka Shipton stała i przyglądała się Juliet, jakby tego właśnie oczekiwała. Jej zamknięte usta rozciągały się w zadowolonym litościwym uśmiechu, gdy bez słowa pokręciła głową.

Podczas następnego roku Juliet od czasu do czasu odbierała telefony od znajomych Penelopy. Jej odpowiedź na ich pytania była zawsze taka sama. Penelopa postanowiła zrobić sobie rok przerwy. Podróżuje. Nie ma z góry opracowanego planu i Juliet nie może się z nią w żaden sposób skontaktować, ani też podać żadnego adresu.

Nie zadzwonił nikt z bliskich przyjaciół Penelopy. To mogło znaczyć, że ludzie naprawdę jej bliscy dobrze wiedzieli, co się z nią dzieje. Albo oni też wyjechali do obcych krajów, znaleźli pracę w innych hrabstwach, zaczęli nowe życie, zbyt na razie skomplikowane lub nieustabilizowane, żeby mieli szukać kontaktu z dawnymi przyjaciółmi.

(Na tym etapie życia „dawnym przyjacielem" był ktoś, kogo się nie widziało od pół roku).

Pierwszą rzeczą, którą Juliet robiła po powrocie do domu, było sprawdzenie, czy miga światełko automatycznej sekretarki – to, czego wcześniej starannie unikała, obawiając się, że dzwoni ktoś, kto będzie ją nudził w sprawie publicznych występów. Stosowała różne niemądre sztuczki: ile zrobi kroków, idąc do telefonu, jak podniesie słuchawkę, jak będzie oddychała. „Żeby to była ona".

Nic nie pomagało. Po jakimś czasie świat opustoszał z ludzi, których kiedyś znała Penelopa, chłopaków, których rzuciła i tych, którzy ją rzucili, dziewczyn, z którymi plotkowała i którym się, zapewne, zwierzała. Chodziła do prywatnej żeńskiej szkoły z internatem – Torrance House – a nie do szkoły państwowej, i dlatego większość długoletnich przyjaciółek, nawet tych, z którymi przyjaźniła się w szkole średniej, pochodziła spoza okolicy. Niektóre aż z Alaski, z Prince George czy z Peru.

Na Boże Narodzenie nic nie przyszło. Ale w czerwcu dostała kolejną kartkę, w stylu tej pierwszej; w środku nie było ani słowa. Juliet napiła się wina, zanim otworzyła kopertę, a potem od razu wyrzuciła kartkę do śmieci. Miewała napady płaczu, czasem ataki nieopanowanych drgawek, ale wychodziła z nich za pomocą szybkich wybuchów furii, chodząc po domu i uderzając pięścią jednej ręki w drugą dłoń. Furia była skierowana przeciwko Matce Shipton, ale obraz kobiety powoli blakł i w końcu Juliet musiała uznać, że była ona tylko dogodnym pretekstem.

Wszystkie zdjęcia Penelopy zostały wyniesione do jej pokoju, razem z rysunkami i malowankami, które robiła przed wyjazdem z Zatoki Wielorybów, z książkami i europejskim ekspresem do kawy na jedną filiżankę, który kupiła Juliet w prezencie z pierwszej pensji z wakacyjnej pracy w McDonaldzie. I razem z takimi dziwacznymi podarunkami, jak mały plastikowy wachlarzyk na drzwi lodówki, nakręcany traktor zabawka, zasłona ze szklanych paciorków na okno w łazience. Drzwi do pokoju Penelopy były zamknięte i po pewnym czasie Juliet mogła przechodzić koło nich bez emocji.

Juliet poważnie zastanawiała się nad przeprowadzką i zaletami zmiany otoczenia. Ale powiedziała Chriście, że jednak nie może się wyprowadzić, bo to jedyny adres, jaki zna Penelopa, a na nowy adres poczta przesyła listy tylko przez trzy miesiące i córka mogłaby jej nie odnaleźć.

– Zawsze może cię znaleźć przez pracę – zauważyła Christa.

– Kto wie, jak długo tam będę? Penelopa na pewno jest w jakiejś komunie, gdzie nie wolno się z nikim kontaktować. Z jakimś guru, który sypia ze wszystkimi kobietami i wysyła je na ulicę na żebry. Gdybym ją posyłała do szkółki niedzielnej i nauczyła modlitwy, nic takiego by się pewnie nie stało. Powinnam była, powinnam. To by było jak szczepienie. Nie zadbałam o jej uduchowienie. Tak powiedziała Matka Shipton.

Kiedy Penelopa miała zaledwie trzynaście lat, pojechała na wycieczkę w góry Kootenay w Kolumbii Brytyjskiej z koleżanką ze szkoły i jej rodziną. Juliet nie miała nic przeciwko temu. Penelopa uczyła się w Torrance House dopiero od roku (przyjęta na korzystnych warunkach finansowych, bo jej matka kiedyś uczyła w tej szkole) i Juliet ucieszyła się, że zdobyła przyjaciółkę i została zaakceptowana przez jej rodzinę. I że wyjeżdżała na wyprawę pod namiot, jak normalne dziecko. Coś, na co Juliet w dzieciństwie nie miała szans. Zresztą i tak by nie chciała, bo już w tym wieku siedziała głównie z nosem w książce, ale teraz była zadowolona, że Penelopa jest bardziej normalną dziewczynką niż ona niegdyś.

Eric nie podchodził do tego pomysłu z entuzjazmem. Uważał, że Penelopa jest za młoda. Nie chciał, żeby jechała na wakacje z ludźmi, których prawie nie znał. W dodatku teraz, kiedy uczy się w szkole z internatem i tak rzadko ją widują – po co jeszcze skracać ten czas?

Juliet miała inny powód – chciała pozbyć się Penelopy na pierwsze kilka tygodni wakacji, ponieważ między nią a Erikiem nie układało się najlepiej. Oczekiwała, że jakoś to się rozwiąże, ale tak się nie stało. Nie chciała udawać ze względu na dziecko, że wszystko jest w porządku.

Eric, z drugiej strony, wolałby wszystko załagodzić, schować pod dywan. Jego zdaniem zwykła uprzejmość pomogłaby odzyskać dobre samopoczucie, a pozory miłości wystarczyłyby na razie, dopóki nie wróci prawdziwa miłość. A jeżeli nigdy nie było niczego więcej niż pozory, to nie szkodzi. Ericowi to by wystarczyło.

Pewnie, że by wystarczyło, myślała zniechęcona Juliet.

Obecność Penelopy w domu, powód, aby się przyzwoicie zachowywali, żeby Juliet się przyzwoicie zachowywała, bo to ona, zdaniem Erica, wywoływała kłótnie, bardzo by mu pasowała.

Juliet mu to wytknęła i stworzyła nowe źródło goryczy i wyrzutów, bo Eric bardzo tęsknił za Penelopą.

Przyczyna kłótni była stara jak świat i całkiem zwyczajna. Na wiosnę, przez jakiś trywialny przypadek – i szczerość albo złośliwość ich długoletniej sąsiadki Ailo, która poczuwała się do lojalności względem zmarłej żony Erica i miała pewne zastrzeżenia do Juliet – okazało się, że Eric sypiał z Christą. Christa od dawna przyjaźniła się z Juliet, ale wcześniej była dziewczyną, „metresą" (chociaż nikt już tak nie mówił) Erica.

Zerwał z nią, kiedy poprosił Juliet, żeby z nim zamieszkała. Wtedy Juliet o wszystkim wiedziała i nie mogła mieć zastrzeżeń do tego, co się działo, zanim związała się z Erikiem. I nie miała. To, do czego miała zastrzeżenia – i co, jak twierdziła, złamało jej serce – zdarzyło się później. (Ale i tak, zdaniem Erica, bardzo dawno temu). To się stało, gdy Penelopa miała rok i Juliet zabrała ją do Ontario. Pojechała do domu odwiedzić rodziców. Zobaczyć się – jak teraz podkreślała – z umierającą matką. Kiedy była daleko, tęskniąc i kochając Erica każdą cząstką swego ciała (dziś sama w to wierzyła), on po prostu wrócił do dawnych zwyczajów.

Początkowo przyznał się do jednego razu (po pijanemu), ale po dalszych wypytywaniach i większej ilości wypitego alkoholu stwierdził, że może zdarzało się to częściej.

Może? Nie pamiętał? Tyle razy, że nie mógł zapamiętać?

Mógł.

Christa przyszła do Juliet, aby ją zapewnić, że to nie było nic poważnego. (Eric też powtarzał to jak refren). Juliet kazała jej odejść i więcej nie wracać. Christa doszła do wniosku, że to dobra pora na odwiedziny u brata w Kalifornii.

Oburzenie Juliet było w pewnym sensie formalnością. Doskonale rozumiała, że parokrotne figle ze starą przyjaciółką (niefortunne określenie Erica, chybiona próba zminimalizowania sprawy) nie groziły niczym poważnym w porównaniu z gorącymi uściskami z kimś nowym. Ponadto wyrażała swe pretensje do Erica tak zdecydowanie i niepohamowanie, żeby nie winić nikogo innego.

Zarzucała mu, że jej nie kocha, nigdy nie kochał i wyśmiewał się z niej z Christą za jej plecami. Zrobił z niej pośmiewisko przed takimi ludźmi jak Ailo (która jej nigdy nie lubiła). Że traktował zarówno ją, jak i miłość, którą go darzyła (przynajmniej kiedyś) z pogardą, że ją oszukiwał. Seks nic dla niego nie znaczył, a w każdym razie nie tyle, ile znaczył dla niej (przynajmniej kiedyś), i mógł to robić z każdą kobietą, która była pod ręką.

Tylko ten ostatni zarzut miał w sobie ziarno prawdy i w spokojniejszych chwilach Juliet dobrze o tym wiedziała. Ale nawet ta mała prawda wystarczyła, aby ją załamać. Nie powinno tak być, lecz było. I Eric nie potrafił, szczerze nie potrafił tego zrozumieć. Nie dziwił się, że Juliet ma do niego pretensje, złości się czy płacze (chociaż kobieta pokroju Christy nigdy by się tak nie zachowała), ale że ona naprawdę cierpi, że czuje się pozbawiona całego życiowego oparcia – i to z powodu czegoś, co się zdarzyło dwanaście lat wcześniej – tego nie mógł zrozumieć.

Czasem wierzył, że Juliet udaje, stara się wykorzystać sytuację, kiedy indziej naprawdę żałował, że przez niego cierpi. Żal ich podniecał i fantastycznie wpływał na miłosne zbliżenia. I za każdym razem Eric myślał, że to już koniec ich zmartwień. Za każdym razem się mylił.

W łóżku Juliet się śmiała i opowiadała mu o Pepysie i pani Pepys, ogarniętych namiętnością w podobnych okolicznościach. (Odkąd praktycznie zrezygnowała ze swych klasycznych studiów, bardzo dużo czytała i teraz miała wrażenie, że wszystkie jej lektury dotyczyły zdrad). Nigdy przedtem tak często i nigdy tak płomiennie, twierdził Pepys, choć zapisał też, że żona chciała go zamordować we śnie. Juliet śmiała się z tego, ale kiedy pół godziny później Eric przyszedł się z nią pożegnać przed wypłynięciem łodzią na sprawdzenie sieci, ukazała mu kamienną twarz i obdarzyła zrezygnowanym pocałunkiem, jakby wybierał się na spotkanie z jakąś kobietą na środku zatoki, pod deszczowym niebem.

Było gorzej niż deszczowo. Kiedy Eric wyszedł, morze jeszcze się nie burzyło, ale późnym popołudniem zerwał się nagły wiatr z południowego wschodu i podniósł fale w cieśninach Desolation i Malaspina. Wicher wiał prawie do zmroku, który w tym ostatnim tygodniu czerwca zapadał dopiero koło jedenastej. Poszukiwano żaglówki z Campbell River z trojgiem dorosłych i dwójką dzieci na pokładzie. Zaginęły też dwie łodzie rybackie: jedna z dwoma mężczyznami i druga z tylko jednym człowiekiem na pokładzie – Erikiem.

Następny poranek wstał spokojny i słoneczny – góry, wody i wybrzeża błyszczały w całej okazałości.

Oczywiście było możliwe, że nikt nie zginął, że wszyscy znaleźli jakieś schronienie i spędzili noc w zaciszu jednej z licznych zatoczek. To było bardziej prawdopodobne w wypadku rybaków niż rodziny z dziećmi, która nie znała okolicy – przyjechała tu z Seattle na wakacje. Rano niezwłocznie rozpoczęto poszukiwania na stałym lądzie, na wodzie i na przybrzeżnych wyspach.

Najpierw znaleziono ciała dzieci w kapokach, a pod wieczór także ich rodziców. Dziadka, który im towarzyszył, odnaleziono dopiero następnego dnia. Ciała mężczyzn, którzy razem łowili, nigdy nie wypłynęły, chociaż resztki ich łodzi woda wyrzuciła koło Refuge Cove.

Ciało Erica znaleziono trzeciego dnia. Juliet nie pozwolono go zobaczyć. Podobno coś (to znaczy jakieś zwierzę) dobrało się do zwłok po tym, jak woda wyrzuciła je na brzeg.

Może z tego względu – ponieważ nie było mowy o wystawieniu ciała ani o korzystaniu z usług przedsiębiorstwa pogrzebowego – starzy przyjaciele Erica i koledzy rybacy wpadli na pomysł, aby spalić go na plaży. Juliet nie protestowała. Należało wypisać akt zgonu i doktor, który przyjmował w Powell River i przyjeżdżał do Zatoki Wielorybów raz w tygodniu, polecił przez telefon Ailo – swojej asystentce i dyplomowanej pielęgniarce – żeby to zrobiła.

Na plaży nie brakowało wyrzuconego na brzeg drewna i pokrytej kryształkami soli kory, które doskonale się nadają na ognisko. W ciągu paru godzin wszystko było gotowe. Wieść szybko się rozniosła i zaczęły przybywać kobiety z jedzeniem. Ailo objęła przywództwo – jej skandynawska krew, wyprostowana postawa i rozwiane białe włosy w naturalny sposób predestynowały ją do roli Wdowy Morza. Dzieci, które skakały po kawałkach drewna, odpędzano od rosnącego stosu pogrzebowego i zadziwiająco małego zawiniątka, które było Erikiem. Na tę półpogańską ceremonię kobiety z jednego z kościołów przywiozły duży termos na kawę, a kartony z piwem i butelki różnych alkoholi czekały dyskretnie w bagażnikach samochodowych i kabinach ciężarówek.

Zaczęły się spekulacje, kto powinien przemówić i podpalić stos. Juliet, oschła i zajęta rozdawaniem kubków z kawą, gdy ją zapytano, czy podpali stos, odparła, że to nie tak i że jako wdowa powinna rzucić się w płomienie. Roześmiała się, gdy to mówiła, i ci, którzy ją pytali, odstąpili, bojąc się, że Juliet zaczyna histeryzować. Mężczyzna, który najczęściej towarzyszył Ericowi w połowach, zgodził się podpalić stos, ale powiedział, że nie jest mówcą. Niektórzy pomyśleli, że to i tak nie byłby dobry kandydat, bo jego żona należała do Kościoła ewangelicko-anglikańskiego i może czułby się zobligowany do mówienia o rzeczach, które sprawiłyby przykrość Ericowi, gdyby mógł je słyszeć. Potem zgłosił się mąż Ailo, niewielki mężczyzna oszpecony wiele lat wcześniej przez pożar łodzi, zrzędliwy socjalista i ateista, który w swoim wystąpieniu całkiem zapomniał o Ericu, poza tym, że nazwał go Bratem w Walce. Przemawiał zdumiewająco długo, co później złożono na karb tego, że pod rządami Ailo żył w cieniu i w milczeniu. Nim skończył wyliczać swój rejestr krzywd, tłum zaczął się trochę niecierpliwić; można było odnieść wrażenie, że cała uroczystość nie jest tak wspaniała, poważna czy rozdzierająca serce, jak się spodziewano. Kiedy jednak zapłonął ogień, to poczucie znikło i zapanowało wielkie skupienie, nawet, a może zwłaszcza, wśród dzieci, aż do chwili, kiedy jeden z mężczyzn zawołał: „Zabierzcie stąd dzieci!". To stało się wtedy, kiedy płomienie sięgnęły ciała i ludzie zdali sobie sprawę, trochę za późno, że spalanie tłuszczu, serca, nerek i wątroby może spowodować nieprzyjemne, wybuchowe lub skwierczące odgłosy. Większość dzieci została zabrana przez matki – część odchodziła chętnie, inne z żalem – i finał spopielania ciała stał się głównie męską ceremonią, w dodatku lekko skandaliczną, nawet jeżeli w tym wypadku legalną.

Juliet została, patrząc szeroko otwartymi oczyma, kołysząc się w kucki, z twarzą wystawioną na żar ognia. Nie całkiem obecna. Myślała o tym kimś – kto to był? Trelawny? – kto wyrwał z płomieni serce Shelleya. O sercu, o jego długiej i pełnej znaczenia historii. Dziwne, że nawet wtedy, nie tak dawno, uważano tę część ciała za tak cenną, za siedlisko odwagi i miłości. A to tylko płonęło ciało. Nie miało nic wspólnego z Erikiem.

Penelopa nic o tym wszystkim nie wiedziała. W gazecie z Vancouver ukazała się krótka wzmianka – oczywiście nie o paleniu na plaży, tylko o utonięciu – ale żadne informacje gazetowe czy radiowe nie dotarły do niej w górach Kootenay. Kiedy wróciła do Vancouver, zadzwoniła do domu od swojej przyjaciółki Heather. Telefon odebrała Christa, która wprawdzie przyjechała za późno na ceremonię, ale została z Juliet i starała się jak najwięcej pomóc. Christa skłamała, że Juliet nie ma w domu, i poprosiła do telefonu matkę Heather. Wyjaśniła jej, co zaszło, i powiedziała, że przywiezie Juliet do Vancouver, że zaraz wyjeżdżają i że Juliet sama powie o wszystkim córce, kiedy przyjadą.

Christa podwiozła przyjaciółkę pod dom, w którym była Penelopa, i Juliet sama weszła do środka. Matka Heather zaprowadziła ją na werandę, gdzie czekała Penelopa. Po wysłuchaniu wiadomości dziewczyna wyglądała na przerażoną, a kiedy Juliet dość sztywno ją objęła – na zażenowaną. Być może w domu Heather, na biało-zielono-pomarańczowej werandzie, z braćmi Heather grającymi na podwórzu w koszykówkę, taka tragiczna wieść nie docierała do Penelopy. O spaleniu nie było mowy, w tym domu, w takiej okolicy wydawałoby się to barbarzyństwem, groteską. W tym domu także Juliet zachowywała się niesłychanie dziarsko, jakby chciała pokazać, że umie przegrywać.

Matka Heather cicho zapukała i weszła ze szklankami mrożonej herbaty. Penelopa wypiła swoją duszkiem i wyszła do Heather, która czaiła się na korytarzu.

Matka Heather odbyła rozmowę z Juliet. Przeprosiła, że zawraca jej głowę praktycznymi sprawami, ale nie zostało wiele czasu. Rodzice Heather za kilka dni wybierali się w odwiedziny do krewnych we wschodniej Kanadzie, na cały miesiąc, i zamierzali zabrać ze sobą Heather. (Chłopcy wyjeżdżali na obóz). Teraz jednak Heather stwierdziła, że nie chce z nimi jechać, i prosi, żeby mogła zostać tutaj, w domu, z Penelopą. Dziewczynek w wieku czternastu i trzynastu lat nie można przecież zostawić samych i matka Heather pomyślała, że może Juliet chciałaby wyrwać się z domu, odpocząć po tym, co przeszła. Po tej stracie i tragedii.

I tak wkrótce Juliet znalazła się w innym świecie, w wielkim, nieskazitelnie czystym domu z jasnymi, dobranymi meblami, pełnym tego, co ludzie nazywają wygodami, a co dla niej było luksusem. Przy krętej ulicy zabudowanej podobnymi domami z przystrzyżonymi żywopłotami i pokazowymi rabatami. Nawet pogoda tego miesiąca była bezbłędna – ciepła, wietrzna, słoneczna. Heather i Penelopa kąpały się, grały w ogrodzie w badmintona, chodziły do kina, piekły ciastka, napychały się jedzeniem, odchudzały, opalały, wypełniały cały dom piosenkami, których teksty wydawały się Juliet niemądre i irytujące, czasem zapraszały inne koleżanki, nie zapraszały wprawdzie chłopców, ale prowadziły długie, prześmiewcze, bezsensowne rozmowy z jakimiś chłopakami, którzy przechodzili obok domu albo zbierali się u sąsiadów. Przypadkiem Juliet usłyszała, jak Penelopa powiedziała do jednej z koleżanek: „Prawie w ogóle go nie znałam".

Mówiła o ojcu.

Dziwne.

Nigdy nie bała się – w przeciwieństwie do Juliet – wypływać łódką nawet przy lekko wzburzonym morzu. Nudziła ojca, żeby ją zabierał, i często to robił. Kiedy za nim maszerowała, w pomarańczowym kapoku, niosąc tyle ekwipunku, ile mogła udźwignąć, zawsze miała bardzo poważny i przejęty wyraz twarzy. Nauczyła się zastawiać sieci i zręcznie, szybko i bezlitośnie pozbawiać ryby łbów i je patroszyć. W pewnym okresie życia, między ósmym a jedenastym rokiem, stale powtarzała, że kiedy dorośnie, będzie łowić ryby, a Eric potwierdzał, że w dzisiejszych czasach kobiety też mogą się zajmować połowami. Juliet uważała, że to bardzo prawdopodobne, biorąc pod uwagę, że Penelopa jest inteligentna, ale nie przepada za książkami, woli sporty i nie brak jej odwagi. Jednak Eric miał nadzieję, że w końcu wyrośnie z tych pomysłów, i gdy Penelopa go nie słyszała, mówił, że nikomu nie życzy takiego życia. Zawsze opowiadał o trudach i ryzyku związanych z zawodem, który sobie wybrał, chociaż – zdaniem Juliet – był z niego dumny.

A teraz został odrzucony. Przez Penelopę, która niedawno pomalowała paznokcie u nóg fioletowym lakierem i nakleiła sobie na brzuchu sztuczny tatuaż. Eric, który kiedyś był całym jej życiem. Odrzuciła go.

Z drugiej strony Juliet czuła, że robi to samo. Oczywiście zajmowała się szukaniem pracy i mieszkania. Wystawiła już na sprzedaż dom w Zatoce Wielorybów, nie wyobrażała sobie, że mogłaby tam zostać. Sprzedała ciężarówkę i rozdała narzędzia Erica, sieci, które zostały wyłowione, i ponton. Dorosły syn Erica z Saskatchewan przyjechał i zabrał psa.

Juliet złożyła podanie o pracę w dziale informacji naukowej biblioteki uniwersyteckiej i o inną w bibliotece publicznej i miała przeczucie, że którąś z tych posad dostanie. Oglądała mieszkania w okolicach Kitsilano, Dunbaru i Point Grey. Czystość, porządek i pewna łatwość życia w mieście wciąż ją zaskakiwały. Tak żyją ludzie, którzy nie muszą pracować na świeżym powietrzu i kończyć w domu rozmaitych czynności związanych z pracą. Tu pogoda mogła mieć wpływ na nastrój, ale nie na egzystencję, a takie ponure tematy, jak zmienność obyczajów czy dostępność krewetek i łososi traktowano jak ciekawostkę lub całkiem pomijano milczeniem. W porównaniu z życiem w mieście jej wcześniejsze życie w Zatoce Wielorybów, tak przecież niedawne, było ryzykowne, zabałaganione, wyczerpujące. A sama Juliet poczuła się oczyszczona z nastrojów z ostatnich miesięcy i stała się energiczna, kompetentna i bardziej atrakcyjna.

Eric powinien ją teraz zobaczyć.

Cały czas myślała o nim w ten sposób. Nie dlatego, że jego śmierć nie dotarła do jej świadomości, nie łudziła się ani przez moment. Niemniej jednak stale konsultowała się z nim w myślach, jakby nadal był tą osobą, dla której jej istnienie znaczyło więcej niż dla kogokolwiek innego. Jakby wciąż był tym człowiekiem, przed którym chciała błyszczeć. A także osobą, z którą dzieliła się argumentami, informacjami i zaskoczeniami. Taki miała zwyczaj i działała na tyle automatycznie, że fakt śmierci Erica zupełnie jej w tym nie przeszkadzał.

Ich ostatnia kłótnia też nie została całkiem rozstrzygnięta. Juliet ciągle winiła go za zdradę. Kiedy się teraz trochę popisywała, robiła to właśnie dlatego.

Burza, odnalezienie ciała, spalenie zwłok na plaży – wszystko to było czymś w rodzaju widowiska, które musiała obejrzeć i w które musiała uwierzyć, ale nie miało ono nic wspólnego z nią ani z Erikiem.

Juliet dostała pracę w dziale informacji naukowej i znalazła mieszkanie z dwiema sypialniami, na które było ją stać, Penelopa wróciła do Torrance House, tyle że nie mieszkała już w internacie. Ich sprawy w Zatoce Wielorybów zostały zamknięte, ich tamtejsze życie – zakończone. Christa też się stamtąd wyprowadzała i planowała przyjechać do Vancouver na wiosnę.

W przeddzień jej przyjazdu, pewnego lutowego dnia, Juliet stała po pracy pod wiatą przystanku autobusowego w miasteczku uniwersyteckim. Deszcz już nie padał, na zachodzie widać było pasmo czystego nieba, czerwone od słońca, które zaszło nad cieśniną Georgia. Ten znak wydłużających się dni, obietnica nowej pory roku, podziałał na nią w nieoczekiwany i miażdżący sposób.

Juliet zdała sobie sprawę, że Eric nie żyje.

Tak jakby przez cały czas, kiedy mieszkała w Vancouver, gdzieś czekał, czekał, żeby się przekonać, czy Juliet do niego wróci. Jakby możliwość bycia z nim wciąż pozostawała kwestią otwartą. Odkąd tu przyjechała, nadal żyła z Erikiem w tle i nie całkiem do niej docierało, że jego już nie ma. Nic z niego nie zostało. Pamięć o nim znikała z codziennego, zwyczajnego świata.

A więc to jest żałoba. Juliet czuje się tak, jakby ktoś wlał w nią worek cementu, który szybko stwardniał. Ledwo może się poruszyć. Wejście do autobusu, wyjście z autobusu, przejście kilku przecznic do jej budynku (dlaczego tu mieszka?) przypomina wspinanie się po stromej skale. A teraz musi to ukryć przed Penelopą.

Przy kolacji Juliet zaczęła się trząść, ale nie mogła rozluźnić palców, żeby odłożyć nóż i widelec. Penelopa obeszła stół i wyprostowała jej palce.

– To tatuś, prawda? – powiedziała.

Później Juliet powtórzyła paru osobom, takim jak Christa, że były to najbardziej rozgrzeszające i najczulsze słowa, jakie ktoś do niej kiedykolwiek powiedział.

Penelopa pogłaskała chłodnymi dłońmi wewnętrzną stronę ramion Juliet. Następnego dnia zadzwoniła do biblioteki i powiedziała, że matka jest chora, a potem opiekowała się nią przez parę dni, nie chodząc do szkoły, dopóki Juliet nie wyzdrowiała. A przynajmniej dopóki nie skończył się najgorszy okres.

Podczas tych dni Juliet opowiedziała Penelopie o wszystkim. O roli Christy, o kłótni, o stosie na plaży (do tej pory, jakimś cudem, udało jej się ukryć to przed córką). O wszystkim.

– Nie powinnam cię tym obarczać.

– Może i nie – stwierdziła Penelopa i zaraz dodała stanowczym tonem: – Ale ja ci wybaczam. W końcu nie jestem dzieckiem.

Juliet wróciła do świata. Ataki takie jak ten z przystanku autobusowego powtarzały się, lecz już nigdy z taką siłą.

Dzięki kwerendom w bibliotece poznała parę osób z Telewizji Lokalnej i przyjęła pracę, jaką jej tam zaproponowano. Po roku zaczęła przeprowadzać wywiady. Wszystkie książki, jakie przeczytała przez lata (co tak krytykowała Ailo w czasach Zatoki Wielorybów), wszystkie mniej i bardziej ważne informacje, głód wiedzy i umiejętność jej przyswajania teraz się przydały. Juliet zachowała swój autoironiczny, lekko żartobliwy sposób bycia, który na ogół spotykał się z dobrym przyjęciem. Kamera jej nie peszyła. Chociaż po powrocie do domu chodziła tam i z powrotem, popłakując lub przeklinając na wspomnienie jakiejś usterki, pomyłki czy przejęzyczenia.

Po pięciu latach karty urodzinowe przestały przychodzić.

– To nic nie znaczy – powiedziała Christa. – Przysyłała je, żeby dać ci znać, że żyje. Teraz myśli, że już to wiesz. Ufa, że nie wyślesz nikogo na poszukiwania. To wszystko.

– Czy ja ją za bardzo obciążałam?

– Och, Jul.

– Nie chodzi mi tylko o śmierć Erica. O późniejszych mężczyzn. Widziała za dużo udręki. Mojej głupiej udręki.

Między czternastym a dwudziestym pierwszym rokiem życia Penelopy Juliet miała dwa romanse. Za każdym razem szalenie się zakochiwała, a później się tego wstydziła. Jeden z tych mężczyzn był od niej dużo starszy i żył w stabilnym małżeństwie. Drugi był dużo młodszy i przestraszony jej łatwymi emocjami. Potem sama się sobie dziwiła. Stwierdziła, że w ogóle jej na nim nie zależało.

– Nie sądzę – powiedziała zmęczona Christa. – Nie wiem.

– O Boże! Byłam strasznie głupia. Teraz już tak nie reaguję na mężczyzn, prawda?

Christa nie wspomniała, że mogło to wynikać z braku kandydatów.

– Nie, Jul, nie.

– W gruncie rzeczy nie zrobiłam niczego strasznego – oznajmiła na to Juliet i poweselała. – Dlaczego ciągle lamentuję, że to moja wina? Penelopa jest zagadką i muszę się z tym pogodzić. Zagadką i osobą pozbawioną uczuć – dodała, siląc się na stanowczość.

– Nie – powiedziała Christa.

– Nie – przyznała Juliet. – Nie, to nieprawda.

Kiedy następny czerwiec minął bez słowa, Juliet postanowiła się przeprowadzić. Jak wyznała Chriście, przez pierwsze pięć lat czekała na czerwiec, czekała, co znajdzie w skrzynce na listy. W obecnej sytuacji musiała czekać codziennie. I codziennie przeżywać rozczarowanie.

Przeprowadziła się do wieżowca na West Endzie. Zamierzała wyrzucić wszystko z pokoju Penelopy, w końcu jednak spakowała rzeczy do worków na śmieci i zabrała je ze sobą. Miała teraz tylko jedną sypialnię, ale dużo miejsca w piwnicy.

Uprawiała jogging w Parku Stanleya. I rzadko wspominała o Penelopie, nawet w rozmowach z Christą. Miała chłopaka – tak się na nich teraz mówiło – który nigdy nie słyszał o jej córce.

Christa chudła i markotniała. Nagle, pewnego stycznia, umarła.

W telewizji nie występuje się wiecznie. Niezależnie od tego, jak bardzo widzom podoba się twoja twarz, w końcu chcą zobaczyć kogoś innego. Juliet zaoferowano inne zajęcia – pracę przy wyszukiwaniu informacji, pisanie komentarzy do programów przyrodniczych – ale odmówiła z humorem, twierdząc, że potrzebuje całkowitej odmiany. Wróciła do studiowania filologii klasycznej, która stała się jeszcze mniejszym wydziałem niż kiedyś, i planowała, że znów zajmie się swoją rozprawą doktorską. Dla oszczędności przeprowadziła się z mieszkania w wieżowcu do kawalerki.

Jej chłopak dostał pracę nauczyciela w Chinach.

Kawalerka mieściła się w suterenie, ale rozsuwane drzwi z tyłu wychodziły na poziom parteru. Juliet miała tam mały, wyłożony cegłą taras, treliaż z groszkiem pachnącym i powojnikiem, zioła i kwiaty w doniczkach. Pierwszy raz w życiu i na bardzo małą skalę była ogrodnikiem jak jej ojciec.

Czasem w sklepach czy w autobusie ktoś mówił: „Przepraszam, ale skądś panią znam" albo „Czy pani nie występowała w telewizji?". Ale mniej więcej po roku to minęło. Juliet spędzała dużo czasu, siedząc, czytając i pijąc kawę w kawiarnianych ogródkach, i nikt nie zwracał na nią uwagi. Zapuściła włosy. Po latach farbowania na rudo straciły żywy odcień naturalnego brązu i stały się srebrnobrązowe, delikatne i falujące. To jej przypomniało matkę, Sarę. Miękkie, jasne, delikatne włosy Sary, najpierw siwiejące, a potem zupełnie białe.

Miała za małe mieszkanie, żeby zapraszać gości na kolacje, i straciła zainteresowanie przepisami. Jadała posiłki, które były pożywne, ale monotonne. Mimo woli utraciła kontakt z większością przyjaciół.

I nic dziwnego. Wiodła życie, które bardzo się różniło od jej poprzedniego życia osoby publicznej, energicznej, interesującej, zawsze dobrze poinformowanej. Żyła pośród książek, spędzając całe dnie na lekturze. Czuła się zmuszona pogłębiać i przeformułowywać wszystkie swoje wyjściowe założenia. Często przez cały tydzień nie wiedziała, co się dzieje na świecie.

Zrezygnowała z rozprawy doktorskiej i zainteresowała się autorami tekstów określanych jako greckie romanse, którzy tworzyli w dość późnym okresie historii literatury greckiej (poczynając od pierwszego wieku przed narodzeniem Chrystusa – jak nauczyła się mówić – aż po wczesne wieki średnie). Arystydes, Longos, Heliodor, Achilles Tatios. Wiele z ich dzieł zaginęło lub zachowało się tylko we fragmentach, poza tym uważa się je za nieprzyzwoite. Ale istnieje romans autorstwa Heliodora pod tytułem *Historia etiopska* (pierwotnie w rękach prywatnych, odnaleziony po oblężeniu Budy), znany w Europie odkąd został wydrukowany w Bazylei w roku 1534.

W tej opowieści królowa Etiopii rodzi białe dziecko i boi się, że z tego powodu zostanie oskarżona o cudzołóstwo. Dlatego oddaje dziecko – córkę – pod opiekę gimnosofistów, to znaczy nagich filozofów, którzy są pustelnikami i mistykami. Ta dziewczyna, Charykleja, w końcu trafia do Delf, gdzie zostaje jedną z kapłanek Artemidy. Tam spotyka szlachetnego Tesalczyka imieniem Teagenes, który się w niej zakochuje i przy pomocy pewnego sprytnego Egipcjanina wywozi ją z Delf. Jak się okazuje, królowa Etiopii nigdy nie przestała tęsknić za córką i wynajęła tego właśnie Egipcjanina, żeby ją odnalazł. Niepomyślne zbiegi okoliczności i przygody trwają, aż wszyscy główni bohaterowie spotykają się w Meroe i Charykleja zostaje uratowana – znowu – przed złożeniem w ofierze przez własnego ojca.

Było tu całe mnóstwo interesujących tematów i Juliet zafascynowała się tą opowieścią. Szczególnie częścią dotyczącą gimnosofistów. Usiłowała dowiedzieć się jak najwięcej o tych ludziach, których zazwyczaj nazywano hinduskimi filozofami. Czy uważano, w tym wypadku, że Indie sąsiadują z Etiopią? Nie, Heliodor żył w czasach, kiedy z pewnością lepiej znano geografię. Gimnosofiści musieli być wędrowcami docierającymi w różne rejony świata, przyciągającymi bądź odrzucającymi tych, wśród których żyli, swoim niewzruszonym poświęceniem dla czystości życia i myśli, pogardą dla własności, nawet dla ubrania i jedzenia. Piękna panna wychowana wśród nich mogła żywić uporczywą tęsknotę za nagim, szalonym życiem.

Juliet miała nowego przyjaciela, Larry'ego. Był nauczycielem greki i pozwolił Juliet trzymać worki z rzeczami Penelopy w swojej piwnicy. Lubił wyobrażać sobie, że mogliby przerobić *Historię etiopską* na musical. Juliet uczestniczyła w tych marzeniach, posuwając się nawet do pisania cudownie zabawnych piosenek i wymyślania groteskowych efektów specjalnych. W duchu jednak uważała, że powinno się napisać inne zakończenie, z wątkiem wyrzeczenia się i powrotu do poszukiwań, gdzie dziewczyna spotykałaby oszustów, szarlatanów i fałszywców, nędzne imitacje tego, czego naprawdę szukała. I w końcu następowałoby pojednanie z błądzącą, żałującą swego wcześniejszego postępowania i w gruncie rzeczy wielkoduszną królową Etiopii.

Juliet była niemal pewna, że widziała Matkę Shipton tutaj, w Vancouver. Zawiozła część swoich ubrań, których już nie nosiła (jej garderoba stała się czysto funkcjonalna), do sklepu Armii Zbawienia z używanymi rzeczami i kiedy odstawiła torbę w pokoju przyjęć, zobaczyła ubraną w hawajską suknię grubą starą kobietę, która przyczepiała metki do spodni. Kobieta gawędziła z innymi pracownikami. Zachowywała się jak kierowniczka, wesoła, ale czujna nadzorczyni, a może tylko jak ktoś, kto przyjmuje taką rolę, nawet jeżeli nie ma do tego żadnych podstaw.

O ile faktycznie była to Matka Shipton, to gorzej jej się teraz wiodło. Ale nie dużo gorzej. Bo jeśli była Matką Shipton, to musiała mieć w sobie pokłady pogody ducha i pewności siebie, które uniemożliwiają prawdziwy upadek.

I pokłady dobrych rad, czasem złowieszczych.

„Przyszła do nas bardzo wygłodniała".

Juliet powiedziała Larry'emu o Penelopie. Musiała mieć kogoś, kto będzie wiedział.

– Czy powinnam była z nią rozmawiać o szlachetnym życiu? – spytała. – O poświęceniu? Otwieraniu się na potrzeby innych? Nigdy o tym nie myślałam. Zachowywałam się tak, jakbym chciała, żeby wyrosła na osobę taką jak ja. Czy to ją zraziło?

Larry nie chciał od Juliet nic oprócz przyjaźni i dobrego humoru. Był, jak to kiedyś nazywano, staroświeckim starym kawalerem, aseksualnym, na ile Juliet się orientowała (choć przypuszczalnie nie do końca się orientowała), przeczulonym na punkcie osobistych wyznań, niezmiernie zabawnym.

Pojawili się dwaj inni mężczyźni, którzy widzieli w niej przyszłą życiową partnerkę. Jednego z nich poznała, kiedy przysiadł się do niej w kawiarnianym ogródku. Niedawno owdowiał. Juliet go polubiła, ale był tak tragicznie samotny i tak desperacko o nią zabiegał, że się przestraszyła.

Drugim mężczyzną był brat Christy, którego Juliet spotkała wiele razy za życia przyjaciółki. Odpowiadało jej jego towarzystwo, pod wieloma względami był podobny do Christy. Jego małżeństwo skończyło się wiele lat wcześniej i nie szukał rozpaczliwie nowej żony. Juliet wiedziała od Christy, że były kobiety, które chętnie by za niego wyszły, on ich jednak unikał. Ale zachowywał się zbyt racjonalnie, a poza tym wybrał ją właściwie na zimno, było w tym coś upokarzającego.

Właściwie dlaczego upokarzającego? Przecież go nie kochała.

Wciąż jeszcze spotykała się z bratem Christy – nazywał się Gary Lamb – kiedy w centrum Vancouver wpadła przypadkiem na Heather. Juliet i Gary wyszli właśnie z kina, gdzie byli na wczesnowieczornym seansie, i zastanawiali się, dokąd pójść na kolację. W ten ciepły, letni wieczór światło jeszcze nie znikło z nieba.

Jakaś kobieta odłączyła się od grupy kilku osób na chodniku i podeszła do Juliet. Chuda kobieta pod czterdziestkę. Modnie ubrana, z jaśniejszymi pasemkami w ciemnych włosach.

– Pani Porteous. Pani Porteous.

Juliet poznała ją po głosie, chociaż nigdy w życiu nie poznałaby jej twarzy. Heather.

– To niewiarygodne – powiedziała Heather. – Przyjechałam tu na trzy dni i jutro wyjeżdżam. Mój mąż jest na konferencji. Myślałam właśnie, że już nikogo tutaj nie znam, odwracam się i widzę panią.

Juliet spytała ją, gdzie teraz mieszka, a Heather odparła, że w Connecticut.

– A jakieś trzy tygodnie temu pojechałam do Josha – pamięta pani mojego brata Josha? – byłam u niego i jego rodziny z wizytą w Edmonton i spotkałam Penelopę. Tak po prostu na ulicy. Nie, to było w galerii handlowej, tej olbrzymiej galerii, którą tam jest. Była z dwojgiem dzieci, przyjechała z nimi po szkolne mundurki. Z chłopakami. Obie byłyśmy zaskoczone. Nie poznałam jej od razu, ale ona mnie poznała. Oczywiście przyleciała do Edmonton samolotem. Z tego swojego miejsca na północy. Ale mówi, że jest całkiem cywilizowane. I powiedziała, że pani wciąż tu mieszka. Ale jestem z tymi ludźmi, znajomymi mojego męża, i naprawdę nie miałam czasu, żeby do pani zadzwonić...

Juliet gestem potwierdziła, że to jasne, że nie było czasu, i że nie spodziewała się telefonu.

Spytała Heather, ile ma dzieci.

– Troje. Same potwory. Mam nadzieję, że szybko dorosną. Ale moje życie to piknik w porównaniu z Penelopą. Pięcioro.

– Tak.

– Muszę już lecieć, wybieramy się do kina. Nie mam pojęcia, co to za film, nie lubię francuskich filmów. Ale bardzo się cieszę, że panią spotkałam. Moi rodzice przeprowadzili się do White Rock. Często oglądali panią w telewizji. Przechwalali się przed znajomymi, że mieszkała pani w naszym domu. Podobno już pani nie występuje, znudziło się pani?

– Coś w tym rodzaju.

– Idę, idę. – Uściskała i pocałowała Juliet, tak jak to było teraz w zwyczaju, i pobiegła do znajomych.

No, tak. Penelopa nie mieszka w Edmonton – przyjechała do Edmonton. Przyleciała. To znaczy, że mieszka w Whitehorse albo w Yellowknife. Jaką jeszcze miejscowość można określić jako „całkiem cywilizowaną"? Może mówiła to ironicznie, trochę się wyśmiewając z Heather?

Miała pięcioro dzieci, w tym przynajmniej dwóch synów. Przyjechała z nimi po szkolne mundurki. To oznacza prywatną szkołę. To oznacza pieniądze.

Heather z początku jej nie poznała. Czy to znaczy, że się postarzała? Że straciła figurę po pięciu ciążach, że nie dba o siebie? Bo Heather o siebie dba. I Juliet do pewnego stopnia także. Czy jest jedną z tych kobiet, którym sam pomysł takiej walki wydaje się śmieszny i które uważają ją za oznakę braku pewności siebie? Czy tylko nie ma na to czasu ani chęci?

Wcześniej Juliet myślała, że Penelopa przyłączyła się do transcendentalistów, że została mistyczką, że spędza czas na kontemplacji. Albo – coś zupełnie innego, ale nadal bardzo prostego i spartańskiego – że zarabia na życie w trudny i ryzykowny sposób, łowiąc ryby, może razem z mężem, może też z małymi silnymi dziećmi, na zimnych wodach Inside Passage u wybrzeży Kolumbii Brytyjskiej.

Nic podobnego. Wiodła żywot zamożnej, praktycznej matrony. Żony lekarza, może, albo jakiegoś urzędnika państwowego, jednego z tych, którzy zarządzają północną częścią kraju, podczas gdy ich kompetencje są stopniowo, ostrożnie, ale z wielką pompą oddawane miejscowym. Gdyby jeszcze kiedyś spotkała Penelopę, na pewno śmiałyby się z tego, jak bardzo Juliet się pomyliła. Śmiałyby się, opowiadając sobie, jak dziwnym trafem obie spotkały Heather.

Nie. Nie. Faktem jest, że z pewnością za dużo się kiedyś śmiała przy Penelopie. Zbyt wiele rzeczy traktowała jako żart. Tak jak zbyt wiele spraw – spraw osobistych, miłości, które były może tylko zaspokojeniem – traktowała jako tragedię. Brakowało jej macierzyńskiej powściągliwości, przyzwoitości i opanowania.

Penelopa powiedziała, że Juliet wciąż mieszka w Vancouver. Nie wspomniała Heather o zerwaniu kontaktów. Na pewno nie. Heather nie rozmawiałaby z nią tak swobodnie, gdyby coś wiedziała.

Skąd Penelopa wie, że Juliet nadal mieszka w Vancouver, jeżeli nie sprawdziła tego w książce telefonicznej? A jeśli sprawdziła, to co to znaczy?

Nic. Nie należy temu przypisywać żadnego znaczenia.

Juliet podeszła do Gary'ego, który taktownie odsunął się na bok podczas jej rozmowy z Heather.

Whitehorse, Yellowknife. Ciężko było myśleć o tych miejscach – miejscach, do których mogła polecieć. Miejscach, gdzie mogła chodzić po ulicach i planować przypadkowe spotkania.

Nie była jednak aż tak szalona. Nie wolno jej być tak szaloną. Przy kolacji myślała, że to, czego się właśnie dowiedziała, stawia ją w lepszej sytuacji, jeśli chodzi o małżeństwo z Garym, albo zamieszkanie z nim – cokolwiek zechce. Nie ma się o co martwić ani na co czekać w związku z Penelopą. Penelopa nie jest widmem, jest bezpieczna na tyle, na ile każdy człowiek jest bezpieczny, i przypuszczalnie szczęśliwa na tyle, na ile każdy jest szczęśliwy. Odłączyła się od Juliet i pewnie też od wspomnień o niej, a Juliet powinna zrobić to samo – też się odłączyć.

Ale czy Penelopa powiedziała Heather, że Juliet mieszka w Vancouver? Czy powiedziała „Juliet"? Czy „matka"? „Moja matka"?

Juliet wyjaśniła Gary'emu, że Heather jest córką starych znajomych. Nigdy nie rozmawiała z nim o Penelopie, a on nigdy nie dał jej do zrozumienia, że wie o jej istnieniu. Możliwe, że Christa mu powiedziała, a Gary milczał, uważając, że to nie jego sprawa. Albo że Christa mu powiedziała, a on zapomniał. Albo że Christa nigdy nie mówiła przy nim o Penelopie, nie wymieniła nawet jej imienia.

Gdyby Juliet z nim zamieszkała, nie byłoby mowy o Penelopie, Penelopa by nie istniała.

Penelopa nie istnieje. Penelopa, której szukała Juliet, dawno odeszła. Kobieta, którą Heather spotkała w Edmonton, matka, która przywiozła synów do Edmonton, żeby im kupić szkolne mundurki, której twarz i ciało tak się zmieniły, że Heather jej nie poznała, nie jest nikim, kogo znałaby Juliet.

Czy Juliet w to wierzy?

Jeżeli Gary zauważył, że Juliet jest czymś wzburzona, nic nie powiedział. Przypuszczalnie jednak tego wieczoru oboje zrozumieli, że nigdy nie będą razem. Gdyby to było możliwe, Juliet powiedziałaby: „Moja córka wyjechała bez pożegnania i chyba nawet nie wiedziała wtedy, że odchodzi. Nie wiedziała, że na zawsze. Wydaje mi się, że stopniowo zrozumiała, jak bardzo nie chce do mnie wrócić. To dla niej sposób radzenia sobie z życiem.

Może nie wyobraża sobie, jak miałaby mi to wyjaśnić. Albo nie ma na to czasu. Wiesz, zawsze uważamy, że jest taki czy inny powód, i usiłujemy te powody odnaleźć. Mogłabym ci długo opowiadać o tym, co zrobiłam źle. Wydaje mi się jednak, że powód nie jest taki łatwy do odnalezienia. To jej czystość. Tak. Jej delikatność i surowość, i czystość, twarda jak skała uczciwość. Mój ojciec mawiał o ludziach, których nie lubił, że nie ma z nich pożytku. Czyż nie można tego wziąć dosłownie? Penelopa nie ma ze mnie żadnego pożytku.

A może wręcz mnie nie znosi. To też możliwe".

Juliet ma grono przyjaciół. Już nie tak wielu, ale jednak. Larry nadal przychodzi i opowiada dowcipy. Juliet nadal studiuje. Słowo „studiuje" nie oddaje idealnie tego, co robi – lepiej powiedzieć: „prowadzi dochodzenie".

Ponieważ nie ma dużo pieniędzy, pracuje dorywczo w kawiarni, w której ogródku tyle przesiadywała. Ta praca stanowi dobrą przeciwwagę dla zajmowania się starożytnymi Grekami, więc chyba by jej nie rzuciła, nawet gdyby mogła sobie na to pozwolić.

Wciąż ma nadzieję na jakiś znak życia od Penelopy, ale bez przesady. To taka nadzieja jak u ludzi, którzy wiedzą, że nie mają się czego spodziewać, lecz mimo to oczekują niezasłużonego błogosławieństwa, spontanicznego odpuszczenia grzechów, czegoś w tym rodzaju.

Namiętność

Grace wybrała się niedawno do Ottawa Valley, żeby poszukać letniego domu Traversów. Od wielu lat nie była w tej części kraju i, oczywiście, zauważyła liczne zmiany. Autostrada numer 7 omija teraz miasta, które kiedyś przecinała, i wiedzie prosto tam, gdzie Grace pamiętała zakręty. W tej części Tarczy Kanadyjskiej jest dużo małych jeziorek, których nazw nie ma na normalnej mapie. Nawet kiedy Grace zlokalizowała Little Sabot Lake, a przynajmniej tak się jej wydawało, okazało się, że prowadzi tam wiele dróg odchodzących od drogi krajowej, gdy zaś w końcu wybrała jedną z nich, przecinało ją za dużo asfaltowych ulic o nazwach, których w ogóle sobie nie przypominała. Faktycznie, kiedy tu była ponad czterdzieści lat temu, ulice wcale nie miały nazw. Ani chodników. Jedna droga gruntowa prowadziła do jeziora, druga biegła – dość kapryśnie – wzdłuż jego brzegu.

Teraz jest tu wioska. A może raczej przedmieście, gdyż Grace nie zauważyła ani poczty, ani nawet najmniejszego sklepiku spożywczego. Osiedle leży na czterech czy pięciu ulicach odchodzących od jeziora i składa się z niewielkich domków stojących na małych działkach blisko siebie. Niektóre z pewnością są domami letnimi, z oknami już zamkniętymi na głucho, jak zwykle przed sezonem zimowym. Inne jednak wyraźnie wyglądają na użytkowane przez cały rok – w wielu wypadkach mieszkający w nich ludzie ustawili obok domu plastikowe zestawy gimnastyczne, urządzenia do grillowania, treningowe rowery, motocykle i ogrodowe stoliki, przy których niektórzy z nich siedzą w ten wrześniowy ciepły dzień, jedząc obiad lub popijając piwo. Są też tacy, nie tak widoczni – może studenci, może samotni starzy hippisi – którzy zamiast zasłon pozawieszali flagi lub arkusze folii aluminiowej. Osiedle małych, przeważnie zadbanych tanich domków, po części przystosowanych do mieszkania zimą.

Grace zdecydowałaby się wracać, gdyby nie spostrzegła domu w kształcie ośmiościanu z geometrycznymi ornamentami wzdłuż dachu i drzwiami w co drugiej ścianie. Dom Woodsów. Zapamiętała go jako dom z ośmiorgiem drzwi, ale najwyraźniej miał ich tylko czworo. Nigdy nie była w środku i nie widziała, jak i czy w ogóle podzielono przestrzeń na pokoje. Nie sądziła, by ktokolwiek z rodziny Traversów kiedykolwiek tam wchodził. W dawnych czasach dom otaczały wysokie żywopłoty i lśniące topole, których liśćmi zawsze szeleścił wiatr znad jeziora. Państwo Woodsowie byli starzy, jak dzisiaj Grace, i chyba nie odwiedzali ich żadni znajomi czy dzieci. Ich uroczy i osobliwy dom ma dziś zapomniany, opuszczony wygląd. Sąsiedzi po obu stronach, ze swoimi przenośnymi magnetofonami, z pojazdami, czasem niekompletnymi, z zabawkami i wywieszonym praniem, mieszkają niemal na wyciągnięcie ręki.

Tak samo było z domem Traversów, kiedy Grace wreszcie go znalazła, jakieś pół kilometra dalej, przy tej samej drodze. Dzisiaj droga się tu nie kończy, lecz prowadzi dalej, a budynki po obu stronach stoją w odległości zaledwie paru metrów od otaczającej dom Traversów szerokiej werandy.

To pierwszy tak zbudowany dom, jaki Grace widziała – jednopiętrowy, z dachem bez żadnych załamań, pokrywającym także werandę. Później spotkała wiele podobnych w Australii. Styl przywodzący na myśl gorące lata.

Kiedyś można było zbiec z werandy, przebiec przez zakurzony podjazd i piaszczysty, zadeptany kawałek ziemi z chwastami i poziomkami – także własność Traversów – i wskoczyć, czy raczej wejść do jeziora. Teraz jeziora prawie nie widać, ponieważ w poprzek tej trasy zbudowano pokaźny dom, jeden z niewielu tutejszych podmiejskich domów z prawdziwego zdarzenia, z garażem na dwa samochody.

Co tak naprawdę chciała znaleźć Grace, kiedy podjęła tę wyprawę? Może czymś najgorszym byłoby właśnie znalezienie tego, czego, jak sądziła, szuka. Oferującego schronienie dachu, zasłoniętych okien, jeziora przed domem, a od tyłu – klonów, cedrów i topoli. Doskonale zachowanej, nietkniętej przeszłości, podczas gdy nic takiego nie da się powiedzieć o Grace. Odszukanie czegoś tak pomniejszonego, wciąż istniejącego, ale uczynionego nieistotnym – jak dom Traversów z dodanymi mansardowymi oknami, pomalowany na zaskakujący niebieski kolor – mogłoby na dłuższą metę mniej ranić.

A jeśli go w ogóle nie ma? Podnosisz larum. Jeśli ktoś przyjechał z tobą, opłakujecie stratę. Ale czy nie odczuwasz ulgi, że stare błędy lub zobowiązania przestały istnieć?

Pan Travers wybudował go – to znaczy zamówił – jako ślubny prezent niespodziankę dla pani Travers. Kiedy Grace zobaczyła ten dom po raz pierwszy, miał może trzydzieści lat. Między dziećmi pani Travers była spora różnica wieku – Gretchen miała jakieś dwadzieścia osiem, dwadzieścia dziewięć lat, sama była już mężatką i matką, a Maury miał dwadzieścia jeden lat i kończył studia. No i jeszcze Neil, po trzydziestce. Ale Neil nie był Traversem. Nazywał się Neil Borrow. Pani Travers miała wcześniej męża, który umarł. Zarabiała na siebie i na dziecko jako nauczycielka biznesowego angielskiego w szkole dla sekretarek. Pan Travers, kiedy mówił o tym okresie jej życia – o tym, jak żyła, zanim ją poznał – określał go jako czas wypełniony męką przypominającą ciężkie roboty karne, coś, co trudno było wynagrodzić całym dalszym życiem w komforcie, jaki zamierzał jej zapewnić.

Sama pani Travers zupełnie tak o tym nie mówiła. Mieszkała wtedy z Neilem w dużym, starym domu podzielonym na kilka mieszkań, niedaleko torów kolejowych w Pembroke i wiele historii, jakie opowiadała przy kolacji, dotyczyło jej sąsiadów i właściciela domu, francuskojęzycznego Kanadyjczyka, którego twardy francuski i pokrętny angielski często naśladowała. Te opowieści mogłyby mieć tytuły jak opowiadania Jamesa Thurbera, które Grace czytała w *Antologii amerykańskiego humoru*, książce, którą nie wiedzieć czemu znalazła w biblioteczce w dziesiątej klasie. (Na tej samej półce były też *Ostatni baron* i *Dwa lata pod masztem*).

„Noc, gdy stara pani Cromarty wyszła na dach". „Jak listonosz zalecał się do panny Flowers". „Pies, który jadał sardynki".

Pan Travers nigdy nie opowiadał historyjek i przy kolacji niewiele miał do powiedzenia, ale jeśli natknął się na ciebie, kiedy przyglądałaś się, na przykład, kominkowi z polnych głazów, pytał: „Interesujesz się skałami?", i opowiadał, skąd pochodziły kamienie, i jak szukał i szukał tego akurat różowego granitu, ponieważ pani Travers zachwyciła się kiedyś taką skałą, którą zauważyła przy drodze. Albo pokazywał nie tak znowu nadzwyczajne własne dodatki do pierwotnego projektu domu: półki w narożnej szafce w kuchni, które wysuwały się na zewnątrz, czy schowki pod siedzeniami we wnękach okiennych. Pan Travers był wysokim, przygarbionym mężczyzną o cichym głosie i rzadkich, ulizanych włosach. Do wody wchodził w klapkach i chociaż w zwykłym ubraniu nie wyglądał grubo, nad kąpielówkami widać mu było naleśnikową fałdę białego ciała.

Tego lata Grace pracowała w hotelu w Bailey's Falls, miejscowości położonej na północ od Little Sabot Lake. Na początku sezonu Traversowie przyszli tam na kolację. Grace nie zauważyła ich – nie siedzieli przy jednym z jej stolików, a w restauracji było dużo ludzi. Nakrywała do stołu dla nowych gości, kiedy zdała sobie sprawę, że ktoś stoi obok i czeka, żeby coś jej powiedzieć.

Maury.

– Chciałbym się kiedyś z tobą umówić – powiedział.

Grace na moment oderwała się od układania sztućców.

– Czy chodzi o zakład? – spytała, bo Maury odezwał się wysokim, zdenerwowanym głosem i stał przy niej sztywno, jakby się do czegoś zmuszał. Wiadomo też było, że czasami młodzi mężczyźni z letnich domków podpuszczali się wzajemnie, żeby umówić się z kelnerką. Nie były to tylko żarty, bo taki chłopak, jeśli jego propozycja została przyjęta, faktycznie przychodził na spotkanie, choć czasem siedział tylko w samochodzie, nie proponując kina ani nawet kawy. A zatem zgoda dziewczyny na takie spotkanie nie przynosiła jej zaszczytu.

– Co? – spytał nieśmiało, kiedy Grace przerwała pracę i spojrzała na niego. I w tej jednej chwili pojęła, jaki jest prawdziwy Maury: przestraszony, zacięty, niewinny, zdeterminowany.

– Dobrze – powiedziała szybko.

Co mogło znaczyć: dobrze, uspokój się, wiem, że to nie jest zakład, wiem, że byś czegoś takiego nie zrobił. Albo: dobrze, mogę się z tobą umówić. Sama nie była całkiem pewna. On jednak uznał to za zgodę i od razu zaproponował, nie zniżając głosu i nie zwracając uwagi na spojrzenia restauracyjnych gości, że następnego dnia przyjedzie po nią po pracy.

Zaprosił ją do kina. Poszli na *Ojca narzeczonej*. Film strasznie się Grace nie podobał. Nienawidziła takich dziewczyn jak Elizabeth Taylor w głównej roli, nienawidziła rozpuszczonych bogatych dziewczyn, od których oczekiwano wyłącznie wdzięczenia się i żądań. Maury powiedział, że to tylko komedia, ale Grace zaprotestowała, że nie o to chodzi, choć nie umiała jasno wytłumaczyć, o co jej właściwie chodzi. Ktoś mógłby pomyśleć, że to dlatego, że pracuje jako kelnerka i nie stać jej na studia, i że jeśli chciałaby na przykład mieć taki ślub jak na filmie, to musiałaby latami oszczędzać, by samodzielnie za niego zapłacić. (Maury tak właśnie myślał i czuł do niej wielki, niemal nabożny szacunek).

Nie umiała wyjaśnić ani nawet do końca zrozumieć, że nie czuje zazdrości, lecz wściekłość. I nie dlatego, że nie może kupić sobie takich rzeczy czy tak się ubierać. Chodziło jej o sposób, w jaki oceniano dziewczyny. Wszyscy ludzie, wszyscy mężczyźni myśleli, że powinny być właśnie takie: piękne, hołubione, rozpuszczone, samolubne, głupie. Taka musiała być dziewczyna, żeby się w niej zakochać. Potem zostawała matką i w sentymentalny sposób poświęcała się dzieciom. Nie była już samolubna, ale równie głupia. Na zawsze.

Grace gotowała się ze złości, siedząc obok chłopaka, który się w niej zakochał, bo uwierzył – natychmiast – w prawość i wyjątkowość jej duszy i ciała i traktował jej ubóstwo jak romantyczną pozłotkę. (Wiedział, że jest biedna, nie tylko za sprawą jej pracy, ale także dlatego, że mówiła z silnym akcentem z Ottawa Valley, z czego wówczas jeszcze nie zdawała sobie sprawy).

Maury z szacunkiem potraktował opinię Grace o filmie. I kiedy już wysłuchał jej gniewnych prób wyjaśnienia swego zdania, sam ze swej strony spróbował coś jej powiedzieć. Stwierdził, że teraz rozumie, że nie chodzi o nic tak prostego, tak kobiecego jak zazdrość. Zrozumiał to. Chodzi o to, że Grace nie znosi braku powagi, nie zadawala się tym, że miałaby być taka jak inne dziewczęta. Jest kimś specjalnym.

Grace na zawsze zapamiętała, co miała na sobie tamtego wieczoru. Ciemnoniebieską marszczoną spódnicę, białą bluzkę, przez której koronki widać było górę piersi, i szeroki, różowy, elastyczny pas. Niewątpliwie był rozdźwięk między tym, jak się prezentowała, i tym, jak chciała być oceniana. Jednak nie było w niej nic wykwintnego, zawadiackiego ani eleganckiego w stylu tamtych czasów. W gruncie rzeczy wyglądała dość nonszalancko, nosząc się z cygańskim szykiem, z najtańszymi, pomalowanymi srebrną farbą bransoletkami na rękach i z burzą długich, nieokiełznanych, kręconych ciemnych włosów, które w pracy musiała chować pod siatkę.

Ktoś specjalny.

Maury opowiedział o niej matce, a ona stwierdziła:

– Musisz przyprowadzić tę swoją Grace na kolację.

Wszystko było dla niej nowe, wszystko ją zachwycało. Prawdę mówiąc, zakochała się w pani Travers, tak jak Maury zakochał się w niej. Ale oczywiście nie umiała tego okazywać z takim niemym zachwytem i uwielbieniem jak Maury.

Grace wychowywała się u ciotki i wuja; tak naprawdę była to jej cioteczna babka i jej mąż. Matka Grace umarła, kiedy dziewczynka miała trzy lata, a ojciec wyprowadził się do Saskatchewan, gdzie założył nową rodzinę. Rodzice zastępczy Grace byli dobrzy, szczycili się nią, choć czasem nie mogli za nią nadążyć, ale nie przepadali za rozmowami. Wuj zarabiał na życie wyplataniem krzeseł i nauczył ją tego, żeby mogła mu pomagać i w końcu go zastąpić, gdyż tracił wzrok. Potem jednak dostała na lato pracę w Bailey's Falls i mimo że wujowi – a także ciotce – nie było łatwo ją puścić, uznali, że powinna trochę poznać życie, zanim podejmie swoje obowiązki.

Grace miała dwadzieścia lat i właśnie skończyła szkołę średnią. Powinna była skończyć ją rok wcześniej, ale dokonała dziwnego wyboru. W jej bardzo małym miasteczku rodzinnym – położonym niedaleko od Pembroke pani Travers – była pięcioklasowa szkoła średnia, która przygotowywała do egzaminów państwowych i tego, co wówczas nazywano dużą maturą. Oczywiście nie trzeba było uczyć się wszystkich przedmiotów i pod koniec pierwszego roku, tego, który powinien być jej ostatnim, to znaczy trzynastą klasą, Grace podeszła do egzaminów z historii, botaniki, zoologii, angielskiego, łaciny i francuskiego, i dostała niepotrzebnie wysokie stopnie. Zgłosiła się znowu we wrześniu, żeby uczyć się fizyki, chemii, trygonometrii, geometrii i algebry, chociaż te przedmioty uważano za wyjątkowo trudne dla dziewcząt. Kiedy skończyła ten rok, miała za sobą wszystkie przedmioty trzynastej klasy oprócz greki, włoskiego, hiszpańskiego i niemieckiego, których w jej szkole nie uczono. W trzech działach matematyki, w fizyce i w chemii osiągnęła całkiem przyzwoite wyniki, choć nie tak spektakularne jak przed rokiem. Pomyślała wtedy o samodzielnej nauce greki, włoskiego, hiszpańskiego i niemieckiego, żeby w następnym roku mogła podejść do egzaminów i z tych przedmiotów. Ale dyrektor szkoły odbył z nią rozmowę i wytłumaczył, że to nie ma sensu, ponieważ i tak nie może iść na studia, a poza tym żaden wydział uniwersytecki nie wymaga pełnego zestawu przedmiotów. Dlaczego to robi? Czy ma jakieś plany?

Nie, odparła Grace, ona tylko chciała nauczyć się za darmo tyle, ile można. Zanim zacznie karierę wyplataczki krzeseł.

Dyrektor szkoły znał kierownika hotelu i powiedział, że poleci Grace, jeżeli chce pracować przez lato jako kelnerka. On też wspomniał o poznawaniu życia.

Czyli nawet człowiek odpowiedzialny za całą szkolną naukę uważał, że nie ma ona zbyt wiele wspólnego z życiem. I każdy, komu Grace mówiła o tym, co zrobiła, a mówiła, żeby wyjaśnić, dlaczego skończyła szkołę średnią z opóźnieniem, wykrzykiwał: „chyba zwariowałaś".

Oprócz pani Travers, którą rodzice posłali do szkoły handlowej zamiast do ogólnokształcącej, bo ich zdaniem powinna się uczyć czegoś użytecznego, i która teraz żałowała z całego serca – tak powiedziała – że nie napakowała sobie do głowy najpierw tego, co się uważa za bezużyteczne.

– Z drugiej strony trzeba mieć jakiś zawód – stwierdziła. – A wyplatanie krzeseł wydaje się pożytecznym zajęciem. Zobaczymy.

Co zobaczymy? Grace nie chciała wybiegać myślą naprzód. Chciała, żeby życie toczyło się tak jak teraz. Zamieniła się godzinami pracy z koleżanką i dzięki temu w niedziele miała wolne już po śniadaniu. To oznaczało, że zawsze musiała w soboty pracować do późna. W rezultacie zamieniła godziny spędzane z Maurym na czas spędzany z jego rodziną. Nie mogli już wybrać się razem do kina ani na prawdziwą randkę. Maury odbierał Grace, kiedy kończyła pracę, koło jedenastej, i jechali na przejażdżkę; zatrzymywali się na lody lub na hamburgera (Maury skrupulatnie dbał, aby nie pójść z Grace do baru, gdyż nie skończyła jeszcze dwudziestu jeden lat), a potem gdzieś parkowali.

Wspomnienia Grace z tych samochodowych sesji, które trwały do pierwszej czy drugiej w nocy, okazały się znacznie bardziej mgliste niż wspomnienia zza okrągłego stołu jadalnego u Traversów lub – kiedy już wszyscy wstali i przenieśli się z kawą czy innymi napojami – z beżowej skórzanej kanapy, foteli na biegunach i wiklinowych krzeseł z poduszkami na drugim końcu pokoju. (Nikt nie zawracał sobie głowy zmywaniem i sprzątaniem w kuchni, gdyż rano przychodziła – jak mawiała pani Travers – „moja przyjaciółka, bardzo zdolna pani Abel").

Maury zawsze ściągał poduszki na dywan i tam siadał. Gretchen, która przychodziła na obiad w dżinsach lub wojskowych spodniach, zwykle zasiadała po turecku w szerokim fotelu. I ona, i Maury byli dobrze zbudowani i szerocy w ramionach; mieli coś z urody matki: jej faliste brązowe włosy i ciepłe piwne oczy. A nawet, w wypadku Maury'ego, dołeczki. „Uroczy", mówiły o nim inne kelnerki. Cicho pogwizdywały. „Mężuś mężuś". Jednak pani Travers miała zaledwie metr pięćdziesiąt wzrostu i pod swymi jaskrawymi, luźnymi sukniami wydawała się może nie tyle gruba, co mocno pulchna, niczym dziecko, które jeszcze nie wyciągnęło się w górę. Ale błysku i zdecydowanego wyrazu jej oczu, wesołości, która tylko czeka, aby się zamanifestować, nie można naśladować ani odziedziczyć. Ani jej szorstkich rumieńców, przypominających wysypkę. Były pewnie skutkiem wychodzenia na dwór przy każdej pogodzie bez dbałości o cerę, co – tak jak jej figura i luźne suknie – było przejawem jej niezależności.

W niedzielne wieczory czasami oprócz rodziny przychodzili też goście. Małżeństwo, czasem pojedyncza osoba, zazwyczaj w wieku państwa Traversów i zwykle do nich podobni: kobiety energiczne i dowcipne, mężczyźni cichsi, powolniejsi, tolerancyjni. Goście opowiadali zabawne historie, często żartując z siebie samych. (Grace już od tak dawna jest zajmującą rozmówczynią, że czasem ma siebie dość i trudno jej pamiętać, jak bardzo interesujące wydawały jej się kiedyś te rozmowy. Tam, skąd pochodzi, rozmowa zwykle polegała na opowiadaniu nieprzyzwoitych dowcipów, choć tego, naturalnie, nie robili jej ciotka i wuj. Przy rzadkich okazjach, kiedy mieli gości, chwalono jedzenie i tłumaczono się z jego powodu, dyskutowano o pogodzie i niecierpliwie wyczekiwano końca posiłku).

Po kolacji u Traversów, jeśli wieczór był chłodny, pan Travers rozpalał w kominku. Obecni bawili się w grę nazywaną przez panią Travers „idiotyczną zabawą w słowa", w której trzeba było wykazać się bystrością, nawet jeżeli niektórzy wymyślali niemądre definicje. Tu mógł błysnąć ktoś, kto nie błyszczał w rozmowach przy stole. Wymyślano dowcipne uzasadnienia dla najbardziej absurdalnych pomysłów. Robił tak Wat, mąż Gretchen, i – po pewnym czasie – Grace, ku radości pani Travers i Maury'ego. (Maury wołał, rozbawiając wszystkich oprócz samej Grace: „Widzicie? Mówiłem wam, że jest inteligentna"). Sama pani Travers przodowała w tym wymyślaniu słów i ich szokującej obronie, pilnując, aby zabawa nie stała się zbyt poważna i żeby żaden uczestnik zbytnio się nie przejmował.

Tylko raz zdarzyło się, że komuś nie spodobała się gra, a mianowicie, kiedy na kolację przyszła Mavis, żona Neila, syna pani Travers. Mavis z dwójką dzieci zatrzymała się niedaleko, u swoich rodziców nad jeziorem. Tamtego wieczoru była jedynie najbliższa rodzina i Grace, bo Mavis i Neil mieli przyjść z dwojgiem małych dzieci. Jednak Mavis przyszła sama – Neil był lekarzem i okazało się, że w ten weekend pracuje w Ottawie. Pani Travers była rozczarowana, ale niczego po sobie nie okazała i zawołała z wesołą konsternacją:

– Ale dzieci chyba nie są w Ottawie?

– Niestety nie – odparła Mavis. – Nie są jednak zbyt grzeczne. Jestem pewna, że wrzeszczałyby przez całą kolację. Niemowlę ma potówki, a Bóg jeden wie, co dolega Mikeyowi.

Mavis, szczupła i opalona, miała na sobie fioletową suknię i dopasowaną do niej szeroką fioletową przepaskę przytrzymującą ciemne włosy. Ładna, choć z lekkim grymasem nudy lub dezaprobaty ukrytym w kącikach ust. Zostawiła nietknięte na talerzu prawie całe jedzenie, tłumacząc, że ma alergię na curry.

– Och, Mavis, jaka szkoda – powiedziała pani Travers. – Czy to coś nowego?

– Ależ nie, mam to od wieków, tylko wcześniej starałam się być uprzejma. Potem znudziło mi się rzyganie przez pół nocy.

– Gdybyś tylko powiedziała... Co możemy ci zaproponować?

– Nie przejmuj się, dam sobie radę. I tak w tym upale i przy wszystkich urokach macierzyństwa nie mam specjalnie apetytu.

Mavis zapaliła papierosa.

Później, podczas gry, wdała się w spór z Watem na temat definicji, której użył, a kiedy ze słownikiem ustalono, że definicja jest do przyjęcia, Mavis powiedziała:

– Och, bardzo przepraszam. Jesteście lepsi ode mnie.

Kiedy przyszła pora, żeby każdy wręczył karteczkę z własnym słowem do następnej rundy, Mavis uśmiechnęła się i pokręciła głową.

– Nie mam nic.

– Ależ Mavis – zaprotestowała pani Travers.

A pan Travers dodał:

– Dalej, Mavis, napisz cokolwiek.

– Nic mi nie przychodzi do głowy. Przepraszam. Jestem dziś głupia. Grajcie beze mnie.

I tak zrobili, udając, że się nic nie stało, a Mavis paliła i uśmiechała się swoim zdeterminowanym, słodko bolesnym, nieszczęśliwym uśmieszkiem. Po pewnym czasie wstała i powiedziała, że jest okropnie zmęczona i nie może dłużej zostawić dzieci pod opieką dziadków, że wizyta była cudowna i pouczająca i że musi już wracać do domu.

– Na następne Boże Narodzenie muszę wam podarować słownik oksfordzki – powiedziała, nie zwracając się do nikogo konkretnego, i wyszła z gorzkim perlistym śmiechem.

Słownik Traversów, w którym Wat sprawdził wcześniej swoją definicję, był amerykański.

Kiedy Mavis wyszła, nie patrzyli na siebie.

– Gretchen, czy masz siłę, żeby nam zrobić dzbanek kawy? – spytała pani Travers.

Gretchen poszła do kuchni, mrucząc pod nosem:

– Ale ubaw. Jezus Maria!

– Cóż, Mavis ma trudne życie – powiedziała pani Travers. – Z dwójką maluchów.

Raz w tygodniu Grace miała w pracy wolne od chwili, gdy sprzątnęła po śniadaniu, do momentu gdy musiała nakrywać do kolacji. Kiedy pani Travers się o tym dowiedziała, zaczęła przyjeżdżać do Bailey's Falls i zabierać Grace do domu nad jeziorem. Maury był wtedy w pracy (pracował w lecie z grupą robotników drogowych, którzy naprawiali autostradę numer 7), Wat siedział w biurze w Ottawie, a Gretchen pływała z dziećmi albo woziła je łodzią po jeziorze. Zazwyczaj pani Travers oznajmiała, że musi jechać po zakupy, szykować kolację lub pisać listy, i zostawiała Grace samą w wielkim, chłodnym, zacienionym pokoju (który był zarazem salonem i jadalnią), z wiecznie wgniecioną skórzaną kanapą i półkami zastawionymi książkami.

– Czytaj, co ci się tylko spodoba – mówiła pani Travers. – Albo zwiń się w kłębek i idź spać, jeśli chcesz. To ciężka praca i na pewno jesteś zmęczona. Odwiozę cię z powrotem na czas.

Grace nigdy nie spała. Czytała. Prawie się nie ruszała, a jej gołe nogi w szortach pociły się i przyklejały do skórzanej kanapy. Być może z powodu intensywnej przyjemności, jaką czerpała z czytania. Bardzo często wcale nie widywała pani Travers, dopóki nie przyszła pora powrotu do pracy.

Pani Travers nie zaczynała rozmowy, nim nie minęło dość czasu, żeby myśli Grace mogły się oderwać od książki, w której była pogrążona. Pani Travers wspominała, że też ją czytała, i mówiła, co o niej myśli, ale zawsze w sposób jednocześnie przemyślany i niefrasobliwy. Tak na przykład wyraziła się o *Annie Kareninie*:

– Nie wiem, ile razy ją czytałam, ale pamiętam, że najpierw identyfikowałam się z Kitty, a potem z Anną, to było okropne, z Anną, a teraz, za ostatnim razem, sympatyzowałam cały czas z Dolly. Wiesz, jak jedzie na wieś z tymi wszystkimi dziećmi i musi wykombinować, co robić z praniem, ma problem z baliami... Zapewne właśnie w ten sposób człowiek zmienia swoje upodobania, w miarę jak się starzeje. Namiętność ląduje za balią. Tak czy owak, nie zwracaj na mnie uwagi. Nie robisz tego, prawda?

– Nie wiem, czy w ogóle zwracam na kogoś uwagę. – Grace zdziwiła się własnymi słowami i miała nadzieję, że nie wyszła na osobę zarozumiałą czy dziecinną. – Ale lubię pani słuchać.

Pani Travers roześmiała się głośno.

– Ja też lubię siebie słuchać.

Mniej więcej w tym czasie Maury zaczął mówić o małżeństwie. Muszą jeszcze trochę poczekać, nie mogą się pobrać, dopóki on nie uzyska dyplomu i nie zacznie pracować jako inżynier, ale mówił o tym tak, jakby dla obojga było to czymś oczywistym. „Kiedy się pobierzemy" – mówił, a Grace, zamiast to zakwestionować lub zaprzeczyć, słuchała z dziwnym zaciekawieniem.

Po ślubie mieli zamieszkać w małym domku nad Little Sabot Lake. Nie za blisko rodziców Maury'ego, nie za daleko. Oczywiście to będzie tylko letni dom. Przez resztę czasu mieszkaliby tam, dokąd zaprowadzi ich jego inżynierskie zajęcie. To może być wszędzie – w Peru, w Iraku, na Terytoriach Północno-Zachodnich. Idea podróży zachwycała Grace bardziej niż to, co Maury z wielką dumą nazywał „naszym własnym domem". Wszystko to zresztą nie wydawało jej się realne, ale myśl, że miałaby pomagać wujowi i na resztę życia zająć się wyplataniem krzeseł, też nigdy nie wydawała jej się realna.

Maury wciąż się dopytywał, co o nim pisała ciotce i wujowi i kiedy zabierze go do domu, żeby mógł ich poznać. Nawet to, że on tak beztrosko mówi o „domu", wydawało się Grace nie w porządku, chociaż sama przecież używała tego słowa. Właściwsze byłoby „dom ciotki i wuja".

W gruncie rzeczy w krótkich cotygodniowych listach wcale o nim nie pisała, poza wzmianką, że „chodzi z chłopakiem, który też tu pracuje w czasie wakacji". Mogłoby z tego wynikać, że Maury pracuje w hotelu.

Nie chodziło o to, że nigdy nie myślała o małżeństwie. Taka możliwość, prawie pewność, tkwiła w jej myślach razem z życiem spędzonym na wyplataniu krzeseł. Mimo że nikt nigdy się do niej nie zalecał, myślała, że pewnego dnia to się zdarzy, dokładnie w ten sposób – mężczyzna natychmiast podejmie decyzję. Zobaczy ją, może przyniesie krzesło do naprawy, i zakocha się w niej od pierwszego wejrzenia. Będzie przystojny jak Maury. Namiętny jak Maury. Potem przyjdzie pora na miłe intymności.

I tego właśnie zabrakło. W samochodzie Maury'ego czy na trawie pod gwiazdami Grace była cała chętna. A Maury był gotów, ale niechętny. Uważał, że jest za nią odpowiedzialny. Łatwość, z jaką mu się ofiarowała, wytrąciła go z równowagi. Może wyczuwał, że Grace robi to na zimno, widział w tym rozmyślną ofertę, której nie mógł zrozumieć i która zupełnie nie pasowała mu do jej osoby. Grace sama nie rozumiała, dlaczego zachowuje się tak beznamiętnie – wierzyła, że okazanie ochoty musi prowadzić do rozkoszy, o jakiej rozmyślała w samotności, i czuła, że Maury powinien przejąć inicjatywę. A on nie chciał tego zrobić.

Te podchody niepokoiły ich i trochę złościły czy zawstydzały, i dlatego, żeby to sobie wynagrodzić, za każdym razem przy pożegnaniu nie mogli przestać się całować, tulić, mówić sobie czułe słówka. Grace z ulgą zostawała potem sama, kładła się do łóżka we wspólnej sali i wyrzucała z głowy ostatnie parę godzin. I przypuszczała, że Maury z równą ulgą jedzie sam autostradą, tak porządkując własne odczucia na temat Grace, by nadal mógł być w niej całym sercem zakochany.

Większość kelnerek wyjeżdżała po Święcie Pracy i wracała do szkoły lub na studia. Hotel jednak był otwarty aż do Święta Dziękczynienia, ze zmniejszoną załogą, a Grace była jedną z tych, którzy zostawali. W tym roku mówiło się o ponownym otwarciu hotelu na początku grudnia na sezon zimowy, albo przynajmniej na sezon świąteczny, ale nikt z pracowników kuchni i jadalni nie wiedział, czy naprawdę do tego dojdzie. Grace napisała do ciotki i wuja tak, jakby sezon świąteczny był pewny. W gruncie rzeczy w ogóle nie pisała im o zamykaniu hotelu, chyba że ewentualnie po Nowym Roku. Nie powinni się jej zatem spodziewać.

Dlaczego to zrobiła? Nie miała przecież żadnych innych planów. Powiedziała Maury'emu, że ten rok – dla niego ostatni rok studiów – powinna spędzić, pomagając wujowi, może spróbować znaleźć kogoś, kto by się nauczył wyplatania. Obiecała mu nawet, że będzie mógł przyjechać z wizytą na Boże Narodzenie i poznać jej rodzinę. Maury stwierdził, że Boże Narodzenie to będzie dobra okazja na formalne zaręczyny. Odkładał pieniądze z letniego zarobku, żeby jej kupić pierścionek z brylantem.

Grace też odkładała pieniądze. Na bilety autobusowe do Kingston, aby mogła go odwiedzać w trakcie roku akademickiego.

Mówiła o tym, obiecywała z taką łatwością. Ale czy w to wierzyła, czy chociaż chciała, aby tak się stało?

– Maury ma niezłomny charakter – powiedziała pani Travers. – Zresztą sama widzisz. Wyrośnie na kochanego, nieskomplikowanego człowieka, jak jego ojciec. Nie jak jego brat. Jego brat Neil jest bardzo zdolny. Nie chcę przez to powiedzieć, że Maury nie jest zdolny, na pewno nie można zostać inżynierem, nie mając w głowie trochę rozumu, ale Neil jest... On jest głęboki. – Roześmiała się ze swoich słów. – „Głębokie niezgłębione oceaniczne groty"*... Co ja mówię? Przez długi czas Neil i ja nie mieliśmy nikogo oprócz siebie. Dlatego uważam, że jest wyjątkowy. To nie znaczy, że nie jest fajny. Ale czasami ludzie, którzy są bardzo fajni, bywają melancholijni, prawda? Coś z nimi jest nie tak. No, ale po co się martwić o dorosłe dzieci? O Neila trochę się martwię, o Maury'ego tylko troszeczkę. A o Gretchen w ogóle się nie martwię. Bo kobiety zawsze mają coś – prawda? – co je podtrzymuje na duchu. Coś, czego mężczyznom brakuje.

Domu nad jeziorem nigdy nie zamykano przed Świętem Dziękczynienia. Oczywiście Gretchen z dziećmi musiała z powodu szkoły wracać wcześniej do Ottawy. A Maury, który skończył wakacyjną pracę, musiał wracać do Kingston. Pan Travers przyjeżdżał tylko na weekendy. Ale pani Travers – jak powiedziała Grace – zwykle zostawała, czasami z gośćmi, czasami sama.

* Zniekształcony cytat z *Elegii napisanej na wiejskim cmentarzu* (*Elegy Written in a Country Churchyard*) Thomasa Graya (przyp. tłum.).

Potem plany pani Travers też się zmieniły. Już we wrześniu pojechała z panem Traversem do Ottawy. To stało się niespodziewanie i trzeba było odwołać weekendową kolację.

Maury powiedział, że matka ma od czasu do czasu problemy z nerwami.

– Musi odpocząć – wyjaśnił. – Musi pójść na jakieś parę tygodni do szpitala, gdzie ją ustabilizują. Zawsze jej to pomaga.

Grace stwierdziła, że jego matka jest ostatnią osobą, którą by posądzała o takie problemy.

– Skąd one się biorą?

– Chyba lekarze nie wiedzą – odparł Maury.

– Chociaż to może być z powodu jej męża – dodał po chwili. – To znaczy pierwszego męża. Ojca Neila. Tego, co się z nim stało, i tak dalej.

A stało się to, że ojciec Neila popełnił samobójstwo.

– Przypuszczam, że był niezrównoważony psychicznie. Ale może to nie to – kontynuował Maury – tylko zupełnie coś innego. Problemy, jakie mają kobiety w jej wieku. Wszystko będzie dobrze, teraz bez trudu wyprowadzą ją na prostą lekarstwami. Mają fantastyczne środki, nie ma się co przejmować.

Przed Świętem Dziękczynienia, tak jak przewidywał Maury, pani Travers wyszła ze szpitala i rzeczywiście dobrze się czuła. Świąteczna kolacja jak zwykle odbywała się w domu nad jeziorem. I była zaplanowana na niedzielę, też jak zwykle, żeby móc się w poniedziałek spakować i zamknąć dom. Dla Grace to się dobrze składało, bo w niedzielę nadal miała wolne.

Spodziewano się całej rodziny. Żadnych gości, nie licząc Grace. Neil z Mavis i dziećmi zatrzymywali się u rodziców Mavis i jedli z nimi świąteczny obiad w poniedziałek, ale na niedzielę przyjeżdżali do Traversów.

Kiedy w niedzielny poranek Maury przywiózł Grace z hotelu nad jezioro, indyk już był w piecyku. Ze względu na dzieci kolacja miała być wcześnie, koło piątej. Ciasta leżały na blacie – z dynią, z jabłkami i z jagodami. Gretchen dyrygowała pracami w kuchni z taką samą łatwością, z jaką uprawiała sporty. Pani Travers siedziała przy kuchennym stole, piła kawę i z młodszą córką Gretchen, Daną, układała puzzle.

– Grace – zawołała, zrywając się z miejsca, żeby ją uściskać – po raz pierwszy w życiu – i niezręcznym ruchem dłoni rozrzucając przy tym kawałki układanki.

– Babciu – jęknęła Dana, a jej starsza siostra Janey, która przypatrywała się całej scenie krytycznym wzrokiem, podniosła zrzucone kawałki.

– Zaraz je ułożymy na miejsce – powiedziała. – Babcia zrobiła to niechcący.

– Gdzie trzymasz sos żurawinowy? – spytała Gretchen.

– W szafce – powiedziała pani Travers, wciąż obejmując Grace i nie zważając na rozrzuconą układankę.

– Gdzie w szafce?

– Aha, sos żurawinowy – powtórzyła pani Travers. – Sama go robię. Najpierw dodaję do żurawin trochę wody. I trzymam je na małym gazie... Nie, najpierw je moczę...

– Nie mam na to wszystko czasu – stwierdziła Gretchen. – To znaczy, że nie masz żurawiny w puszce?

– Raczej nie. Po co, jeśli sama robię.

– Będę musiała posłać kogoś do sklepu.

– Może spytaj panią Woods?

– Nie. Prawie z nią nie rozmawiam. Nie mam odwagi. Ktoś musi pojechać do sklepu.

– Kochanie, jest Święto Dziękczynienia – powiedziała łagodnie pani Travers. – Wszystko jest pozamykane.

– Ten sklep przy autostradzie jest zawsze otwarty. – Gretchen podniosła głos: – Gdzie jest Wat?

– Wypłynął łodzią – zawołała Mavis z sypialni dla gości. Powiedziała to ostrzegawczym tonem, bo usiłowała uśpić dziecko. – Zabrał Mikeya na łódkę.

Mavis przyjechała własnym samochodem z Mikeyem i niemowlęciem. Neil miał się zjawić później, musiał jeszcze zadzwonić w kilka miejsc.

Pan Travers poszedł grać w golfa.

– Po prostu ktoś musi pojechać do sklepu – oznajmiła Gretchen. Czekała, ale z sypialni nie padła żadna oferta. Uniosła brwi i spojrzała na Grace.

– Nie umiesz prowadzić, co?

Grace powiedziała, że nie.

Pani Travers rozejrzała się za swoim krzesłem i usiadła z westchnieniem ulgi.

– Dobrze, Maury umie prowadzić. Gdzie jest Maury?

Maury w głównej sypialni szukał swoich kąpielówek, chociaż wszyscy mówili mu, że woda jest za zimna na pływanie. Powiedział, że najprawdopodobniej sklep będzie zamknięty.

– Jest otwarty – upierała się Gretchen. – Ten przy stacji benzynowej. A jak nie, to jest jeszcze ten przy zjeździe do Perth, wiesz, ten z lodami.

Maury chciał, żeby Grace z nim pojechała, ale dwie małe dziewczynki, Janey i Dana, ciągnęły ją, żeby poszła z nimi zobaczyć huśtawkę, którą dziadek zamontował pod norweskim klonem obok domu.

Kiedy Grace schodziła po schodach, poczuła, że urwał jej się pasek od sandała. Zdjęła oba sandały i śmiało ruszyła na bosaka po piaszczystej ziemi, po płaskich liściach babki i poskręcanych liściach, które już spadły z drzew.

Najpierw ona huśtała dziewczynki, później one ją. Gdy zeskoczyła, boso, jedna z nóg się pod nią ugięła i Grace krzyknęła z bólu, nie wiedząc, co się stało.

Chodziło o stopę, nie nogę. Ból promieniował z podeszwy lewej stopy, którą skaleczyła o ostrą krawędź muszli małża.

– Dana przyniosła tutaj te muszle – powiedziała Janey. – Chciała zrobić domek dla ślimaka.

– Ślimak uciekł – oznajmiła Dana.

Gretchen, pani Travers i nawet Mavis pospiesznie przybiegły z domu, przekonane, że to krzyknęło któreś dziecko.

– Ma zakrwawioną stopę – powiedziała Dana. – Na ziemi jest pełno krwi.

– Skaleczyła się o muszlę – dodała Janey. – To Dana zostawiła tu te muszle, miała budować dom dla Ivana. Dla ślimaka Ivana.

Przyniesiono miskę z wodą, żeby przemyć ranę, i ręcznik, a wszyscy się dopytywali, czy bardzo boli.

– Nie bardzo – odparła Grace, kuśtykając po schodach. Obie dziewczynki przepychały się, żeby ją podtrzymać, i wchodziły jej pod nogi.

– Och, brzydko to wygląda – powiedziała Gretchen. – Dlaczego byłaś bez butów?

– Urwał się pasek – wyjaśniły równocześnie Dana i Janey.

W tej samej chwili kabriolet w kolorze wina niemal bezgłośnie wjechał zgrabnym łukiem na miejsce do parkowania.

– W samą porę – stwierdziła pani Travers. – Oto człowiek, którego potrzebujemy. Lekarz.

Przyjechał Neil, Grace zobaczyła go po raz pierwszy. Był wysoki, szczupły, energiczny.

– Weź swoją torbę – zawołała wesoło pani Travers. – Mamy coś dla ciebie.

– Niezły gruchocik – rzuciła Gretchen. – Nowy?

– Coś obłędnego! – powiedział Neil.

– No i teraz dziecko się obudziło. – Mavis westchnęła oskarżycielsko i poszła do domu.

– Już nic nie można zrobić, żeby się dziecko nie obudziło – stwierdziła surowym tonem Janey.

– Ty się lepiej nie odzywaj – poradziła Gretchen.

– Tylko nie mów, że nie masz jej przy sobie – powiedziała pani Travers. Neil wyjął lekarską torbę z tylnego siedzenia, a ona dodała: – O, masz, to dobrze, nigdy nie wiadomo, kiedy się przyda.

– Ty jesteś pacjentką? – spytał Danę Neil. – Co się stało? Połknęłaś żabę?

– To ona – odparła z godnością Dana. – To Grace.

– Rozumiem. Ona połknęła żabę.

– Skaleczyła się w nogę. Krew jej leci i leci.

– O muszlę małża – poinformowała Janey.

– Odsuńcie się – powiedział Neil do siostrzenic, usiadł na schodku koło Grace i ostrożnie podniósł jej nogę. – Podaj mi ten ręcznik czy cokolwiek – zażądał i delikatnie obtarł krew, żeby obejrzeć skaleczenie. Teraz, kiedy siedział blisko, Grace poczuła zapach, który nauczyła się rozpoznawać, pracując latem w hotelu – zapach alkoholu przytłumionego miętą.

– Zgadza się – powiedział. – Krew leci i leci. Ale to dobrze, oczyści ranę. Boli?

– Trochę – odparła Grace.

Rzucił na nią badawcze spojrzenie. Może się zastanawiał, czy poczuła zapach i co o tym myśli.

– Wierzę. Widzisz ten kawałek skóry? Musimy się dostać pod spód i upewnić, że jest tam czysto, a potem założę ze dwa szwy. Mam coś, czym mogę to miejsce posmarować, i nie będzie bolało tak bardzo, jak się obawiasz. – Spojrzał na Gretchen. – Hej, publiczności nie potrzebujemy.

Do tej pory nie odezwał się ani słowem do matki, która teraz powtórzyła, jak to się świetnie złożyło, że przyjechał w samą porę.

– Harcerz – powiedział. – Zawsze w pogotowiu.

Po ruchach jego dłoni nie było widać, żeby był pijany, po oczach też nic nie można było poznać. Nie przypominał jowialnego wuja, którego udawał, rozmawiając z dziećmi, ani dostawcy pocieszającej pogawędki, jakiego odgrywał przed Grace. Miał wysokie blade czoło, grzywę mocno skręconych szpakowatych włosów, jasne szare oczy i szerokie usta z wąskimi wargami, które wykrzywiały się jakby ze zniecierpliwienia, z łapczywości czy z bólu.

Neil zabandażował skaleczenie na schodach – Gretchen wróciła do kuchni i kazała dzieciom pójść z sobą, ale pani Travers została, przypatrując się uważnie, z zaciśniętymi ustami, jakby obiecywała, że nie będzie przeszkadzać – a kiedy skończył, powiedział, że najlepiej będzie, jeżeli zawiezie Grace do szpitala w mieście.

– Na zastrzyk przeciwtężcowy.

– Zbytnio mnie nie boli – powiedziała Grace.

– Nie o to chodzi – rzucił Neil.

– Też tak uważam – stwierdziła pani Travers. – Tężec... To straszne.

– Nie zajmie nam to zbyt długo – powiedział Neil. – Proszę. Grace? Grace, pomogę ci przejść do samochodu. – Wziął ją pod ramię. Grace zapięła jeden sandał i wsunęła palce w drugi, żeby móc go ciągnąć po ziemi. Bandaż był bardzo porządnie i ciasno zawiązany.

– Skoczę do domu – powiedział Neil, kiedy Grace siedziała w samochodzie. – Żeby przeprosić.

Gretchen? Mavis?

Pani Travis zeszła z werandy. Na jej twarzy rysował się mglisty entuzjazm, tego dnia całkiem u niej naturalny, wręcz niepohamowany. Położyła rękę na drzwiach samochodu.

– To dobrze – powiedziała. – To bardzo dobrze. Grace, jesteś darem niebios. Postarasz się powstrzymać go dziś od picia, co? Już ty będziesz wiedziała, jak to zrobić.

Grace słyszała te słowa, ale nie zwróciła na nie większej uwagi. Za bardzo zaniepokoiła ją zmiana w pani Travers, jakby zwiększenie masy ciała, sztywność ruchów, przypadkowa i dość gorączkowa aura dobrotliwości, łzy zadowolenia płynące jej z oczu. I lekki nalot w kącikach ust, przypominający kryształki cukru.

Do szpitala w Carleton Place jest pięć kilometrów. Nad torami kolejowymi przebiega wiadukt, wjechali na niego z taką szybkością, że Grace miała wrażenie, jakby na górze samochód uniósł się w powietrze. Na drodze prawie nie było ruchu, nie bała się, zresztą co mogła zrobić?

Neil znał pielęgniarkę, która miała dyżur na izbie przyjęć, i kiedy wypełnił formularz i pozwolił jej rzucić okiem na stopę Grace („Dobra robota" – stwierdziła obojętnie), mógł sam zrobić dziewczynie zastrzyk przeciwtężcowy. („Teraz nie będzie bolało, ale później może boleć"). Kiedy skończył, pielęgniarka weszła do boksu i powiedziała:

– W poczekalni jest facet, który przyjechał, żeby ją zabrać do domu. Mówi, że jest pani narzeczonym – zwróciła się do Grace.

– Niech mu pani powie, że jeszcze nie skończyliśmy – odparł Neil. – Albo nie, niech pani powie, że już pojechaliśmy.

– Powiedziałam, że tu jesteście.

– Ale kiedy pani wróciła, już nas nie było.

– Mówił, że jest pana bratem. Zobaczy pański samochód na parkingu.

– Zaparkowałem z tyłu. Na parkingu dla lekarzy.

– Bar-dzo spryt-nie – rzuciła pielęgniarka przez ramię.

A Neil spytał Grace:

– Nie chciałaś jeszcze wracać do domu, prawda?

– Nie – odparła Grace, jakby miała to słowo napisane przed sobą na ścianie. Jakby to było badanie wzroku.

Znów pomógł jej przejść do samochodu, z sandałem zwisającym na pasku, i posadził ją na kremowej tapicerce. Wyjechali z parkingu boczną ulicą, a potem nieznaną drogą z miasta. Grace wiedziała, że nie spotkają Maury'ego. Nie musiała o nim myśleć. Ani tym bardziej o Mavis.

Opisując później to przejście, tę zmianę w swoim życiu, Grace mogła powiedzieć – i powiedziała – że to było tak, jakby brama zatrzasnęła się za nią ze szczękiem. Ale wtedy nie słyszała szczęku, tylko przeszyła ją fala przyzwolenia, a ci, których zostawiła za sobą, nie mieli już do niej żadnych praw.

Pamiętała tamten dzień wyraźnie i szczegółowo, chociaż w niektórych fragmentach jej wspomnień, które rozpamiętywała, były rozbieżności.

Co do pewnych szczegółów nawet musiała się mylić.

Najpierw jechali na zachód autostradą numer 7. We wspomnieniach Grace na drodze nie ma żadnego innego samochodu, a szybkość, z jaką jadą, przypomina lot na wiadukcie. To nie mogło być prawdą: na autostradzie na pewno byli inni ludzie, wracający do domu w niedzielny ranek albo jadący do rodzin na Święto Dziękczynienia. W drodze do kościoła lub z kościoła do domu. Neil na pewno zwalniał, kiedy przejeżdżali przez wioski lub przedmieścia i na licznych zakrętach starej autostrady. Grace nie była przyzwyczajona do jazdy kabrioletem z odsuniętym dachem, z wiatrem w oczach, z wiatrem władającym jej włosami. Dawało jej to złudzenie stałej prędkości, doskonałego lotu – nie szaleńczego, lecz cudownego, spokojnego.

I choć wymazała z głowy Maury'ego, Mavis i resztę rodziny, zostały jakieś fragmenty pani Travers, która wyczekiwała na dogodny moment, a potem przekazała swoje ostatnie przesłanie – szeptem i z dziwnie zawstydzonym chichotem.

„Już ty będziesz wiedziała, jak to zrobić".

Oczywiście Grace i Neil nie rozmawiali. Tak jak Grace to pamięta, musieliby krzyczeć, żeby się usłyszeć. A to, co pamięta, prawdę mówiąc, niemal się nie różni od jej wyobrażeń, jej ówczesnych fantazji o tym, jaki powinien być seks. Przypadkowe spotkanie, przyciszone, ale silne sygnały, prawie milcząca ucieczka, w której ją samą można by uważać niemal za jeńca. Nonszalancka kapitulacja i ciało teraz tylko jako strumień pożądania.

Zatrzymali się w końcu w Kaladar i poszli do hotelu, starego hotelu, który wciąż tam stoi. Neil wziął ją za rękę i ściskając jej palce między swoimi, zwalniając krok, aby się dopasować do jej nierównego chodu, zaprowadził ją do baru. Grace poznała, że to bar, chociaż nigdy przedtem w żadnym nie była. (Hotel Bailey's Falls nie miał jeszcze pozwolenia na sprzedaż alkoholu – popijało się w pokojach albo w dość obskurnym lokalu naprzeciwko zwanym „nocnym klubem"). Bar był taki, jak się spodziewała – ciemne i duszne pomieszczenie, w którym krzesła i stoły ustawiono byle jak po pospiesznym sprzątaniu, a zapach lizolu nie zlikwidował woni piwa, whisky, cygar, fajek, mężczyzn.

W barze było pusto, może otwierali go dopiero po południu. Ale czy teraz już nie było po południu? Jej poczucie czasu szwankowało.

Z innego pomieszczenia wyszedł jakiś człowiek i pozdrowił Neila.

– Cześć, doktorze – powiedział i wszedł za ladę.

Grace podejrzewała, że tak będzie – wszędzie, gdzie się zjawią, spotkają jakiegoś znajomego Neila.

– Wie pan, że dziś niedziela – oznajmił barman podniesionym, surowym głosem, niemal krzycząc, jakby chciał, żeby go było słychać na parkingu. – Nie mogę tu panu niczego sprzedać w niedzielę. A jej w ogóle nie mogę niczego sprzedać. Nie powinna tu wchodzić. Rozumie pan?

– Tak, proszę pana. Oczywiście, proszę pana. Zgadzam się z panem – przyznał Neil.

Kiedy mężczyźni rozmawiali, barman wyjął butelkę whisky z ukrytej półki, nalał do szklaneczki i przesunął ją po ladzie do Neila.

– Chcesz pić? – spytał Grace, jednocześnie otwierając colę. Podał jej butelkę bez szklanki.

Neil położył na kontuarze banknot, ale mężczyzna go odsunął.

– Mówiłem, że nie mogę niczego sprzedawać.

– A cola? – spytał Neil.

– Nie mogę sprzedać.

Barman odstawił butelkę, Neil wypił duszkiem to, co miał w szklance.

– Jest pan dobrym człowiekiem – powiedział. – Duchem prawa.

– Zabierzcie ze sobą colę. Im szybciej ona stąd wyjdzie, tym będę szczęśliwszy.

– Jasne. To dobra dziewczyna – powiedział Neil. – Moja bratowa. Przyszła bratowa. O ile dobrze rozumiem.

– Naprawdę?

Nie wrócili na autostradę numer 7, lecz pojechali na północ drogą, która nie była wybrukowana, ale dość szeroka i przyzwoicie utwardzona. Alkohol w wypadku Neila zdawał się mieć odwrotny efekt od tego, o jakim zwykle myśli się w kontekście prowadzenia samochodu. Neil zwolnił do stosownej, a nawet ostrożnej prędkości wymaganej na tej drodze.

– Nie przeszkadza ci? – zapytał.

– Co? – spytała Grace.

– To, że cię ze sobą ciągnę?

– Nie.

– Potrzebuję twojego towarzystwa. Jak twoja stopa?

– W porządku.

– Na pewno trochę boli.

– Właściwie nie. Jest w porządku.

Wziął jej rękę, tę, w której nie trzymała butelki z colą, przycisnął wnętrze dłoni do ust, polizał i puścił.

– Myślałaś, że cię porywam w niecnych zamiarach?

– Nie – skłamała Grace. Pomyślała, że to słowo w stylu jego matki. „Niecne".

– Były czasy, że miałabyś rację – stwierdził, jakby odpowiedziała „tak". – Ale nie dzisiaj. Nie sądzę. Dziś jesteś bezpieczna jak w kościele.

Zmieniony ton jego głosu, który stał się intymny, szczery i spokojny, oraz wspomnienie przyciśniętych warg, a potem języka przemykającego po skórze tak bardzo wpłynęły na Grace, że słyszała słowa, ale nie rozumiała sensu tego, co mówił. Czuła sto, kilkaset dotknięć języka, błagalny taniec na całej skórze. Mimo to powiedziała:

– Kościoły nie zawsze są bezpieczne.

– Prawda. Prawda.

– I nie jestem twoją bratową.

– Przyszłą. Nie mówiłem, że przyszłą?

– Też nie jestem.

– No, tak, chyba mnie to nie dziwi. Nie, nie dziwi.

Głos Neila znów się zmienił, stał się rzeczowy.

– Szukam skrętu w prawo. Jest tu gdzieś droga, którą powinienem poznać. Znasz tę okolicę?

– Nie, nie znam.

– Nie znasz Flower Station? Oompah, Poland? Snow Road?

Nigdy o nich nie słyszała.

Skręcił w prawo, mrucząc z powątpiewaniem pod nosem. Nie było żadnych znaków. Ta droga była węższa i bardziej wyboista, z wąskim mostkiem z desek. Po bokach rósł las liściasty, u góry drzewa splatały swe gałęzie. Liście tego roku wciąż jeszcze nie zżółkły z powodu dziwnie ciepłej pogody, więc gałęzie te nadal były zielone, tylko czasem, tu i ówdzie, zdarzała się kolorowa, migocząca z daleka jak sztandar. Sprawiało to wrażenie świątyni. Neil i Grace milczeli przez wiele kilometrów i ciągle nie było prześwitu między drzewami, nie było końca lasu. Neil przerwał ten spokój.

– Umiesz prowadzić? – spytał, a kiedy Grace powiedziała, że nie, stwierdził: – Myślę, że powinnaś się nauczyć.

Myślał, że od zaraz. Zatrzymał samochód, wysiadł i przeszedł na jej stronę. Grace musiała usiąść za kierownicą.

– To bardzo dobre miejsce.

– A jak coś nadjedzie?

– Nie nadjedzie. W razie czego damy sobie radę. Dlatego wybrałem prosty kawałek. Nie martw się, wszystko robi się prawą stopą.

Znajdowali się na początku długiego tunelu pomiędzy drzewami. Na ziemi rozlewały się plamy słońca. Neil nie zamierzał jej niczego tłumaczyć – pokazał tylko, gdzie postawić nogę, i kazał kilka razy przećwiczyć zmianę biegów, a potem powiedział:

– Teraz jedź i rób, co ci mówię.

Pierwszy zryw samochodu przeraził Grace. Zgrzytnęła sprzęgłem i myślała, że to natychmiast zakończy lekcję, ale Neil tylko się roześmiał.

– Hej, uważaj. Uważaj. Jedź dalej – powiedział i Grace go posłuchała.

Nie komentował jej kręcenia kierownicą ani tego, że zapominała przy tym o dodaniu gazu, tylko mówił:

– Jedź, jedź, trzymaj się drogi, uważaj, żeby silnik nie zgasł.

– Kiedy mogę się zatrzymać?

– Dopiero gdy ci powiem, jak to zrobić.

Kazał jej jechać, dopóki nie wyjechali z tunelu, a potem poinstruował ją na temat hamulca. Gdy tylko stanęła, otworzyła drzwi, żeby mogli zamienić się miejscami, ale Neil powiedział:

– Nie, to tylko chwila odpoczynku. Niedługo polubisz jazdę samochodem.

Kiedy znowu ruszyli, Grace pomyślała, że może Neil ma rację. Jej chwilowy przypływ pewności siebie o mało nie skończył się w rowie. Neil, gdy musiał złapać za kierownicę, tylko się roześmiał i lekcja trwała nadal.

Nim pozwolił jej się zatrzymać, przejechali wiele kilometrów i nawet – powoli – pokonali szereg zakrętów. W końcu Neil stwierdził, że chyba lepiej się zamienić, bo jeśli sam nie prowadzi, nie ma wyczucia kierunku.

Spytał Grace, jak się czuje.

– Dobrze – odparła, mimo że cała drżała.

Pogładził ją po ramieniu, od barku do łokcia, i powiedział:

– Kłamczucha.

Ale poza tym jej nie dotknął, żadna część jej ciała nie poznała dotyku jego warg.

Po paru kilometrach, kiedy dojechali do skrzyżowania, najwyraźniej odzyskał orientację, bo skręcił w lewo, drzewa przerzedziły się, wjechali wyboistą drogą na długie wzgórze i po kilku kilometrach dojechali do wioski czy przynajmniej grupy budynków. Były wśród nich kościół i sklep, ale żaden nie służył swym pierwotnym celom; prawdopodobnie ktoś w nich mieszkał, sądząc po stojących obok samochodach i żałosnych firankach w oknach. Kilka domów było w podobnym stanie, a za jednym z nich stała rozwalona stodoła ze starym pociemniałym sianem wyłażącym spomiędzy popękanych belek niczym spuchnięte wnętrzności.

Neil na ten widok wykrzyknął z radości, ale się nie zatrzymał.

– Co za ulga – powiedział. – Co-za-ulga. Teraz wiem. Dziękuję ci.

– Mnie?

– Za to, że pozwoliłaś mi uczyć cię prowadzenia samochodu. To mnie uspokoiło.

– Uspokoiło? – zdziwiła się Grace. – Naprawdę?

– Naprawdę.

Neil uśmiechał się, ale nie patrzył na Grace. Zajęty był rozglądaniem się na lewo i prawo po polach, które leżały przy drodze za wioską. Mówił tak, jakby mówił do siebie.

– To jest to. Musi tak być. Teraz wiemy.

I tak dalej, dopóki nie skręcił w wąską drogę, która nie prowadziła prosto, lecz wiła się przez pola, omijając kamienie i krzaki jałowca. Na końcu drogi stał dom w stanie nie lepszym od domów w wiosce.

– W to miejsce – powiedział Neil – w to miejsce cię nie zabiorę. Wracam za pięć minut.

Nie było go dłużej.

Grace siedziała w samochodzie, w cieniu domu. Drzwi do budynku były otwarte, zamknięto jedynie wewnętrzną ramę z siatką. Siatka miała łaty, nowy drut wpleciony w stary. Nikt nie wyszedł, żeby spojrzeć na Grace, nawet pies. Teraz, kiedy samochód się zatrzymał, dzień wypełniała nienaturalna cisza. Nienaturalna, bo w takie gorące popołudnie można by się spodziewać bzyczenia, buczenia i cykania owadów w trawie i krzakach jałowca. Nawet jeśli owadów nigdzie nie widać, zwykle ich dźwięki wydobywają się ze wszystkiego, co rośnie na ziemi, aż po horyzont. Jednak tego roku było już na to za późno, może też za późno na klangor gęsi odlatujących na południe. Grace w każdym razie niczego nie słyszała.

Wydawało się, że są tutaj na szczycie świata, lub na jednym z jego szczytów. Ze wszystkich stron pola opadały w dół, drzewa widoczne były tylko częściowo, gdyż rosły na niżej położonych terenach.

Kogo Neil tu znał, kto mieszkał w tym domu? Kobieta? Wydawało się niemożliwe, aby kobieta, jakiej mógłby chcieć Neil, mogła mieszkać w takim miejscu, ale nie było końca dziwom, jakie spotykały dziś Grace. Bez końca.

Kiedyś stał tu ceglany dom, ale ktoś zaczął go rozbierać. Pod spodem były zwyczajne drewniane ściany, a cegły, które je przykrywały, leżały w stosach na podwórzu, może czekały, aż je ktoś kupi. Cegły pozostawione na jednej z elewacji tworzyły ukośną linię w formie schodów i Grace, nie mając nic do roboty, odchyliła się do tyłu i odsunęła siedzenie, żeby je policzyć. Liczyła trochę dla żartu, trochę na poważnie, tak jak się zrywa płatki kwiatu, choć nie z tak oczywistą wyliczanką jak „kocha, nie kocha".

„Szczęście. Nie. Szczęście. Nie". Tylko na tyle się odważyła.

Okazało się, że trudno śledzić wzrokiem cegły ułożone w zygzak, zwłaszcza że nad drzwiami linia się spłaszczyła.

Wiedziała. Co to mogło być innego? Melina. Przypomniała sobie przemytnika alkoholu w jej rodzinnej miejscowości – zmęczony, chudy, stary człowiek, wiecznie ponury i podejrzliwy. W Halloween siedział ze strzelbą na schodkach przed swoim domem. I numerował farbą drwa ułożone koło drzwi, żeby sprawdzać, czy nikt mu żadnego nie ukradł. Myślała o nim, lub o tym tutaj, jak drzemie w upale, w brudnym, ale z grubsza zadbanym pokoju (taki właśnie był, sądząc po łatach w siatce). Jak wstaje z trzeszczącego łóżka czy kanapy, spod poplamionej kapy, którą jakaś jego krewna, jakaś nieżyjąca już kobieta, uszyła dawno, dawno temu.

Grace nigdy nie była na melinie, ale tam, gdzie mieszkała, granica między uczciwymi i nieuczciwymi sposobami biednego życia była bardzo cienka. Grace dobrze o tym wiedziała.

Dziwne, że wcześniej myślała o wyjściu za Maury'ego. To byłaby swego rodzaju zdrada. Zdrada wobec siebie. Ale nie jest zdradą jazda z Neilem, bo on zna część tych samych rzeczy co ona. A poza tym Grace przez cały czas dowiadywała się o nim coraz więcej.

A teraz wydało jej się, że w drzwiach widzi swego wuja, zgarbionego i spoglądającego na nią ze zdumieniem, jakby nie widział jej całymi latami. Jakby obiecała, że wróci do domu, a potem zupełnie o tym zapomniała, a on powinien już dawno umrzeć, lecz nie umarł.

Usiłowała coś do niego powiedzieć, ale znikł. A ona budziła się, poruszała. Była z Neilem w samochodzie, znowu w drodze. Wcześniej spała z otwartymi ustami i chciało jej się pić. Neil odwrócił się do niej na chwilę i poczuła, nawet mimo wiatru, który ich owiewał, świeży zapach whisky.

To była prawda.

– Obudziłaś się? Mocno spałaś, kiedy stamtąd wyszedłem – powiedział Neil. – Przepraszam, musiałem przez chwilę dotrzymać komuś towarzystwa. Jak twój pęcherz?

To był problem, o którym myślała, kiedy zatrzymali się przed domem. Widziała za budynkiem ubikację, ale wstydziła się wysiąść z samochodu i tam pójść.

– Tu chyba może być – stwierdził i stanął.

Grace wysiadła i poszła między kwitnące nawłocie, trybule i dzikie astry, żeby ukucnąć. Neil stał pośród takich samych kwiatów po drugiej stronie drogi, tyłem do niej. Kiedy wsiadła z powrotem do samochodu, zobaczyła na podłodze, przy swoich stopach, butelkę. Brakowało ponad jednej trzeciej zawartości.

Zauważył spojrzenie Grace.

– Nie martw się – uspokoił ją. – Nalałem trochę tutaj. – Pokazał piersiówkę. – Tak jest łatwiej, jak prowadzę.

Na podłodze leżała też następna butelka coli. Neil powiedział, żeby zajrzała do schowka i wyjęła otwieracz.

– Jest zimna – stwierdziła Grace ze zdumieniem.

– Lodówka. W zimie wycinają tafle lodu na jeziorze i trzymają w trocinach. On to przechowuje pod domem.

– Wydawało mi się, że widziałam mojego wuja w drzwiach tego domu – powiedziała Grace. – Ale to mi się śniło.

– Mogłabyś mi opowiedzieć o wuju. Powiedz mi, gdzie mieszkasz. O pracy. Wszystko jedno o czym. Lubię słuchać, jak mówisz.

Jego głos zabrzmiał z nową siłą i twarz mu się zmieniła, ale nie był to błyszczący rumieniec po alkoholu. Wyglądał, jakby zachorował, chociaż nie dramatycznie, jakby się tylko trochę źle poczuł i chciał udowodnić, że już mu jest lepiej. Zakręcił piersiówkę, odłożył ją i wziął Grace za rękę. Trzymał ją lekko, w przyjacielskim uścisku.

– Jest dość stary – powiedziała Grace. – W gruncie rzeczy jest moim ciotecznym dziadkiem. Jest wyplataczem, to znaczy wyplata krzesła. Nie potrafię ci wyjaśnić, ale mogłabym pokazać, gdybyśmy mieli krzesło do wyplecenia...

– Nie widzę tu krzesła.

Grace roześmiała się i stwierdziła:

– To jest dość nudne zajęcie.

– To powiedz mi, co cię interesuje. Co cię interesuje?

– Ty.

– Och. Co cię we mnie interesuje? – Zabrał rękę.

– To, co teraz robisz – powiedziała zdecydowanym tonem Grace. – Dlaczego.

– Chodzi ci o picie? Dlaczego piję? – Zakrętka piersiówki znów była odkręcona. – Dlaczego mnie nie spytasz?

– Bo wiem, co byś powiedział.

– Co takiego? Co bym powiedział?

– Powiedziałbyś: a co mam robić? Czy coś w tym rodzaju.

– To prawda. Powiedziałbym coś takiego. A na to ty usiłowałabyś mi wytłumaczyć, dlaczego źle robię.

– Nie – zaprzeczyła Grace. – Nie tłumaczyłabym.

Kiedy to powiedziała, poczuła chłód. Przedtem myślała, że mówi na serio, ale teraz zrozumiała, że usiłowała mu zaimponować tymi odpowiedziami, pokazać, że jest tak samo obyta w świecie jak on, i przypadkiem natknęła się na najgłębszą prawdę. Ten brak nadziei – autentyczny, uzasadniony i wieczny.

– Nie? Nie, nie tłumaczyłabyś. To duża ulga. Jesteś ulgą, Grace.

Po pewnym czasie Neil powiedział:

– Wiesz co, chce mi się spać. Jak znajdziemy dobre miejsce, zatrzymam się i zdrzemnę. Tylko przez chwilę. Nie masz nic przeciwko temu?

– Nie mam. Chyba powinieneś to zrobić.

– Będziesz nade mną czuwać?

– Tak.

– To dobrze.

Znalazł miejsce w miasteczku, które nazywało się Fortune. Na przedmieściu był tam park nad rzeką i wysypany żwirem parking. Neil opuścił oparcie i natychmiast zasnął. Ściemniło się, tak jak i teraz, w porze kolacji, jakby na dowód, że nie był to letni dzień. Niewiele wcześniej jacyś ludzie zrobili tam sobie piknik z okazji Święta Dziękczynienia – znad paleniska pod gołym niebem wciąż unosił się dym i zapach hamburgerów. Zapach nie sprawił, że Grace poczuła głód, lecz przypomniał jej, jak bywała głodna w innych okolicznościach.

Neil od razu zasnął, a Grace wysiadła. Kiedy ruszała i zatrzymywała się podczas lekcji prowadzenia, osiadło na niej trochę kurzu. Umyła ramiona, dłonie i twarz, najlepiej jak się dało pod kranem z bieżącą wodą. Potem, uważając na skaleczoną nogę, wolno podeszła do brzegu rzeki i zobaczyła, że jest tam płytko, a trzciny wystają nad powierzchnię wody. Tabliczka ostrzegała, że zabrania się tutaj nieobyczajnego zachowania i używania wulgarnych słów pod groźbą kary.

Grace usiadła na huśtawce, zwróconej na zachód. Rozhuśtała się wysoko i patrzyła w czyste niebo – lekko zielone, bladozłote, z jaskrawym różowym brzegiem na horyzoncie. Robiło się zimno.

Pomyślała, że to dotyk. Usta, języki, skóra, ciała, uderzanie kości o kość. Rozpalenie. Namiętność. Ale to wcale nie było im przeznaczone. To była dziecinna zabawa w porównaniu z tym, do jakiego stopnia go poznała, jak głęboko w niego teraz wejrzała.

Zobaczyła to, co ostateczne. Jakby znajdowała się na brzegu płaskiej, ciemnej tafli wody, która ciągnie się w nieskończoność. Zimna, gładka woda. Widok takiej ciemnej, zimnej, gładkiej wody i świadomość, że nie ma niczego więcej.

To nie picie było za to odpowiedzialne. Niezależnie od wszystkiego czaiło się to samo, przez cały czas. Picie, potrzeba picia – to był tylko rodzaj odmiany, jak wszystko inne.

Wróciła do samochodu i próbowała go obudzić. Poruszył się, ale spał dalej. Chodziła więc w kółko, żeby się rozgrzać i przećwiczyć najdogodniejszy sposób poruszania się ze skaleczoną stopą – dotarło do niej, że znowu będzie pracować, podawać rano śniadanie.

Spróbowała jeszcze raz, natarczywie do niego przemawiając. Odpowiedział obiecankami i pomrukami i znów zasnął. Zrezygnowała, kiedy zrobiło się naprawdę ciemno. Teraz, pod wpływem zimna nocy, uświadomiła sobie szereg innych faktów. Że nie mogą tu zostać, że wciąż są w końcu na tym świecie. I że ona musi wrócić do Bailey's Falls.

Z pewnym trudem przesunęła go na miejsce dla pasażera. Jeśli to go nie obudziło, to najwyraźniej nic innego by nie pomogło. Przez jakiś czas kombinowała, jak włączyć światła, a potem ruszyła, zrywami, powoli, z powrotem na drogę.

Nie miała pojęcia, w którą stronę powinna jechać, a na ulicy nie było nikogo, kogo mogłaby spytać. Pojechała więc na drugi koniec miasteczka i tam, absolutnym cudem, zobaczyła drogowskaz, na którym, między innymi, była nazwa Bailey's Falls. Tylko piętnaście kilometrów.

Jechała dwupasmową drogą, nigdy nie przekraczając pięćdziesięciu kilometrów na godzinę. Nie było dużego ruchu. Raz czy dwa wyprzedził ją samochód i zatrąbił, kilka innych też trąbiło. W jednym wypadku chyba chodziło o to, że jechała za wolno, w innym – że nie wiedziała, jak przełączyć długie światła na światła mijania. Nie szkodzi. Nie mogła się zatrzymać na środku drogi, żeby znowu nabrać odwagi. Mogła tylko jechać naprzód, tak jak mówił jej Neil. Jedź dalej.

Z początku nie poznała Bailey's Falls, docierając tam w taki niecodzienny sposób. Kiedy już się zorientowała, gdzie jest, przestraszyła się bardziej niż przez te całe piętnaście kilometrów. Jedna rzecz to jechać w nieznanym terenie, inna – stanąć przy bramie hotelu.

Neil nie spał, gdy zatrzymała się na parkingu. Wcale nie wyglądał na zdziwionego ani tym, gdzie są, ani tym, co zrobiła. Powiedział Grace, że właściwie to obudziło go trąbienie, dużo wcześniej, ale udawał, że nadal śpi, bo nie chciał jej przestraszyć. I wcale się nie denerwował. Wiedział, że Grace sobie poradzi.

Spytała, czy oprzytomniał na tyle, żeby mógł teraz sam prowadzić.

– Oczywiście. Jestem bardzo ożywiony.

Powiedział jej, żeby zsunęła sandał, po czym dotykał i naciskał w różnych miejscach jej stopę, aż w końcu stwierdził:

– W porządku. Nie jest gorąca. Ani spuchnięta. Boli cię ręka? Może nie będzie boleć.

Odprowadził ją do drzwi i podziękował za towarzystwo. Grace wciąż się dziwiła, że udało jej się bezpiecznie wrócić. Ledwo się zorientowała, że przyszła pora pożegnania.

W gruncie rzeczy Grace do dziś nie wie, czy faktycznie powiedzieli sobie „do widzenia", czy Neil tylko złapał ją, objął ramionami i zamknął w mocnym uścisku, którego natężenie wciąż się zmieniało, jakby Neil miał więcej niż dwie ręce, jakby otaczał ją swoim silnym i lekkim ciałem, jednocześnie domagającym się i odrzucającym, jakby jej mówił, że myli się, rezygnując z niego, ale też, że się nie myli, a on chciał tylko coś w niej z siebie zostawić i odejść.

Wcześnie rano do drzwi wspólnej sypialni dla kelnerek zastukał kierownik i zawołał Grace.

– Ktoś do pani dzwonił – powiedział. – Chciał tylko wiedzieć, czy pani tu jest. Powiedziałem, że sprawdzę. Już w porządku.

To Maury, pomyślała. W każdym razie ktoś z nich. Ale pewnie Maury. Teraz będzie musiała rozmówić się z Maurym.

Kiedy zeszła na dół podawać śniadanie – w płóciennych pantoflach – dowiedziała się o wypadku. Samochód uderzył w przyczółek mostu w połowie drogi do Little Sabot Lake. Wprost się w niego wbił, całkowicie się roztrzaskał i spłonął. W wypadku nie uczestniczyły inne auta i podobno w samochodzie nie było pasażerów. Kierowcę da się zidentyfikować tylko po zapisie z karty dentystycznej, do tej pory już to zapewne zrobiono.

– Straszny sposób – powiedział kierownik. – Już lepiej podciąć sobie gardło.

– To mógł być wypadek – zauważyła kucharka, optymistka z natury. – Może kierowca zasnął.

– Taa, akurat.

Ramię Grace bolało tak bardzo, jakby ktoś ją mocno uderzył. Nie mogła utrzymać na nim tacy i musiała nieść ją przed sobą w obu rękach.

Nie musiała mieć do czynienia z Maurym twarzą w twarz. Napisał do niej list.

„Napisz tylko, że cię do tego zmusił. Napisz, że nie chciałaś z nim jechać".

Odpisała w czterech słowach. „Chciałam z nim pojechać". Miała dodać: „Przepraszam", ale się powstrzymała.

Pan Travers przyjechał do Grace do hotelu. Był grzeczny i rzeczowy, chłodny, bardzo uprzejmy. Teraz zobaczyła go w warunkach, w których mógł się wykazać. Człowiek, który potrafi wziąć sprawę w swoje ręce, zrobić porządek. Powiedział, że to wszystko jest bardzo smutne, że wszystkim jest bardzo smutno, ale alkoholizm jest straszną rzeczą. Kiedy pani Travers poczuje się trochę lepiej, on zabierze ją w podróż, na wakacje, gdzieś, gdzie jest ciepło.

Potem stwierdził, że musi już iść, ma wiele spraw do załatwienia. Uścisnął dłoń Grace na do widzenia i podał jej kopertę.

– Mamy oboje nadzieję, że dobrze to wykorzystasz – powiedział.

Czek opiewał na tysiąc dolarów. W pierwszej chwili chciała go odesłać albo podrzeć i nawet teraz myśli czasami, że to byłoby coś wielkiego. Ale w końcu, oczywiście, nie zdobyła się na to. W tamtych czasach za taką sumę można było zacząć nowe życie.

Winy

Wyjechali z miasta koło północy – Harry i Delphine siedzieli z przodu, a Eileen i Lauren na tylnym siedzeniu. Niebo było czyste, śnieg opadł już z drzew, choć nie stopił się ani pod nimi, ani na skałach, które sterczały obok drogi. Harry zatrzymał samochód przy moście.

– Wystarczy.

– Ktoś nas tu może zauważyć – powiedziała Eileen. – I zatrzymać się, żeby sprawdzić, co robimy.

Harry znowu ruszył. Skręcili w pierwszą polną drogę, stanęli, wysiedli z samochodu i ostrożnie, między czarnymi koronkowymi cedrami, zeszli nad płynącą niedaleko rzekę. Śnieg lekko chrzęścił, chociaż ziemia pod nim była miękka i błotnista. Lauren nałożyła płaszcz na piżamę, ale na nogi Eileen kazała jej włożyć kalosze.

– Tu będzie dobrze? – spytała Eileen.

– To niezbyt daleko od drogi – zauważył Harry.

– Dość daleko.

To było tego roku, kiedy Harry zrezygnował z pracy w gazecie, ponieważ wypalił się zawodowo. Kupił tygodnik w małym miasteczku, które pamiętał z dzieciństwa. Jego rodzina miała kiedyś letni dom nad jednym z tutejszych jezior, a w hotelu przy głównej ulicy Harry wypił swoje pierwsze w życiu piwo. Harry, Eileen i Lauren wybrali się do tego hotelu na kolację w pierwszą niedzielę po przyjeździe.

Bar był jednak nieczynny. Harry i Eileen musieli poprzestać na wodzie.

– Dlaczego? – spytała Eileen.

Harry pytająco uniósł brwi, patrząc na obsługującego ich właściciela hotelu.

– Dlatego, że dziś niedziela? – zapytał.

– Nie mamy pozwolenia.

Właściciel mówił z silnym akcentem i jakby trochę pogardliwie. Miał na sobie koszulę, krawat, rozpinany sweter i spodnie, które wyglądały, jakby były z nim zrośnięte: miękkie, wymięte, zmechacone, niby zewnętrzna skóra, łuszcząca się i poszarzała, z pewnością podobna do prawdziwej skóry pod ubraniem.

– Kiedyś było inaczej – zauważył Harry, a kiedy mężczyzna się nie odezwał, Harry zamówił dla wszystkich pieczeń wołową.

– Czarujący – powiedziała Eileen.

– Europejski – dodał Harry. – To kwestia kulturowa. Nie czują się zmuszeni do tego, żeby się ciągle uśmiechać.

Pokazał im w sali jadalnej rzeczy, które wcale się nie zmieniły – wysoki sufit, wolno obracający się wiatrak, nawet ciemny olejny obraz przedstawiający psa myśliwskiego trzymającego w pysku ptaka o rdzawym upierzeniu.

Przyszli inni goście. Cała rodzina. Dziewczynki w lakierkach i drapiących koronkach, małe dziecko na jeszcze niepewnych nóżkach, nastolatek w garniturze, na wpół żywy ze wstydu, rozmaici rodzice i rodzice rodziców: chudy i roztargniony stary mężczyzna i stara kobieta wwieziona bocznym wejściem na wózku inwalidzkim, z bukiecikiem przypiętym do sukni. Każda z tych kobiet w kwiecistych sukniach wyglądała jak cztery Eileen razem wzięte.

– Obchodzą rocznicę ślubu – szepnął Harry.

Kiedy wychodzili, zatrzymał się, żeby przedstawić siebie i swoją rodzinę, powiedzieć, że jest nowym właścicielem gazety, i pogratulować jubilatom. Wyraził nadzieję, że nie będą mieli nic przeciwko temu, aby zapisał, jak się nazywają. Harry miał szeroką opaloną twarz, błyszczące jasnobrązowe włosy i chłopięcy wygląd. Bijące od niego poczucie zadowolenia z siebie i ogólnej satyfakcji ogarnęło całe towarzystwo przy stole, może z wyjątkiem nastolatka i starej pary. Harry spytał, ile lat są małżeństwem, i dowiedział się, że to ich sześćdziesiąta piąta rocznica.

– Sześćdziesiąt pięć lat! – wykrzyknął Harry z przejęciem. I zapytał, czy może pocałować pannę młodą, po czym ją pocałował, dotykając wargami długiego płatka ucha, kiedy kobieta odchyliła głowę w bok.

– Teraz ty pocałuj pana młodego – powiedział do Eileen, która uśmiechnęła się kwaśno i cmoknęła staruszka w czubek głowy.

Harry zapytał o receptę na szczęśliwe małżeństwo.

– Mama nie może mówić – wyjaśniła jedna z dużych kobiet. – Ale spytam tatusia. Jaka jest twoja rada na udane małżeństwo? – krzyknęła ojcu do ucha.

Staruszek skrzywił się łobuzersko.

– Trzeba je trzymać pod pantoflem.

Wszyscy dorośli wybuchnęli śmiechem.

– Dobrze, napiszę w gazecie, że zawsze trzeba pytać żonę o zgodę – skwitował Harry.

Kiedy wyszli na ulicę, Eileen powiedziała:

– Jak im się udaje tak utyć? Nie rozumiem. Trzeba by jeść dzień i noc, żeby tak się roztyć.

– Rzeczywiście to dziwne – przyznał Harry.

– Zielona fasolka była z puszki – zauważyła Eileen. – W sierpniu. Czy to nie sezon na fasolę szparagową? I w dodatku tutaj, na wsi, gdzie się podobno uprawia warzywa?

– Dziw nad dziwy – stwierdził wesoło.

W hotelu niemal natychmiast wprowadzono zmiany. W dawnej jadalni podwieszono sztuczny sufit – tekturowe kwadraty zawieszone na metalowych taśmach. Duże okrągłe stoły zastąpiono małymi kwadratowymi stolikami, a ciężkie drewniane krzesła – lekkimi metalowymi krzesełkami z plastikowymi siedzeniami w rdzawoczerwonym kolorze. Ze względu na obniżony sufit trzeba było zmniejszyć okna do przysadzistych prostokątów. W jednym z nich zainstalowano neonowy napis: ZAPRASZAMY DO KAWIARNI.

Właściciel, który nazywał się Palagian, wbrew napisowi w oknie nigdy się nie uśmiechał i nie mówił do nikogo ani o słowo więcej, niż było to konieczne.

Mimo to w południe i późnym popołudniem kawiarnię wypełniali klienci – uczniowie szkoły średniej, przeważnie z dziewiątej, dziesiątej i jedenastej klasy. A także starsi, studenci. Wielką atrakcją było to, że każdy mógł tu palić. Chociaż ktoś, kto nie wyglądał na szesnaście lat, nie mógł kupić papierosów. Pan Palagian był pod tym względem bardzo zasadniczy. „Ty nie”, mówił ochrypłym, okropnym głosem. „Ty nie”.

Zatrudnił też do pomocy kobietę i jeśli ktoś, kto był za młody, chciał u niej kupić papierosy, wybuchała śmiechem.

– Kogo chcesz nabrać, małolacie.

Z drugiej strony ktoś, kto miał szesnaście lat, albo więcej, mógł zebrać pieniądze od młodszych i kupić kilkanaście paczek.

Litera prawa, mówił Harry.

Przestał jadać tam obiady, bo przeszkadzał mu hałas, ale nadal zachodził do kawiarni na śniadania. Miał nadzieję, że pewnego dnia pan Palagian odtaje i opowie mu historię swojego życia. Harry założył specjalną teczkę z pomysłami na książki i zawsze poszukiwał ciekawych historii. Ktoś taki jak pan Palagian, albo nawet ta gruba, wyszczekana kelnerka, mówił Harry, może nosić w sobie współczesną tragedię czy przygodę, która czeka, żeby stać się bestsellerem.

Harry powiedział Lauren, że w życiu chodzi o to, aby iść przez ten świat z zainteresowaniem. Mieć oczy otwarte i dostrzegać możliwości – widzieć człowieczeństwo – w każdej spotkanej osobie. Być świadomym. Jeśli potrafił ją czegokolwiek nauczyć, to właśnie tego. Bycia świadomym.

Lauren sama robiła sobie śniadanie, przeważnie płatki z syropem klonowym zamiast mleka. Eileen brała kawę do łóżka i tam ją powoli piła. Nie chciała rozmawiać. Musiała się duchowo przygotować do nowego dnia pracy w redakcji gazety. Kiedy już się odpowiednio przygotowała – czasem dopiero po wyjściu Lauren do szkoły – wstawała z łóżka, brała prysznic i wkładała jeden ze swych mimowolnie prowokacyjnych kostiumów. W jesienne dni był to zwykle obszerny sweter, krótka skórzana spódniczka i jaskrawo kolorowe rajstopy. Eileen, podobnie jak pan Palagian, bez trudu odróżniała się wyglądem od innych ludzi w tym mieście, ale w przeciwieństwie do niego była piękna – z krótko ostrzyżonymi czarnymi włosami, cienkimi złotymi kolczykami niczym wykrzykniki i jasnofioletoworóżowymi powiekami. W redakcji zachowywała się stanowczo, przybierała wyniosły wyraz twarzy, ale od czasu do czasu rozdawała strategiczne, ożywione uśmiechy.

Wynajęli dom na skraju miasteczka. Tuż za ich podwórzem, z tyłu domu, rozciągała się wakacyjna dzikość skalnych występów, granitowych zboczy, cedrowych mokradeł i małych jeziorek oraz mieszany las topoli, miękkich klonów, modrzewi i świerków. Harry pokochał to miejsce. Mówił, że któregoś ranka mogą się obudzić i zobaczyć na podwórzu łosia. Lauren wracała ze szkoły, kiedy słońce świeciło już nisko nad horyzontem i umiarkowane ciepło jesiennego dnia okazywało się oszustwem. W domu panował chłód i pachniało wczorajszą kolacją, zwietrzałą kawą i śmieciami, których wynoszenie należało do obowiązków Lauren. Harry przygotował miejsce na kompost i chciał w przyszłym roku założyć ogródek warzywny. Lauren wynosiła wiaderko z obierzynami, ogryzkami jabłek, fusami kawy i resztkami jedzenia na skraj lasu, skąd mógł wyjść łoś albo niedźwiedź. Liście topoli zżółkły, puszyste pomarańczowe kolce modrzewi odcinały się na tle ciemnozielonych igieł. Lauren wyrzucała śmieci i zasypywała je ziemią i ściętą trawą, tak jak pokazał jej Harry.

Życie Lauren wyglądało teraz inaczej niż przed paroma tygodniami, kiedy w gorące popołudnia jeździli razem z Harrym i Eileen popływać w jednym z jeziorek. Później, wieczorami, Lauren i Harry wychodzili pobuszować po mieście, a Eileen szlifowała, malowała i tapetowała ściany; twierdziła, że robota idzie jej lepiej i szybciej, gdy jest sama. Od Harry'ego wymagała jedynie, żeby wyniósł do obskurnego pomieszczenia w suterenie wszystkie swoje pudełka z papierami, szafkę z dokumentami i biurko. Lauren pomagała Harry'emu.

Jedno z tekturowych pudełek, które podniosła, było dziwnie lekkie, jakby nie wypełniały go papiery, lecz coś miękkiego, materiał czy włóczka.

– Co to jest? – spytała.

Harry zobaczył, że je trzyma, i powiedział:

– O, mój Boże!

Wziął pudełko z rąk Lauren, włożył do szuflady szafki i ją zatrzasnął.

– Och, Boże – powtórzył.

Nigdy nie mówił do niej tak szorstkim i zirytowanym tonem. Rozejrzał się, jakby spodziewał się, że ktoś ich obserwuje, a potem otrzepał ręce o spodnie.

– Przepraszam – powiedział. – Nie sądziłem, że to weźmiesz.

Oparł łokcie na szafce z dokumentami i zakrył czoło dłońmi.

– Posłuchaj – zaczął. – Posłuchaj, Lauren. Mógłbym wymyślić dla ciebie jakieś kłamstwo, ale powiem ci prawdę. Ponieważ uważam, że dzieciom należy mówić prawdę. Przynajmniej dzieciom w twoim wieku. Ale w tym wypadku to musi być sekret. Dobrze?

– Dobrze – przytaknęła Lauren. Już wiedziała, że wolałaby tego nie słyszeć.

– Tam są prochy – powiedział Harry. Wymówił słowo „prochy" dziwnie zniżonym głosem. – Prochy skremowanego dziecka. To dziecko umarło przed twoim urodzeniem. Rozumiesz? Usiądź.

Lauren usiadła na stosie notesów w twardych okładkach z tekstami Harry'ego. Harry podniósł głowę i spojrzał na córkę.

– Widzisz, to, co ci mówię, jest bardzo denerwujące dla Eileen i dlatego musi pozostać tajemnicą. Dlatego też nigdy wcześniej o tym nie słyszałaś, bo Eileen nie lubi sobie o tym przypominać. Teraz rozumiesz?

Lauren powiedziała, co miała powiedzieć. Tak.

– Teraz posłuchaj, mieliśmy to dziecko, zanim się urodziłaś. Małą dziewczynkę, a kiedy była jeszcze bardzo malutka, Eileen zaszła w ciążę. Okropnie to przeżywała; dopiero co się przekonała, ile jest roboty przy małym dziecku, a w dodatku nie mogła spać i ciągle wymiotowała, bo miała poranne nudności. To zresztą nie były tylko poranne nudności, ale poranne, południowe i wieczorne nudności, i Eileen już nie wiedziała, jak sobie z tym wszystkim poradzić. Z byciem w ciąży. Jednego wieczoru, kiedy nie wiedziała, co robić, pomyślała, że musi wyjść. Wsiadła do samochodu i wzięła ze sobą dziecko w foteliku, było już ciemno, padał deszcz, jechała za szybko i wypadła z zakrętu. Dziecko nie było dobrze zapięte i wypadło z fotelika. A Eileen połamała żebra i miała wstrząs mózgu, i przez jakiś czas wydawało się, że stracimy oboje dzieci.

Harry odetchnął głęboko.

– To znaczy jedno już straciliśmy. Zginęło, kiedy wyleciało z fotelika. Ale nie straciliśmy tego dziecka, które nosiła Eileen. Ponieważ. To byłaś ty. Rozumiesz? Ty.

Lauren niemal niezauważalnie skinęła głową.

– Nie mówiliśmy ci o tym nie tylko ze względu na stan nerwów Eileen, ale i dlatego, że obawialiśmy się, czy nie poczujesz się niechciana. Nie bardzo chciana od samego początku, w tych okolicznościach. Ale musisz mi wierzyć, że byłaś chcianym dzieckiem. Och, Lauren. Naprawdę.

Zdjął ręce z szafki, podszedł i objął Lauren. Pachniał potem i winem, które pili z Eileen przy kolacji, Lauren czuła się bardzo niezręcznie i nieprzyjemnie. Opowieść nie zrobiła na niej większego wrażenia, chociaż prochy były trochę makabryczne. Jednak uwierzyła Harry'emu, że Eileen bardzo się tym przejęła.

– I o to się kłócicie? – spytała od niechcenia. Harry cofnął rękę.

– Kłótnie – stwierdził ze smutkiem. – Być może cała ta historia leży u ich podłoża. U podłoża jej histerii. Bardzo źle się z tym wszystkim czuję. Naprawdę.

Kiedy wychodzili z domu na spacer, Harry pytał czasem Lauren, czy się martwi albo czy jest jej przykro z powodu tego, co jej powiedział.

– Nie – mówiła stanowczym, dość zniecierpliwionym głosem.

– To dobrze – stwierdzał Harry.

Na każdej ulicy była jakaś ciekawostka: wiktoriańska rezydencja (dziś dom opieki), wieża z cegły – jedyna pozostałość po fabryce szczotek, cmentarz z 1842 roku. Na kilka dni rozstawiło się wesołe miasteczko. Harry i Lauren przyglądali się ciężarówkom, jak jedna po drugiej przebijały się przez błoto, ciągnąc przyczepy załadowane betonowymi kostkami, które przesuwały się do przodu, przez co przyczepą zarzucało, więc ciężarówki hamowały i znowu ruszały. Harry i Lauren wybierali sobie po jednej i im kibicowali.

Teraz Lauren zdawało się, że tamten czas miał w sobie fałszywy blask, jakiś brawurowy i głupawy entuzjazm, nie biorący w ogóle pod uwagę ciężaru codzienności czy rzeczywistości, z którymi musiała sobie radzić, odkąd rozpoczęła się szkoła, zaczęła wychodzić gazeta i zmieniła się pogoda. Niedźwiedź czy łoś to prawdziwe dzikie zwierzęta zajęte własnymi potrzebami, a nie jakaś sensacja. I dziś Lauren nie skakałaby już do góry i nie piszczała, jak robiła to w wesołym miasteczku, kibicując swojej ciężarówce. Jeszcze zobaczyłby ją ktoś ze szkoły i pomyślał, że jest szurnięta.

Zresztą i tak niewiele się to różniło od tego, co o niej myśleli w szkole.

Izolacja Lauren wynikała z jej wiedzy i z doświadczenia, które, jak przeczuwała, mogły wyglądać na naiwność i zarozumiałość. Znała sprawy, które dla innych uczniów były grzesznymi sekretami, i nie umiała udawać, że jest inaczej. To różniło ją od rówieśników, podobnie jak i to, że umiała prawidłowo wymawiać „L'Anse aux Meadows" i czytała *Władcę pierścieni*. Kiedy miała pięć lat, wypiła pół butelki piwa, a w wieku sześciu lat zaciągnęła się skrętem. Ani jedno, ani drugie jej nie smakowało. Czasami piła trochę wina do kolacji, i to jej smakowało. Wiedziała, co to jest seks oralny, jakie są metody antykoncepcyjne i jak to robią homoseksualiści. Regularnie widywała Harry'ego i Eileen nago, widziała też grupę ich nagich przyjaciół wokół ogniska w lesie. Podczas tych samych wakacji razem z innymi dziećmi podglądała ojców, którzy po wcześniejszym uzgodnieniu wślizgiwali się do namiotów matek, które nie były ich żonami. Jeden z chłopaków zaproponował jej seks i Lauren się zgodziła, ale mu nie wyszło i się pogniewali, a później nie mogła wręcz na niego patrzeć.

To wszystko było tu dla niej ciężarem, źródłem poczucia wstydu i dziwnego smutku, a nawet straty. I niewiele mogła na to poradzić, poza tym, żeby w szkole mówić o Harrym i Eileen „mama" i „tata". To ich jakby powiększało, ale i rozmywało. Kiedy tak ich nazywała, napięte kontury Harry'ego i Eileen stawały się lekko zamazane, a ich osobowości trochę zatarte. Nie umiała tego powtórzyć w ich obecności. Nie umiała nawet przyznać, że mogłoby jej to przynieść pewną ulgę.

Dla części dziewczyn z klasy Lauren sąsiedztwo kawiarni było nieodpartą pokusą, ale bały się tam pójść, wchodziły więc do hotelu i szły do damskiej toalety. Tam spędzały kwadrans lub pół godziny, wypróbowywały na sobie i na koleżankach nowe fryzury, malowały się szminką, często skradzioną u Stedmansa, i obwąchiwały sobie nawzajem szyje i nadgarstki, spryskane w drogerii darmowymi próbkami perfum.

Kiedy zaproponowały Lauren, żeby z nimi poszła, podejrzewała jakiś podstęp, ale zgodziła się, po części dlatego, że nie znosiła samotnie wracać do domu na skraju lasu w coraz krótsze popołudnia.

Gdy tylko znalazły się w hotelowym holu, kilka dziewczyn złapało Lauren i popchnęło ją do lady, przy której siedziała na wysokim stołku kobieta z restauracji i obliczała coś na kalkulatorze.

Lauren wiedziała od Harry'ego, że kobieta ma na imię Delphine. Delphine miała długie, delikatne włosy blond wpadające w biel, a może naprawdę białe, bo nie była już młoda. Często odgarniała je z twarzy, tak jak teraz. Jej oczy za okularami w ciemnej oprawce skrywały się pod fioletowymi powiekami. Jej twarz była szeroka, tak jak jej ciało, jasna i gładka. Ale nie było w niej śladu ociężałości. Podniosła beznamiętne jasnoniebieskie oczy i spojrzała po kolei na wszystkie dziewczyny, jakby nic nie mogło jej zdziwić w ich pożałowania godnym zachowaniu.

– To ona – powiedziały dziewczyny.

Kobieta, Delphine, spojrzała teraz na Lauren.

– Lauren? Jesteś pewna?

Zdumiona Lauren przytaknęła.

– Spytałam je, czy w szkole jest jakaś Lauren – wyjaśniła Delphine, traktując inne dziewczyny, jakby były już daleko, wyłączone z rozmowy. – Pytałam je dlatego, że coś tu znaleziono. Ktoś musiał to zgubić w kawiarni.

Otworzyła szufladę i wyjęła złoty łańcuszek. Z łańcuszka zwisały literki, które tworzyły napis „Lauren".

Lauren pokręciła głową.

– Nie twój? – zapytała Delphine. – Szkoda. Pytałam już uczniów szkoły średniej. To znaczy, że muszę to tu trzymać. Może ktoś przyjdzie.

– Może pani dać ogłoszenie do gazety mojego taty – powiedziała Lauren. Nie zdawała sobie sprawy, że wystarczyłoby powiedzieć „do gazety", dopóki następnego dnia, przechodząc obok paru dziewczyn na szkolnym korytarzu, nie usłyszała wypowiadanych afektowanym głosem słów: „do gazety mojego taty".

– Mogę – potwierdziła Delphine – ale zaczną przychodzić tu różni ludzie i mówić, że to ich łańcuszek. Nawet kłamać, że tak mają na imię. W końcu to jest złoto.

– Ale jakby ktoś się naprawdę inaczej nazywał, to nie mógłby tego potem nosić – powiedziała Lauren.

– Może i nie, ale wcale bym się nie zdziwiła, gdyby mimo to ktoś się do tego przyznał.

Dziewczyny ruszyły w stronę toalety.

– Hej, wy! – zawołała za nimi Delphine. – Tam nie wolno wchodzić.

Odwróciły się zaskoczone.

– Dlaczego?

– Dlatego że nie wolno i już. Możecie się gdzie indziej wygłupiać.

– Przedtem nigdy nam pani nie zabraniała.

– Przedtem było przedtem, a teraz jest teraz.

– To jest miejsce publiczne.

– Nie – odparła Delphine. – Publiczna jest ubikacja w ratuszu. Uciekajcie stąd.

– Nie mówiłam do ciebie – powiedziała do Lauren, która chciała wyjść z innymi. – Szkoda, że to nie twój łańcuszek. Przyjdź za parę dni. Jeżeli nikt się po niego nie zgłosi, to wiesz, w końcu jest na nim twoje imię.

Lauren wróciła następnego dnia. Wcale nie zależało jej na łańcuszku, w ogóle nie wyobrażała sobie, że miałaby chodzić z imieniem na szyi. Chciała mieć coś do zrobienia, jakieś miejsce, gdzie mogłaby pójść. Mogła iść do redakcji, ale jak usłyszała to „do gazety mojego taty", zupełnie jej się odechciało.

Postanowiła, że nie wejdzie, jeśli w hotelu będzie pan Palagian, a nie Delphine. Jednak to ona podlewała brzydki kwiatek we frontowym oknie.

– Dobrze, że jesteś – powiedziała Delphine. – Nikt się nie zjawił po łańcuszek. Zaczekajmy do końca tygodnia, mam wrażenie, że będzie twój. Możesz zawsze przyjść o tej porze. Po południu nie pracuję w kawiarni. Gdyby nie było mnie w holu, zadzwoń, gdzieś się tu będę kręcić.

– Dobrze – powiedziała Lauren i odwróciła się, żeby wyjść.

– Może usiądziesz na chwilę? Zamierzałam napić się herbaty. Pijasz herbatę? Wolno ci? Czy wolałabyś oranżadę?

– Lemoniadę – powiedziała Lauren. – Poproszę.

– W szklance? Chcesz szklankę? Z lodem?

– Może być tak, jak jest. Dziękuję.

Delphine i tak przyniosła szklankę z lodem.

– Wydaje mi się, że nie jest dość zimna – wyjaśniła.

Spytała Lauren, gdzie wolałaby usiąść – w jednym ze starych, zniszczonych skórzanych foteli przy oknie czy na wysokim stołku przy ladzie. Lauren wybrała stołek i Delphine usiadła na drugim stołku.

– A teraz powiedz mi, czego się dzisiaj nauczyłaś w szkole.

– No... – zaczęła Lauren.

Delphine uśmiechnęła się szeroko.

– Żartowałam. Sama nie znosiłam, kiedy mnie o to pytano. Po pierwsze, nigdy nie pamiętałam, czego się akurat tego dnia nauczyłam. A po drugie, nie chciałam rozmawiać o szkole, kiedy już z niej wyszłam. Darujmy sobie.

Lauren wcale nie dziwiło, że ta kobieta wyraźnie chce się z nią zaprzyjaźnić. Wychowano ją w przekonaniu, że dzieci i dorośli mogą ze sobą przestawać jak równy z równym, chociaż zauważyła, że wielu dorosłych nie podziela tego przekonania i nie warto się przy tym upierać. Widziała, że Delphine jest trochę zdenerwowana. Dlatego mówiła bez przerwy i śmiała się w dziwnych momentach, a w końcu sięgnęła do szuflady i wyciągnęła czekoladowy batonik.

– Coś słodkiego do lemoniady. Muszę cię przekonać, że warto znowu do mnie przyjść, co?

Lauren czuła się zażenowana zachowaniem Delphine, choć z przyjemnością przyjęła batonik. W domu nie dostawała słodyczy.

– Nie musi mnie pani przekupywać, żebym tu znowu przyszła – powiedziała. – Chętnie to zrobię.

– Ho-ho. Nie muszę, co? Śmieszny z ciebie dzieciak. Dobra, to oddawaj.

Delphine sięgnęła po batonik, a Lauren uchyliła się, żeby go uchronić. I też się roześmiała.

– Chodziło mi o następny raz. Następnym razem nie musi mnie pani przekupywać.

– Ale jedna łapówka nie szkodzi, tak?

– Chciałabym mieć jakieś zajęcie – powiedziała Lauren. – Żeby nie wracać do domu.

– Nie odwiedzasz koleżanek?

– Nie mam żadnych koleżanek. Dopiero we wrześniu przyszłam do tej szkoły.

– Rozumiem. Jeśli ta banda, która tu przychodzi, jest przykładem tego, jaki masz wybór, to moim zdaniem nic nie tracisz. Jak ci się podoba nasze miasto?

– Jest małe. Ale niektóre rzeczy są fajne.

– To grajdoł. Same grajdoły. Tyle już ich w życiu widziałam, że aż dziwne, że szczury nie odgryzły mi jeszcze nosa. – Postukała się palcami po nosie. Lakier na jej paznokciach pasował do koloru jej powiek. – Wciąż jest na swoim miejscu – dodała z powątpiewaniem.

„To grajdoł". Delphine mawiała takie rzeczy. Wypowiadała się gwałtownie – nie dyskutowała, lecz stwierdzała, a jej sądy były surowe i kapryśne. Mówiła o sobie – o swoich gustach, o pracach fizycznych – jak o wielkiej tajemnicy, czymś wyjątkowym i ostatecznym.

Miała alergię na buraki. Jeśli kropla soku z buraków dostałaby się jej do gardła, wszystko by jej spuchło i musiałaby jechać do szpitala i poddać się natychmiastowej operacji, żeby móc oddychać.

– A ty? Masz na coś alergię? Nie? To dobrze.

Delphine uważała, że kobieta musi dbać o ręce, niezależnie od rodzaju wykonywanego zajęcia. Lubiła malować paznokcie na granatowy i śliwkowy kolor. I lubiła nosić kolczyki, duże i podzwaniające, nawet w pracy. Nie znosiła małych kolczyków podobnych do guzików.

Nie bała się węży, ale dziwne uczucie wywoływały w niej koty. Sądziła, że kiedy była niemowlęciem, jakiś kot musiał wskoczyć do jej łóżeczka i położyć się na niej, zwabiony zapachem mleka.

– A ty? – pytała Lauren. – Czego się boisz? Jaki jest twój ulubiony kolor? Czy zdarzyło ci się spacerować przez sen? Czy od razu opalasz się na brązowo, czy złazi ci skóra? Czy twoje włosy rosną szybko, czy powoli?

Nie chodziło o to, że Lauren nie jest przyzwyczajona do tego, że ktoś się nią interesuje. Harry i Eileen – zwłaszcza Harry – interesowali się jej myślami, sądami i uczuciami. Czasami to zainteresowanie działało Lauren na nerwy. Nigdy jednak nie zdawała sobie sprawy, że są inne rzeczy, arbitralne fakty, które też mogą być cudownie ważne. I nigdy nie miała wrażenia – inaczej niż w domu – że za pytaniami Delphine kryje się coś jeszcze, że jeżeli nie będzie uważać, to się całkiem odkryje.

Delphine opowiadała Lauren dowcipy. Mówiła, że zna setki dowcipów, ale opowiadała tylko te odpowiednie. Harry nie uważałby żartów z mieszkańców Nowej Fundlandii za odpowiednie, ale Lauren grzecznie się z nich śmiała.

Lauren powiedziała Harry'emu i Eileen, że chodzi po szkole do znajomej. Właściwie nie było to kłamstwo. Rodzice byli zadowoleni. Ale z ich powodu nie wzięła złotego łańcuszka ze swoim imieniem, kiedy Delphine uważała, że już może go wziąć. Udawała przekonaną, że wciąż jeszcze może się zgłosić jego właścicielka.

Delphine znała Harry'ego, podawała mu śniadania w kawiarni i mogła wspomnieć o tym, że Lauren do niej przychodzi, ale najwyraźniej nic nie powiedziała.

Czasem wystawiała tabliczkę – „Proszę dzwonić" – i zabierała Lauren do innych hotelowych pomieszczeń. Od czasu do czasu ktoś się w hotelu zatrzymywał, trzeba było pościelić łóżka, umyć ubikacje i umywalki, poodkurzać. Delphine nie pozwalała Lauren sobie pomóc.

– Siedź i rozmawiaj ze mną – mówiła. – To samotna praca.

Ale to ona cały czas opowiadała. Opowiadała o swoim życiu, bez żadnego chronologicznego porządku. Postacie zjawiały się i znikały, a Lauren miała bez pytania wiedzieć, kim są. Ludzie, których Delphine nazywała Pan i Pani, byli dobrymi szefami. Inni szefowie to Stary Brzuch Świni („Nie powtarzaj moich słów") i Tyłek Starego Konia, którzy byli straszni. Delphine pracowała w szpitalach („Jako pielęgniarka? Chyba żartujesz?") i na plantacjach tytoniu, w porządnych restauracjach, w spelunkach, na wyrębach leśnych, gdzie gotowała, w zajezdni autobusowej, gdzie sprzątała i widziała rzeczy zbyt obrzydliwe, żeby o nich opowiadać, w całodobowym sklepie, gdzie przeżyła napad i odeszła z pracy. Czasami kolegowała się z Lorraine, czasami z Phyl. Phyl miała zwyczaj pożyczania sobie bez pytania cudzych rzeczy i raz pożyczyła bluzkę Delphine, poszła w niej na tańce i tak się spociła, że zniszczył się materiał pod pachami. Lorraine skończyła studia, ale popełniła poważny błąd, wychodząc za faceta o ptasim móżdżku, i teraz bardzo tego żałowała.

Delphine mogła wyjść za mąż. Niektórzy mężczyźni, z którymi się spotykała, porobili kariery, inni skończyli w rynsztoku, o jeszcze innych nic nie wiedziała. Podobał jej się chłopak, który nazywał się Tommy Kilbride, ale był katolikiem.

– Pewno nie wiesz, jakie to ma znaczenie dla kobiety.

– To znaczy, że nie może stosować środków antykoncepcyjnych – powiedziała Lauren. – Eileen była katoliczką, ale przestała, bo się z tym nie zgadzała. Eileen to moja mama.

– Ostatecznie twoja mama i tak nie musiałaby się o to martwić.

Lauren nie zrozumiała. Potem pomyślała, że Delphine chodzi o to, że Lauren jest jedynaczką. Na pewno uważa, że Harry i Eileen chcieliby mieć więcej dzieci po Lauren, ale Eileen już nie mogła. O ile Lauren wiedziała, tak nie było.

– Mogliby mieć więcej dzieci, gdyby chcieli – powiedziała. – Po tym jak ja się urodziłam.

– Tak myślisz, co? – stwierdziła Delphine żartobliwym tonem. – Może jednak nie mogli. Może cię adoptowali.

– Nie. Wcale nie. Wiem, że nie. – Lauren mało nie opowiedziała o tym, co się stało, kiedy Eileen była w ciąży, ale się powstrzymała, bo Harry uważał to za wielki sekret. Była przesądna w kwestii niedotrzymywania obietnic, choć zauważyła, że dorośli często łamią je bez skrupułów.

– Nie bądź taka poważna – powiedziała Delphine. Wzięła twarz Lauren w dłonie i postukała jagodowymi paznokciami w jej policzki. – Ja tylko żartuję.

Suszarka w hotelowej pralni się zepsuła i Delphine musiała rozwiesić mokrą pościel i ręczniki, a ponieważ padało, najlepszym miejscem była stara stajnia. Lauren pomogła jej zanieść kosze pełne białej pościeli przez żwirowane podwórko za hotelem do pustej kamiennej stajni. Choć wylano tam cementową podłogę, spod spodu nadal przenikał zapach, a może to ściany z kamieni i gruzu były nim przesiąknięte. Wilgotny kurz i końska skóra z domieszką uryny i skórzanych uprzęży. W środku nie było nic oprócz sznurów do bielizny i paru połamanych krzeseł i szafek. Kroki Delphine i Lauren odbijały się echem.

– Zawołaj swoje imię – powiedziała Delphine.

– Del-phee-een! – zawołała Lauren.

– Swoje imię. Co ty wyprawiasz?

– Od tego jest lepsze echo – stwierdziła Lauren i zawołała jeszcze raz: – Del-phee-een!

– Nie lubię mojego imienia – powiedziała Delphine. – Nikt nie lubi swojego imienia.

– Mnie moje nie przeszkadza.

– Lauren jest ładne. To ładne imię. Wybrali dla ciebie ładne imię.

Delphine znikła za prześcieradłem, które przypinała do sznura. Lauren chodziła po stajni i gwizdała.

– Najlepiej brzmi tu śpiew – powiedziała Delphine. – Zaśpiewaj swoją ulubioną piosenkę.

Lauren nie miała pojęcia, jaka jest jej ulubiona piosenka. To zdumiało Delphine, tak jak wcześniej zdumiał ją fakt, że Lauren nie zna żadnych dowcipów.

– Ja mam ich całe mnóstwo – stwierdziła. I zaczęła śpiewać.

– *Moon River, wider than a mile...**

Śpiewał to czasem Harry, zawsze robiąc sobie przy tym żarty z piosenki albo z samego siebie. Delphine śpiewała ją cał-

* „Księżycowa rzeka, szersza niż mila..." (przyp. tłum.).

kiem inaczej. Lauren czuła, jak spokojny smutek w głosie Delphine przyciąga ją do rozwieszonych białych prześcieradeł. A same prześcieradła wyglądały tak, jakby się miały rozpłynąć wokół niej, nie, wokół niej i Delphine, tworząc nastrój pełen przejmującej słodyczy. Śpiew Delphine był jak szeroko otwarte ramiona, w które można się wtulić. A jednocześnie jego swobodne emocje sprawiły, że Lauren poczuła w żołądku dreszcz, daleką zapowiedź nudności.

Waiting round the bend
*My huckleberry friend**

Lauren przerwała śpiew, szurając po podłodze nogami popsutego krzesła.

– Chciałam was o coś zapytać – zaczęła z determinacją Lauren, zwracając się przy obiedzie do Harry'ego i Eileen. – Czy istnieje taka możliwość, że jestem adoptowana?

– Skąd ci to przyszło do głowy? – zapytała Eileen.

Harry przestał jeść, uniósł ostrzegawczo brwi, a potem zażartował:

– Czy uważasz, że gdybyśmy mieli adoptować dziecko, to wzięlibyśmy takie, które zadaje dużo wścibskich pytań?

Eileen wstała, gmerając przy suwaku spódnicy. Spódnica spadła na podłogę, a Eileen zdjęła rajstopy i majtki.

– Spójrz – powiedziała. – To cię powinno przekonać.

* „Czekający za zakolem / przyjaciel, z którym zbierałem jagody" (przyp. tłum.).

Jej brzuch, płaski, kiedy miała na sobie ubranie, teraz był lekko zaokrąglony i obwisły. Na wciąż widocznej opaleniźnie sięgającej do linii bikini widniały bardzo jasne blizny, błyszczące w kuchennym świetle. Lauren widziała je wcześniej, ale nie przywiązywała do nich wagi; wydawały się czymś charakterystycznym dla ciała Eileen, jak dwa pieprzyki na jej obojczyku.

– To rozstępy – wyjaśniła Eileen. – Nosiłam cię tu. – Wyciągnęła rękę na niemożliwą odległość od ciała. – Przekonałam cię?

Harry pochylił głowę i przytulił ją do gołego brzucha Eileen. Potem się odsunął i powiedział:

– Jeśli się zastanawiasz, dlaczego nie mamy więcej dzieci, to odpowiadam, że jesteś jedynym dzieckiem, jakiego potrzebujemy. Jesteś mądra, ładna i masz poczucie humoru. Skąd moglibyśmy wiedzieć, że następne będzie tak udane? Poza tym nie jesteśmy taką zwykłą rodziną. Lubimy się przemieszczać. Próbować nowych rzeczy, dopasowywać się do okoliczności. Mamy jedno dziecko, które jest doskonałe i potrafi się dostosować. Nie warto ryzykować.

Na jego twarzy, której nie widziała Eileen, widniała przeznaczona dla Lauren mina, znacznie poważniejsza niż wypowiadane przez niego słowa. Nieustanne ostrzeżenie, pomieszane z rozczarowaniem i zaskoczeniem.

Gdyby Eileen przy tym nie było, Lauren przepytałaby Harry'ego. A co gdyby stracili oboje dzieci, a nie tylko jedno? A może to nie ona była w brzuchu Eileen i spowodowała te rozstępy? Czy mogła być pewna, że nie wzięli jej jako rekompensaty? Jeżeli nie wiedziała o jednej ważnej rzeczy, to mogła nie wiedzieć o innej.

Ta myśl niepokoiła, ale miała swój przewrotny wdzięk.

Kiedy następnym razem Lauren przyszła do hotelu po lekcjach, męczył ją kaszel.

– Chodź na górę – powiedziała Delphine. – Mam na to coś dobrego.

Kiedy wystawiała tabliczkę „Proszę dzwonić", pan Palagian wszedł z kawiarni do holu. Na jednej nodze miał but, na drugiej kapeć, rozcięty, żeby mieściła się w nim zabandażowana stopa. Tam, gdzie musiał być jego duży palec, widniała zaschnięta plama krwi.

Lauren myślała, że na widok pana Palagiana Delphine schowa tabliczkę, ale nie zrobiła tego. Powiedziała tylko:

– Powinien pan przy okazji zmienić ten bandaż.

Pan Palagian skinął głową, choć nawet na nią nie spojrzał.

– Za chwilę wrócę na dół – poinformowała Delphine.

Jej pokój znajdował się na drugim piętrze, na poddaszu. Wspinając się na górę, Lauren spytała, kaszląc:

– Co mu się stało w nogę?

– Nogę? Jaką nogę? Może ktoś mu na nią stanął? Może obcasem, szpilką, co?

Sufit w pokoju Delphine opadał ostro po obu stronach mansardowego okna. Były tam wąskie łóżko, zlew, krzesło, szafka. Na krześle stała elektryczna kuchenka z czajnikiem. Na szafce leżało mnóstwo kosmetyków, grzebieni, pigułek, puszka z herbatą w torebkach i puszka z czekoladą w proszku. Łóżko przykrywała kapa z cienkiej bawełny w beżowo-białe paseczki, taka sama jak na łóżkach dla gości.

– Nie za porządnie urządzone, co? – stwierdziła Delphine. – Nie spędzam tu wiele czasu. – Napełniła czajnik wodą z kranu,

włączyła kuchenkę i ściągnęła kapę, żeby wyjąć spod niej koc.
– Zdejmij tę kurtkę – powiedziała. – I zawiń się w to. – Dotknęła grzejnika. – Trzeba całego dnia, żeby się tu trochę nagrzało.

Lauren zrobiła tak, jak powiedziała Delphine. Kobieta wyjęła z górnej szuflady dwie filiżanki i dwie łyżeczki, odmierzyła czekoladę z puszki.

– Zalewam tylko gorącą wodą – wyjaśniła Delphine. – Pewnie jesteś przyzwyczajona do mleka. Nie używam mleka, ani do herbaty, ani do niczego. Skisłoby, gdybym je wzięła na górę. Nie mam lodówki.

– Może być z wodą – powiedziała Lauren, chociaż nigdy nie piła gorącej czekolady przygotowanej w ten sposób. Nagle zapragnęła być w domu, siedzieć pod kocem na kanapie i oglądać telewizję.

– Nie stój tak – zwróciła jej uwagę Delphine lekko zirytowanym czy nerwowym głosem. – Usiądź wygodnie. Woda zaraz się zagotuje.

Lauren usiadła na brzegu łóżka. Nagle Delphine odwróciła się, złapała ją pod pachy – co spowodowało nowy atak kaszlu – i podciągnęła, tak że Lauren siedziała teraz oparta plecami o ścianę, ze stopami sterczącymi nad podłogą. Delphine ściągnęła jej buty i szybko dotknęła stóp, żeby sprawdzić, czy nie ma mokrych skarpetek.

Nie.

– Hej. Chciałam dać ci coś na ten kaszel. Gdzie jest mój syrop?

Do połowy pełna butelka bursztynowego płynu znalazła się w tej samej górnej szufladzie. Delphine nalała syrop na łyżkę.

– Otwórz buzię – rozkazała. – Nie smakuje tak źle.

Lauren przełknęła i spytała:

– Czy jest w tym whisky?

Delphine przyjrzała się butelce, na której nie było żadnej nalepki.

– Nic tu takiego nie widzę. A ty? Czy tatuś i mamusia będą się złościć, jeśli dam ci łyżkę whisky na kaszel?

– Tata czasem robi mi grog z whisky.

– Doprawdy?

Woda się zagotowała i Delphine nalała wrzątku do filiżanek, po czym pospiesznie zamieszała, rozcierając grudki proszku i przemawiając do nich z udawaną wesołością:

– No, już, łobuzy. Szybciej.

Coś było dzisiaj nie tak z Delphine. Wydawała się przesadnie podniecona i podenerwowana, może nawet w głębi duszy zła. Poza tym była stanowczo za duża, za bardzo zamaszysta i pretensjonalna na ten pokój.

– Rozglądasz się wokół – zaczęła – i wiem, co sobie myślisz. Myślisz: ojej, ale ona jest biedna. Dlaczego nie ma nic więcej? Ale ja nie zbieram rzeczy. Mam bardzo dobry powód: zbyt często musiałam wszystko pakować i się przenosić. Znajdujesz jakieś miejsce, a potem coś się dzieje i musisz znowu odchodzić. Za to oszczędzam. Ludzie by się zdziwili, gdyby wiedzieli, ile mam w banku.

Delphine podała Lauren filiżankę i usiadła ostrożnie w głowach łóżka, opierając się o poduszkę i kładąc stopy na odsłoniętym prześcieradle. Stopy w nylonowych pończochach napawały Lauren szczególnym obrzydzeniem. Nie gołe stopy, nie stopy w butach, nie stopy w nylonowych pończochach w butach, tylko stopy w samych nylonach, zwłaszcza gdy dotykały innego materiału. To było jej prywatne dziwactwo, podobne obrzydzenie budziły w niej płatki rozciapciane w mleku i grzyby.

– Kiedy przyszłaś dziś po południu, było mi smutno – powiedziała Delphine. – Myślałam o dziewczynie, którą kiedyś znałam, i o tym, że powinnam do niej napisać, ale nie wiem, gdzie jej szukać. Miała na imię Joyce. Myślałam o tym, co jej się w życiu przytrafiło.

Pod ciężarem Delphine materac się zapadł i Lauren z trudem unikała zsuwania się w jej stronę. Wysiłek, jaki wkładała w to, żeby nie upaść na Delphine, wprawiał ją w zażenowanie i starała się być szczególnie grzeczna.

– Kiedy pani ją znała? – zapytała. – W młodości?

Delphine roześmiała się głośno.

– Aha. Jak byłam młoda. Ona też była młoda i chciała się wyrwać z domu, chodziła z takim jednym facetem i wpadła. Wiesz, co chcę powiedzieć?

– Zaszła w ciążę – powiedziała Lauren.

– Właśnie. No i tak to się ciągnęło, myślała, że może zniknie. Ha, ha. Jak grypa. Ten jej facet miał już dwoje dzieci z inną kobietą, z którą nie miał ślubu, ale ona była jakby jego żoną i on zawsze myślał, że do niej wróci. Ale zanim to zrobił, złapała go policja. I ją też, to znaczy Joyce, bo ona mu pomagała. Pakowała towar w rurki tampaksu, wiesz, jak one wyglądają? Wiesz, o jakim towarze mówię?

– Tak – odpowiedziała Lauren na oba pytania. – Jasne. O narkotykach.

Delphine, przełykając czekoladę, zagulgotała, jakby płukała gardło.

– To wszystko jest tajemnicą, rozumiesz?

Nie wszystkie grudki czekoladowego proszku się rozpuściły, ale Lauren nie chciała rozgniatać ich łyżeczką, na której został smak tak zwanego syropu na kaszel.

– Dla niej skończyło się na wyroku w zawieszeniu, tak że ciąża jej się przydała, bo to pomaga. A potem spotkała tych chrześcijan, którzy znali pewnego lekarza i jego żonę, i oni zajmowali się dziewczynami, które rodziły, i od razu załatwiali adopcję. To wszystko nie było całkiem legalne i oni na tym zarabiali, ale dzięki temu Joyce nie musiała mieć kontaktu z opieką społeczną. Urodziła dziecko i nigdy go nawet nie widziała. Wiedziała tylko, że to była dziewczynka.

Lauren rozejrzała się za jakimś zegarem. Niczego takiego nie dostrzegła. Delphine miała zegarek schowany pod rękawem czarnego swetra.

– Odeszła stamtąd i przydarzyły jej się różne rzeczy, ale w ogóle nie myślała o dziecku. Uważała, że wyjdzie kiedyś za mąż i będzie miała inne dzieci. Cóż, do tego nie doszło. Nie bardzo żałowała, biorąc pod uwagę niektóre osoby, z którymi do tego nie doszło. Przeszła nawet w tym celu parę operacji. Wiesz jakich?

– Usunięcia ciąży – powiedziała Lauren. – Która godzina?

– Jak na dzieciaka jesteś nieźle poinformowana – stwierdziła Delphine. – Taa, masz rację, usunięcia ciąży. – Podciągnęła rękaw, żeby spojrzeć na zegarek. – Nie ma jeszcze piątej. Miałam właśnie powiedzieć, że zaczęła myśleć o tej małej dziewczynce i o tym, co się z nią stało, i zaczęła się dowiadywać. Szczęśliwym trafem znalazła tych samych ludzi. Tych chrześcijan. Musiała się im trochę postawić, ale dostała jakieś informacje. Poznała nazwisko ludzi, którzy wzięli dziecko.

Lauren ześlizgnęła się z łóżka. Odstawiła filiżankę na szafkę, o mało nie przewracając się o koc.

– Muszę już iść – powiedziała. Wyjrzała przez okno. – Pada śnieg.

– Czyżby? To ci nowina. Nie chcesz wiedzieć, co było dalej?

Lauren wkładała buty, usiłując zrobić to mimochodem, żeby nie zwracać za bardzo uwagi Delphine.

– Mężczyzna podobno pracował dla tej gazety i pojechała tam, ale go nie znalazła, dowiedziała się za to, dokąd wyjechał. Nie miała pojęcia, jak dali na imię jej dziecku, ale tego też się dowiedziała. Nigdy nie wiesz, czego się dowiesz, dopóki nie spróbujesz. Uciekasz ode mnie?

– Muszę iść. Boli mnie brzuch. Jestem przeziębiona.

Lauren pociągnęła za swoją kurtkę, którą Delphine powiesiła wysoko na haczyku na drzwiach. Kiedy nie zdołała jej od razu zdjąć, łzy napłynęły jej do oczu.

– Ja przecież nawet nie znam tej Joyce – powiedziała żałośnie.

Delphine opuściła stopy na podłogę, powoli wstała z łóżka, odstawiła filiżankę na szafkę.

– Jeśli jest ci niedobrze, powinnaś się położyć. Pewnie za szybko piłaś.

– Chcę moją kurtkę.

Delphine zdjęła kurtkę z haczyka, ale trzymała ją za wysoko. Kiedy Lauren chwyciła rękaw, Delphine nie puściła.

– Co się dzieje? – spytała. – Chyba nie płaczesz, co? Nie sądziłam, że jesteś beksą. Dobrze. Dobrze. Masz. Ja tylko żartowałam.

Lauren wsunęła ręce w rękawy, nie mogła jednak zapiąć suwaka. Wetknęła ręce do kieszeni.

– Dobrze? – zapytała Delphine. – Już dobrze? Nadal jesteś moją przyjaciółką?

– Dziękuję za gorącą czekoladę.

– Nie idź za prędko, niech twój brzuch się uspokoi.

Delphine schyliła się nad Lauren. Lauren cofnęła się w obawie, że jej białe włosy, że ta jedwabista, płynna zasłona z włosów dostanie jej się do ust.

Jeżeli ktoś jest na tyle stary, żeby mieć białe włosy, to nie powinny one być długie.

– Wiem, że umiesz dochować tajemnicy, wiem, że nie mówisz nikomu o naszych spotkaniach, rozmowach i w ogóle. Później to zrozumiesz. Jesteś cudowną dziewczynką. Chodź.

Pocałowała Lauren w głowę.

– Niczym się nie przejmuj – poradziła.

Duże płatki śniegu opadały na ziemię, zostawiając na chodnikach puszyste przykrycie, które topiło się w czarnych śladach ludzkich stóp, aż w końcu je wypełniało. Samochody jeździły bardzo ostrożnie, z przyćmionymi żółtymi światłami. Lauren oglądała się czasami, żeby sprawdzić, czy nikt za nią nie idzie. Niewiele widziała z powodu gęstego śniegu i zapadających ciemności, ale chyba nikogo nie było.

Miała wrażenie, że jej brzuch jest jednocześnie pełny i pusty. Czuła, że będzie jej lepiej, kiedy zje coś odpowiedniego, więc po przyjściu do domu poszła prosto do szafki w kuchni i nasypała do miski znajome płatki śniadaniowe. Nie było syropu klonowego, ale znalazła resztkę syropu z kukurydzy. Stała w zimnej kuchni i jadła, wyglądając przez okno na świeżo pobielone podwórze, nawet nie zdjąwszy butów i wierzchniego ubrania. Śnieg sprawił, że rzeczy stały się widoczne, mimo zapalonego światła w kuchni. Lauren widziała swoje odbicie na tle zaśnieżonego podwórza, ciemne skały przykryte bielą i wiecznie zielone gałęzie uginające się już pod białym ciężarem.

Ledwo włożyła do ust ostatnią łyżkę, a już musiała biec do łazienki, żeby wszystko zwymiotować – płatki w prawie nienaruszonym stanie, śliski syrop, śluzowate nitki jasnej czekolady.

Kiedy rodzice wrócili do domu, Lauren leżała w butach i w kurtce na kanapie i oglądała telewizję.

Eileen zdjęła z niej kurtkę i buty, przyniosła koc i zmierzyła temperaturę – była normalna – oraz pomacała brzuch, żeby sprawdzić, czy nie jest twardy, a potem kazała jej podnieść zgiętą w kolanie nogę do piersi, aby się przekonać, czy nie czuje bólu w prawym boku. Eileen zawsze się denerwowała wyrostkiem, bo była kiedyś na prywatce, jednej z tych, co trwają przez wiele dni, gdzie jedna dziewczyna umarła na zapalenie wyrostka, a wszyscy byli zbyt naćpani, żeby zdać sobie sprawę, że dzieje się coś poważnego. Kiedy Eileen doszła do wniosku, że Lauren nie ma problemu z wyrostkiem, poszła przygotować kolację, a Harry dotrzymywał Lauren towarzystwa.

– Myślę, że chorujesz na chorobę szkolną – powiedział. – Ja też ją miewałem. Tylko kiedy ja byłem dzieckiem, nie znano jeszcze na nią lekarstwa. Wiesz, co na to pomaga? Leżenie na kanapie i oglądanie telewizji.

Następnego dnia rano Lauren powiedziała, że wciąż się źle czuje, choć nie było to prawdą. Nie chciała śniadania, ale gdy Harry i Eileen wyszli, złapała dużą bułkę z cynamonem i zjadła ją na sucho, oglądając telewizję. Wytarła lepkie palce o koc, którym się przykryła, i próbowała myśleć o przyszłości. Chciała ją spędzić właśnie tu, w domu, na kanapie, ale nie wiedziała, jak mogłoby to być możliwe, jeśli nie sprokuruje jakiejś prawdziwej choroby.

Skończyły się wiadomości telewizyjne i zaczął się jeden z codziennych seriali. Znała go z zeszłego roku, kiedy chorowała na bronchit, a potem całkiem o nim zapomniała. Mimo to niewiele się zmieniło. Pojawiały się te same postacie, oczywiście w nowych sytuacjach, i zachowywały się tak samo (szlachetnie, bezwzględnie, seksownie, smutno), tak samo spoglądały w przestrzeń i wypowiadały te same niedokończone zdania o różnych wypadkach i tajemnicach. Przez chwilę Lauren przyglądała się im z przyjemnością, ale potem przyszło jej do głowy coś, co ją zaniepokoiło. W tych historiach w telewizji też się często okazywało, że dzieci i dorośli należą do innych rodzin niż te, które zawsze uważali za swoje. Obcy, czasem chorzy psychicznie i niebezpieczni, pojawiali się ni stąd, ni zowąd z katastrofalnymi żądaniami i emocjami, wywracając życie innych ludzi do góry nogami.

Kiedyś mogło się to wydawać Lauren atrakcyjną możliwością, dziś już tak nie myślała.

Harry i Eileen nigdy nie zamykali drzwi na klucz. Proszę sobie wyobrazić, mawiał Harry, że mieszkamy w takim miejscu, z którego można wyjść i nie zamykać za sobą drzwi na klucz. Teraz Lauren wstała i zamknęła drzwi tylne i frontowe. Potem zaciągnęła zasłony we wszystkich oknach. Śnieg nie padał, ale i się nie topił. Świeży śnieg miał już odcień szarości, jakby się przez noc postarzał.

Nie było jak zasłonić małych okienek w drzwiach wejściowych. Trzech okienek w kształcie łez, ustawionych w ukośnej linii. Eileen ich nie cierpiała. Pozrywała tapety i pomalowała ściany tego taniego domu na nieoczekiwane kolory – jasnoniebieski, jagodoworóżowy, cytrynowożółty, usunęła brzydkie dywany i wycyklinowała podłogi, ale nic nie mogła zrobić z tymi tandetnymi okienkami.

Harry mówił, że nie są takie złe, że jest akurat po jednym dla każdego z nich i są na odpowiednich wysokościach, żeby każde z nich mogło przez nie wyglądać. Nazwał je Tata Niedźwiedź, Mama Niedźwiedzica i Niedźwiedziątko.

Kiedy serial się skończył i jakaś para zaczęła rozmawiać o roślinach domowych, Lauren zapadła w lekki sen, który nawet nie wydawał jej się snem. Ale wiedziała, że to musiał być sen, kiedy się obudziła; śniła o zwierzęciu, jakimś zimowym gatunku szarej łasicy lub chudego lisa, tego nie była pewna, które obserwowało dom z podwórza w pełnym świetle dnia. We śnie ktoś jej powiedział, że to wściekłe zwierzę, ponieważ nie boi się ludzi ani domów.

Dzwonił telefon. Lauren naciągnęła koc na głowę, żeby go nie słyszeć. Była pewna, że dzwoni Delphine. Delphine, która chce wiedzieć, jak Lauren się czuje, dlaczego się ukrywa, co sądzi o historii, którą opowiedziała jej Delphine, no i kiedy przyjdzie do hotelu.

Dzwoniła Eileen, która chciała sprawdzić, jak Lauren się czuje i jak ma się jej wyrostek. Odczekała dziesięć czy piętnaście dzwonków, a potem bez płaszcza wybiegła z redakcji i pojechała do domu. Kiedy zastała zamknięte drzwi, zaczęła w nie walić pięściami i szarpać klamką. Przycisnęła twarz do okienka Mamy Niedźwiedzicy i wołała Lauren. Słyszała telewizor. Pobiegła do tylnych drzwi i znowu stukała i krzyczała.

Lauren oczywiście słyszała to wszystko, z głową schowaną pod kocem, ale dopiero po dłuższej chwili zdała sobie sprawę, że to Eileen, a nie Delphine. Kiedy to do niej dotarło, zakradła się do kuchni, ciągnąc za sobą koc, wciąż podejrzewając, że ten głos to jakaś sztuczka.

– Jezus Maria, co się dzieje? – powiedziała Eileen, obejmując Lauren. – Dlaczego zamknęłaś drzwi na klucz, dlaczego nie odebrałaś telefonu, co ty wyprawiasz?

Lauren wytrzymała jakieś piętnaście minut, podczas których Eileen na zmianę przytulała ją i krzyczała. Potem się załamała i wszystko opowiedziała. Odczuła wielką ulgę; choć wciąż drżała i płakała, poczuła, że zamienia coś osobistego i skomplikowanego na bezpieczeństwo i wygodę. Nie potrafiła powiedzieć całej prawdy, bo sama nie całkiem ją rozumiała. Nie mogła wyjaśnić, czego wcześniej chciała, aż do momentu, kiedy już wcale tego nie chciała.

Eileen zadzwoniła do Harry'ego i kazała mu przyjść do domu. Musiał przyjść piechotą, bo ona nie mogła po niego pojechać, nie mogła zostawić Lauren samej.

Eileen poszła otworzyć drzwi wejściowe i znalazła kopertę wrzuconą przez otwór na listy, bez znaczka, na której napisane było tylko LAUREN.

– Słyszałaś, jak ktoś to wrzucił? – spytała Eileen. – Słyszałaś, że ktoś był na ganku? Jak do kurwy nędzy to się stało?

Rozdarła kopertę i wyciągnęła złoty łańcuszek z imieniem Lauren.

– Zapomniałam ci o tym powiedzieć – dodała Lauren.

– Jest jakaś kartka.

– Nie czytaj! – zawołała Lauren. – Nie czytaj. Nie chcę tego słyszeć.

– Nie bądź głupia. Przecież cię nie ugryzie. Ona pisze, że zadzwoniła do szkoły i nie było cię tam, więc się zastanawiała, czy jesteś chora, i posyła ci prezent dla polepszenia samopoczucia. Pisze, że i tak kupiła ten łańcuszek dla ciebie, nikt go nie zgubił. Co to ma znaczyć? To miał być prezent na twoje jedenaste urodziny w marcu, ale daje ci go teraz. Dlaczego myśli, że masz urodziny w marcu? Twoje urodziny są w czerwcu.

– Wiem – burknęła Lauren, uciekając się do zmęczonego, dziecinnego, obrażonego głosu.

– Sama widzisz – powiedziała Eileen. – Wszystko jej się pomyliło. To wariatka.

– Ale znała wasze nazwisko. Wiedziała, gdzie mieszkacie. Skąd to wiedziała, jeżeli mnie nie adoptowaliście?

– Nie wiem, skąd u diabła wiedziała, ale się myli. Wszystko jej się pomyliło. Posłuchaj. Napiszę po twoją metrykę. Urodziłaś się w szpitalu Wellesley w Toronto. Zawieziemy cię tam, mogę ci pokazać ten pokój... – Eileen jeszcze raz rzuciła okiem na kartkę i zmięła ją w garści. – Wredna suka. Dzwoniła do szkoły – powiedziała. – Przyszła do naszego domu. Stuknięta suka.

– Schowaj to – poprosiła Lauren, mając na myśli łańcuszek. – Schowaj to. Odłóż gdzieś. Natychmiast!

Harry nie złościł się tak jak Eileen.

– Za każdym razem, kiedy z nią rozmawiałem, robiła wrażenie zupełnie normalnej osoby – powiedział. – Nigdy mi nic takiego nie mówiła.

– No pewnie – stwierdziła Eileen. – Chciała uderzyć w Lauren. Musisz pójść i z nią porozmawiać. Albo ja pójdę. Naprawdę. Dzisiaj.

Harry obiecał, że pójdzie.

– Powiem jej coś do słuchu. Zdecydowanie. Nie będzie więcej żadnych problemów. Co za przykra sprawa.

Eileen przygotowała wczesny obiad. Zrobiła hamburgery z majonezem i musztardą, tak jak lubili Harry i Lauren. Lauren zjadła swoją porcję i zdała sobie sprawę, że chyba popełniła błąd, okazując taki dobry apetyt.

– Czujesz się lepiej? – spytał Harry. – Pójdziesz po południu do szkoły?

– Wciąż jestem przeziębiona.

– Nie – powiedziała Eileen. – Do żadnej szkoły. I ja zostaję z nią w domu.

– Wcale nie wydaje mi się to konieczne – powiedział Harry.

– I daj jej to. – Eileen wetknęła mu kopertę do kieszeni. – Nieważne, nie musisz oglądać, to jej głupi prezent. I powiedz jej, żeby na przyszłość nie robiła takich rzeczy, bo się doigra. Nigdy więcej. Nigdy.

Lauren nie musiała wracać do szkoły, nie w tym mieście.

Po południu Eileen zadzwoniła do siostry Harry'ego, z którą Harry nie rozmawiał, bo jej mąż krytykował jego sposób życia, i mówiły o szkole, do której tamta kiedyś chodziła, o prywatnej żeńskiej szkole w Toronto. Potem były dalsze rozmowy i w końcu umówione spotkanie.

– Nie chodzi o pieniądze – stwierdziła Eileen. – Harry ma dość pieniędzy. Albo może je załatwić.

– I nie chodzi tylko o tę historię – dodała. – Nie zasługujesz na to, żeby dorastać w tym gównianym miasteczku. Nie zasługujesz na to, żeby mówić z wsiowym akcentem. Od dawna o tym myślałam. Tylko czekałam, aż troszkę podrośniesz.

Kiedy Harry wrócił do domu, powiedział, że wszystko zależy od tego, czego chce Lauren.

– Chcesz opuścić dom, Lauren? Myślałem, że ci się tu podoba. Myślałem, że masz koleżanki.

– Koleżanki? – zawołała Eileen. – Miała tę babę. Del-phine. Rozmówiłeś się z nią? Dotarło do niej, o co chodzi?

– Tak – odparł Harry. – Tak.

– Oddałeś jej łapówkę?

– Jeśli tak chcesz to nazwać. Tak.

– Nie bedzie więcej problemów? Zrozumiała, że ma nie być więcej żadnych problemów?

Harry włączył radio i przy kolacji słuchali wiadomości. Eileen otworzyła wino.

– Co to jest? – spytał Harry lekko groźnym tonem. – Jakaś uroczystość?

Lauren znała te rytuały i domyślała się, przez co trzeba będzie teraz przejść, jaką zapłacić cenę za cudowne ocalenie, za to, że już nigdy nie wróci tu do szkoły, nie przejdzie obok hotelu, może wcale nie wyjdzie na ulicę, nie opuści domu przez te dwa tygodnie, które zostały do ferii bożonarodzeniowych.

Wino mogło być jednym z takich rytuałów. Czasami. Czasami nie. Kiedy jednak Harry wyjmował butelkę dżinu i nalewał sobie pół szklaneczki, nie dodając niczego oprócz lodu – a było wiadomo, że niedługo nie będzie dodawał nawet lodu – kurs był wytyczony. Nadal wszystko odbywało się na wesoło, ale ta wesołość była ostra jak nóż. Harry rozmawiał z Lauren i Eileen rozmawiała z Lauren, więcej niż zwykle z nią rozmawiali. Od czasu do czasu odzywali się do siebie prawie normalnie. Ale w pokoju wyczuwało się napięcie, które jeszcze nie zostało wyrażone słowami. Lauren miała nadzieję, czy też próbowała mieć nadzieję, a dokładnie mówiąc, kiedyś w takich chwilach próbowała mieć nadzieję, że jakoś uda im się powstrzymać awanturę. I zawsze wierzyła, teraz też, że nie jest jedyną osobą, która ma taką nadzieję. Oni też ją mieli. Po części. Ale po części mieli ochotę na to, co nadchodziło. Nigdy nie przezwyciężyli tej ochoty. Ani razu kiedy w pokoju pojawiało się to napięcie, ta zmiana w powietrzu, szokująca jasność, która sprawiała, że wszystkie kształty, meble i sprzęty stawały się wyostrzone i gęściejsze, ani razu nie udało się uniknąć tego najgorszego.

Zazwyczaj Lauren nie potrafiła zostać w swoim pokoju, musiała być tam, gdzie oni, rzucając się na nich, protestując i płacząc, dopóki któreś z nich nie wzięło jej na ręce i nie zaniosło z powrotem do łóżka ze słowami:

– Dobrze, dobrze, nie męcz nas, nie zawracaj głowy, to jest nasze życie, musisz nam pozwolić rozmawiać.

„Rozmawiać" znaczyło chodzić po domu i wygłaszać drobiazgowe, potępiające kazania, wydawać okrzyki sprzeciwu i w końcu rzucać w siebie popielniczkami, butelkami i talerzami. Jednego razu Eileen wybiegła na dwór, rzuciła się na trawnik i zaczęła wyrywać kępki trawy, a Harry syczał w drzwiach: „O, proszę, jaka klasa, rób z siebie przedstawienie". Raz Harry zamknął się w łazience i zawołał: „Jest tylko jeden sposób, żeby skończyć z tymi męczarniami". Oboje grozili zażyciem pigułek i użyciem żyletek.

„Boże, nie róbmy tego – powiedziała kiedyś Eileen. – Proszę, proszę, przestańmy". A Harry odpowiedział wysokim, jęczącym głosem, którym złośliwie przedrzeźniał głos Eileen: „To ty to robisz, ty przestań".

Lauren nie próbowała już zrozumieć, czego dotyczyły awantury. Za każdym razem czegoś nowego (dziś, leżąc w ciemnościach, myślała, że tym razem pewnie chodzi o jej wyjazd, o to, że Eileen sama podjęła decyzję) i zawsze tego samego – czegoś, co do nich należało, a z czego nie potrafili zrezygnować.

Lauren porzuciła też przekonanie, że każde z nich ma swój czuły punkt, że Harry stale żartuje, bo jest smutny, a Eileen jest nabuzowana i wyniosła ze względu na coś w zachowaniu Harry'ego, co sprawia, że czuje się wykluczona, i że gdyby ona, Lauren, potrafiła im to wyjaśnić, sprawy ułożyłyby się lepiej.

Następnego dnia byli cisi, przybici, zawstydzeni i dziwnie zadowoleni. „Ludzie muszą to robić – powiedziała raz Eileen do Lauren. – Niedobrze jest tłumić swoje uczucia. Jest nawet taka teoria, że tłumienie gniewu powoduje raka".

Harry nazywał te awantury kłótniami. „Przepraszam za tę kłótnię – mówił. – Eileen jest bardzo wybuchową kobietą. Mogę tylko powiedzieć, słonko... Och, Boże, mogę powiedzieć... Takie rzeczy się zdarzają".

Tego wieczoru Lauren zasnęła, zanim naprawdę zaczęli czynić szkody. Zanim nawet nabrała pewności, że to zrobią. Kiedy szła spać, butelka dżinu jeszcze się nie pojawiła.

Harry ją obudził.

– Przepraszam – powiedział. – Przykro mi, słonko. Czy możesz wstać i zejść na dół?

– Czy już jest rano?

– Nie, jest środek nocy. Eileen i ja chcemy z tobą porozmawiać. Mamy ci coś do powiedzenia. To jakby coś, o czym już wiesz. Chodź. Chcesz kapcie?

– Nie znoszę kapci – przypomniała mu Lauren. Zeszła przed nim po schodach. Harry wciąż był ubrany, Eileen też była wciąż ubrana i czekała w przedpokoju. – Jest tu jeszcze ktoś, kogo już znasz – poinformowała Lauren.

Delphine. Delphine siedziała na kanapie, w kurtce narciarskiej, czarnych spodniach i czarnym swetrze, w których zwykle chodziła. Lauren nigdy przedtem nie widziała jej w wierzchnim ubraniu. Delphine miała opuchniętą twarz, obwisłą skórę, a jej ciało wyglądało na ogromnie zmęczone.

– Czy możemy pójść do kuchni? – poprosiła Lauren. Nie wiedziała dlaczego, ale kuchnia wydawała jej się bezpieczniejszym miejscem. Zwyczajniejszym, ze stołem, którego można by się przytrzymać, gdyby wszyscy wokół niego usiedli.

– Lauren chce iść do kuchni, pójdziemy do kuchni – stwierdził Harry.

– Lauren – zaczął, kiedy usiedli. – Już wyjaśniłem, że mówiłem ci o dziecku. O tym dziecku, które mieliśmy przed tobą, o tym, co mu się stało.

Zaczekał, dopóki Lauren nie przytaknęła.

– Czy mogę teraz coś powiedzieć? – zapytała Eileen. – Czy mogę coś powiedzieć Lauren?

– No jasne – odparł Harry.

– Harry nie mógł znieść myśli o następnym dziecku – powiedziała Eileen, spoglądając na swe dłonie, złożone na kolanach pod blatem stołu. – Nie mógł znieść myśli o całym tym domowym bałaganie. Miał swoje pisanie. Chciał coś osiągnąć, więc nie mógł żyć w chaosie. Chciał, żebym usunęła ciążę, i ja się zgodziłam, a potem powiedziałam, że tego nie zrobię, a potem znów, że zrobię, ale nie byłam w stanie i się pokłóciliśmy, i wzięłam dziecko, i wsiadłam do samochodu, bo zamierzałam pojechać do przyjaciół. Nie jechałam za szybko i z całą pewnością nie byłam pijana. To przez złe oświetlenie drogi i złą pogodę.

– I przez to, że fotelik dziecka nie był przypięty – dodał Harry. – Ale dajmy temu spokój. Nie nalegałem na usunięcie ciąży. Może wspomniałem o tym, ale na pewno nie mogłem cię do niczego zmusić. O tym nie opowiadałem wcześniej Lauren, byłoby jej przykro tego słuchać. To jest przykre.

– Tak, ale prawdziwe – powiedziała Eileen. – Lauren to zrozumie, wie, że nie chodziło o nią.

Ku własnemu zaskoczeniu Lauren się odezwała.

– To byłam ja. Kto to był, jeśli nie ja?

– Tak, ale to nie ja chciałam to zrobić – powiedziała Eileen.

– Nie można powiedzieć, żebyś całkiem nie chciała – stwierdził Harry.

– Przestańcie – zażądała Lauren.

– Obiecaliśmy, że nie będziemy tego robić – powiedział Harry. – Czy nie obiecaliśmy, że tego właśnie nie będziemy robić? I powinniśmy przeprosić Delphine.

W trakcie rozmowy Delphine na nikogo nie patrzyła. Nie przysunęła się z krzesłem do stołu. Chyba nie zauważyła, że Harry wypowiedział jej imię. Nie tylko przegrana sprawiła, że siedziała nieruchomo. Także ciężar uporu, a nawet obrzydzenia, których Harry i Eileen nie mogli zauważyć.

– Rozmawiałem z Delphine dziś po południu, Lauren. Powiedziałem jej o dziecku. To było jej dziecko. Nie mówiłem ci, że było adoptowane, bo to wyglądałoby jeszcze gorzej – adoptowaliśmy niemowlę, a potem wszystko zepsuliśmy. Po pięciu latach starań myśleliśmy, że już nie zajdziemy w ciążę, więc je adoptowaliśmy. Jego matką była Delphine. Nazwaliśmy je Lauren, a potem ciebie nazwaliśmy Lauren, chyba dlatego, że to było nasze ulubione imię, poza tym mieliśmy wrażenie, że zaczynamy od początku. A Delphine chciała się czegoś dowiedzieć o swoim dziecku, odkryła, że to my je wzięliśmy i oczywiście pomyliła się, sądząc, że to ty. Przyjechała tu, żeby cię odnaleźć. To wszystko jest bardzo smutne. Kiedy powiedziałem jej prawdę, chciała, co zupełnie zrozumiałe, dowodu, więc zaprosiłem ją tutaj i pokazałem jej dokumenty. Delphine nie zamierzała cię ukraść ani nic w tym rodzaju, chciała się tylko z tobą zaprzyjaźnić. Jest samotna i zagubiona.

Delphine jednym ruchem rozpięła suwak kurtki, jakby chciała zaczerpnąć więcej powietrza.

– I powiedziałem Delphine, że wciąż mamy... Że nigdy jakoś tego nie zrobiliśmy, albo że nie było odpowiedniej okazji... – Machnął ręką w stronę tekturowego pudełka, które stało na kuchennym blacie. – I pokazałem jej to.

– Dlatego dzisiaj jako rodzina – powiedział – dzisiaj, kiedy wszystko wyszło na jaw, pojedziemy i to zrobimy. Pozbędziemy się... Tego cierpienia i winy. Delphine, Eileen i ja, i chcemy, żebyś też z nami pojechała, jeśli nie masz nic przeciwko temu. Zgadzasz się?

– Już spałam. Jestem przeziębiona – zaprotestowała Lauren.

– Lepiej zrób tak, jak mówi Harry – poradziła Eileen.

Delphine nadal nie podniosła głowy. Harry podał jej pudełko.

– Może to ty powinnaś je trzymać. Dobrze się czujesz?

– Wszyscy się dobrze czują – powiedziała Eileen. – Chodźmy już.

Delphine stała w śniegu, trzymając pudełko, a Eileen spytała:

– Mogę? – I ostrożnie wzięła je od niej.

Otworzyła je i zamierzała wręczyć Harry'emu, ale zmieniła zamiar i podsunęła je Delphine. Delphine wyjęła małą garstkę prochów, jednak nie wzięła pudełka, żeby je podać dalej. Eileen zaczerpnęła garść prochów i przekazała pojemnik Harry'emu. Kiedy wziął prochy, chciał podać go Lauren, ale Eileen powiedziała:

– Nie. Ona nie musi.

Lauren zdążyła już włożyć ręce do kieszeni.

Nie było wiatru i prochy upadły tam, gdzie Harry, Eileen i Delphine je rzucili, w śnieg.

Eileen zaczęła takim głosem, jakby ją bolało gardło:

– Ojcze nasz, któryś jest w niebie...

Harry powiedział wyraźnie:

– To jest Lauren, która była naszym dzieckiem i którą wszyscy kochaliśmy. Powiedzmy to wszyscy razem.

Spojrzał na Delphine, a potem na Eileen i wszyscy powiedzieli:

– To jest Lauren.

Delphine – mamrocząc cicho, Eileen – głosem pełnym zdenerwowanej szczerości, a Harry – dźwięcznym, zdecydowanym, bardzo poważnym głosem.

– Żegnamy ją i powierzamy śniegowi...

Na końcu Eileen rzuciła pospiesznie:

– Odpuść nam nasze grzechy. Nasze winy. Odpuść nam nasze winy.

Na czas jazdy powrotnej do miasta Delphine usiadła z tyłu z Lauren. Harry przytrzymał jej otwarte przednie drzwi, żeby usiadła przy nim, ale przeszła, potykając się, do tyłu. Zwalniała ważniejsze miejsce, teraz, kiedy nie trzymała już pudełka z prochami. Sięgnęła do kieszeni narciarskiej kurtki po chusteczkę do nosa i przy okazji wyciągnęła coś, co upadło na podłogę samochodu. Jęknęła mimowolnie, pochylając się, żeby podnieść zgubę, ale Lauren była szybsza. Podniosła jeden z kolczyków, które często widziała u Delphine – sięgające ramion kolczyki z tęczowych koralików, które przeświecały przez jej włosy. Musiała nosić je wcześniej tego wieczoru, ale pewnie uznała, że lepiej będzie schować je do kieszeni. I sam dotyk tego kolczyka, dotyk zimnych błyszczących koralików prześlizgujących się między palcami Lauren sprawił, że dziewczynka nagle zapragnęła, żeby różne rzeczy znikły i żeby Delphine znów stała się tą osobą, którą była na początku, kiedy siedziała, zuchwała i wesoła, przy hotelowym biurku.

Delphine nie odezwała się ani słowem. Wzięła kolczyk, nie dotykając palców Lauren. Ale po raz pierwszy tego wieczoru ona i Lauren spojrzały sobie w oczy. Oczy Delphine rozszerzyły się i na chwilę pojawił się w nich znajomy, kpiąco porozumiewawczy wyraz. Delphine wzruszyła ramionami i włożyła kolczyk do kieszeni. To było wszystko, od tej pory patrzyła wyłącznie na tył głowy Harry'ego.

Gdy Harry zwolnił, żeby wysadzić Delphine przed hotelem, powiedział:

– Byłoby miło, gdyby przyszła pani do nas na kolację, któregoś wieczoru, kiedy pani nie pracuje.

– Ja właściwie zawsze pracuję – odparła Delphine. Wysiadła z samochodu i powiedziała: – Do widzenia – do nikogo konkretnego, a potem pokuśtykała błotnistym chodnikiem do hotelu.

– Wiedziałam, że odmówi – stwierdziła Eileen w drodze do domu.

– Cóż. Może jednak doceniła, że ją zaprosiliśmy – powiedział Harry.

– Nie dba o nas. Zależało jej tylko na Lauren, kiedy myślała, że jest jej dzieckiem. Teraz Lauren też jej nie obchodzi.

– Ale nas obchodzi – powiedział Harry podniesionym głosem. – Lauren jest nasza.

– Kochamy cię, Lauren. Chcę ci to jeszcze raz powiedzieć.

„Jej". „Nasza".

Coś kłuło Lauren w gołe kostki. Sięgnęła w dół i przekonała się, że to rzepy, całe wiązki rzepów przyczepiły się do nogawek piżamy.

– Przyczepiły się do mnie rzepy spod śniegu. Setki rzepów.

– Zdejmę je, jak przyjedziemy do domu – obiecała Eileen. – W tej chwili nic nie mogę zrobić.

Lauren gwałtownie ściągała rzepy z piżamy. Kiedy je ściągnęła, przyczepiły się jej do palców. Próbowała oderwać rzepy drugą ręką, a one natychmiast uczepiły się wszystkich pozostałych palców. Tak ją złościły, że chciała bić się po rękach i głośno krzyczeć, ale wiedziała, że jedyne, co może zrobić, to siedzieć i czekać.

Sztuczki

1

– Umrę – powiedziała Robin pewnego wieczoru wiele lat temu. – Umrę, jeśli ta suknia nie będzie gotowa.

Siedzieli na zasłoniętej siatką werandzie domu z ciemnozielonych desek przy Isaac Street. Willard Greig, który mieszkał w sąsiednim domu, grał w remibrydża przy karcianym stoliku z siostrą Robin, Joanną. Robin siedziała na kanapie, z ponurą miną wpatrując się w czasopismo. Zapach tytoniu walczył z zapachem keczupu, który gotował się w jakiejś kuchni przy tej samej ulicy.

Willard zobaczył na twarzy Joanny ledwo widoczny uśmiech. Neutralnym głosem spytała:

– Co powiedziałaś?

– Powiedziałam, że umrę – stwierdziła wyzywająco Robin. – Umrę, jeśli ta suknia nie będzie na jutro gotowa. Uprana.

– Tak mi się zdawało. Umrzesz?

Joanny nigdy nie można było przyłapać na tego typu uwadze. Mówiła łagodnym tonem, bardzo spokojnie, a jej uśmiech, który teraz znikł, był tylko malutkim uniesieniem kącika ust.

– Właśnie – odparła uparcie Robin. – Ta suknia jest mi potrzebna.

– Jest jej potrzebna, umrze, idzie do teatru – powiedziała Joanna do Willarda konfidencjonalnym tonem.

– Daj spokój, Joanno – upomniał ją Willard.

Jego rodzice i on sam przyjaźnili się z rodzicami dziewcząt – wciąż uważał je obie za „dziewczęta" – i teraz, kiedy wszyscy rodzice już nie żyli, uważał że jego obowiązkiem jest pilnowanie, żeby jak najmniej działały sobie na nerwy.

Joanna miała trzydzieści lat, Robin – dwadzieścia sześć. Sylwetka Joanny była dziecinna, jej klatka piersiowa – wąska, twarz długa i ziemista, a włosy proste, cienkie i brązowe. Siostra Robin nigdy nie udawała, że jest kimś innym niż nieszczęśliwą osobą zatrzymaną w połowie drogi między dzieciństwem a kobiecą dorosłością. Zatrzymaną, w pewnym sensie okaleczoną przez ostrą i utrzymującą się od najmłodszych lat astmę. Po osobie, która tak wygląda, która nie może wyjść za próg w zimie ani zostać sama na noc, nikt by się nie spodziewał, że w tak miażdżący sposób będzie krytykować głupotę ludzi, którzy mają więcej szczęścia od niej. Albo że będzie miała w sobie tyle pogardy. Willardowi zdawało się, że przez całe ich życie nieustannie widział oczy Robin pełne gniewnych łez i słyszał, jak Joanna mówi: „I o co ci znowu chodzi?".

Dzisiaj Robin odczuła tylko drobne ukłucie. Następnego dnia miała jechać do Stratfordu i czuła się już poza zasięgiem Joanny.

– Jaka to sztuka, Robin? – spytał Willard, starając się, w miarę możności, rozładować atmosferę. – Szekspira?

– Tak. *Jak wam się podoba.*

– I wszystko rozumiesz? U Szekspira?

Robin potwierdziła.

– Jesteś niesamowita.

Robin robiła to od pięciu lat. Jedna sztuka co roku. Zaczęło się, kiedy mieszkała w Stratfordzie, ucząc się pielęgniarstwa. Wybrała się do teatru z koleżanką, która miała dwa darmowe bilety od ciotki pracującej przy kostiumach. Dziewczyna od biletów śmiertelnie wynudziła się na *Królu Learze*, więc Robin nie zdradziła się ze swymi odczuciami. I tak nie potrafiłaby ich wyrazić, najchętniej wyszłaby z teatru sama i przynajmniej przez dwadzieścia cztery godziny do nikogo się nie odzywała. Od razu postanowiła, że jeszcze tam wróci. I że wróci sama.

Nie powinno jej to sprawić trudności. Miasteczko, w którym dorastała i gdzie później musiała znaleźć pracę ze względu na Joannę, było oddalone zaledwie o pięćdziesiąt kilometrów. Ludzie tam wiedzieli, że w Stratfordzie wystawiają sztuki Szekspira, ale Robin nie znała nikogo, kto by na nie chodził. Ludzie tacy jak Willard bali się, że inni widzowie będą patrzeć na nich z góry, a poza tym mieli problemy ze zrozumieniem języka. A tacy jak Joanna byli pewni, że sztuki Szekspira nigdy nikomu nie mogą się naprawdę podobać, jeżeli więc ktoś od nich jeździł do Stratfordu, to dlatego, że chciał się pokazać w towarzystwie ludzi z wyższych sfer, którzy też wcale się tam dobrze nie bawią, tylko tak udają. Te parę osób w mieście, które lubiło występy sceniczne, wolało jeździć do Toronto, do teatru Royal Alex, kiedy przyjeżdżał jakiś musical z Broadwayu.

Robin lubiła mieć dobre miejsce, dlatego mogła sobie pozwolić tylko na sobotnie popołudniówki. Wybierała sztukę, którą pokazywano w jedną z jej wolnych od pracy w szpitalu sobót. Nigdy nie czytała z wyprzedzeniem tekstu i było jej wszystko jedno, czy jedzie na komedię, czy na tragedię. Jak do tej pory nie spotkała jeszcze nikogo znajomego, ani w teatrze, ani na ulicy, i to też jej bardzo odpowiadało. Jedna z pielęgniarek, z którą pracowała, powiedziała kiedyś: „W życiu bym się nie odważyła pójść tam sama", i wtedy Robin zdała sobie sprawę, jak bardzo się różni od większości ludzi. Najlepiej czuła się w teatrze, otoczona obcymi. Po przedstawieniu szła wzdłuż rzeki do centrum miasta i znajdowała jakieś niedrogie miejsce, gdzie mogła coś zjeść – zwykle kanapkę – siedząc na stołku przy barze. Wracała do domu pociągiem za dwadzieścia ósma. I to wszystko. Jednak te kilka godzin dawało jej pewność, że życie, do którego wraca, takie jakieś prowizoryczne i niezadowalające, jest tylko tymczasowe i łatwo można się z nim pogodzić. I za nim, za tym życiem, za wszystkim jest jasność, którą wyraża światło słońca widziane z okien pociągu. Światło słońca i długie cienie na letnich polach, jak resztki sztuki w jej głowie.

W zeszłym roku widziała *Antoniusza i Kleopatrę*. Kiedy przedstawienie się skończyło, Robin poszła brzegiem rzeki i zauważyła czarnego łabędzia, pierwszego, jakiego w życiu widziała, subtelnego intruza, który pływał i pożywiał się niedaleko białych łabędzi. Może to właśnie blask skrzydeł białych łabędzi podsunął jej pomysł, żeby tym razem zjeść w prawdziwej restauracji, a nie w barze. Biały obrus, świeże kwiaty, kieliszek wina i coś wyszukanego do jedzenia, jak małże czy pieczony kurczak. Postanowiła zajrzeć do torebki, żeby sprawdzić, ile ma pieniędzy.

Ale torebki nie było. Rzadko używana mała torebka z materiału w tureckie wzory nie wisiała jej na ramieniu, znikła.

Robin przeszła cały kawał drogi z teatru do centrum miasta i nie zauważyła jej braku. A w sukni, oczywiście, nie miała kieszeni. Została bez biletu, szminki, grzebienia i pieniędzy. Nie miała ani centa.

Pamiętała, że w czasie przedstawienia trzymała torebkę na kolanach, pod programem. Teraz programu też nie było. Może obie rzeczy spadły na podłogę? Ale nie, pamiętała, że miała torebkę w kabinie damskiej toalety. Powiesiła ją na łańcuszku, na haczyku przyczepionym do drzwi. I nie zostawiła jej tam. Nie. Spojrzała do lustra nad umywalką i wyjęła grzebień, żeby poprawić włosy. Miała delikatne, ciemne włosy i choć wyobrażała je sobie uniesione do góry jak u Jackie Kennedy i nawijała je na noc na lokówki, miały skłonność, żeby leżeć płasko przy głowie. Poza tym Robin była zadowolona z tego, co zobaczyła w lustrze. Miała zielonoszare oczy, czarne brwi i cerę, która łatwo się opalała, czy Robin się o to starała, czy nie, a wszystko bardzo dobrze wyglądało na tle sukni o mocno podkreślonej talii, z szerokim dołem z bawełny w kolorze awokado, z rządkami szczypanek na biodrach.

Tam zostawiła torebkę. Na ladzie przy umywalce. Podziwiała się w lustrze, odwracała i oglądała przez ramię, żeby zobaczyć dekolt sukni na plecach (uważała, że ma ładne plecy) i sprawdzała, czy nie wystaje jej ramiączko od stanika.

I w przypływie próżności, na fali głupiego zadowolenia wypłynęła z damskiej toalety, zapominając o torebce.

Wyszła znad brzegu rzeki na ulicę i ruszyła najkrótszą drogą z powrotem do teatru. Szła tak szybko, jak mogła. Na ulicy nie było cienia, w upale późnego popołudnia panował duży ruch. Robin prawie biegła, toteż pot ściekał strużkami z potników pod pachami jej sukni. Przeszła przez rozpalony parking, teraz pusty, i weszła pod górę. Tam też nie było cienia i obok teatru nie było widać żywego ducha.

Ale budynku jeszcze nie zamknięto. Robin przystanęła na chwilę w foyer, żeby odzyskać wzrok po oślepiającym blasku słońca. Czuła, jak wali jej serce, a na górnej wardze perli się pot. Kasy były zamknięte, tak samo jak bufet i wewnętrzne drzwi do sali teatralnej. Zeszła na dół do toalety, stukając obcasami po marmurowych schodach.

Niech będzie otwarta, niech będzie otwarta, niech torebka tam będzie.

Nie. Na gładkiej pożyłkowanej ladzie nic nie leżało, kosze na śmieci były puste, nic nie wisiało na haczykach w kabinach.

Kiedy wróciła na górę, jakiś mężczyzna zmywał podłogę w foyer. Poinformował ją, że jej torebka mogła trafić do biura rzeczy znalezionych, ale biuro już zamknięto. Dość niechętnie odstawił szczotkę i poprowadził Robin na dół innymi schodami do pakamery, gdzie znajdowało się kilkanaście parasoli, jakieś pakunki, nawet marynarki i kapelusze, i obrzydliwy brązowawy szalik z lisa. Ale torebki z materiału w tureckie wzory nie było.

– Nic z tego – powiedział mężczyzna.

– Może została pod fotelem – zasugerowała błagalnym tonem, choć była pewna, że to niemożliwe.

– Tam już jest posprzątane.

Nie pozostało jej nic innego, jak wejść na górę, przejść przez foyer i wyjść na ulicę.

Od parkingu poszła w drugą stronę, szukając cienia. Mogła sobie wyobrazić Joannę, jak mówi, że ten sprzątacz już gdzieś schował torebkę, żeby zabrać do domu dla żony lub córki, że w takim miejscu nie można się po ludziach niczego lepszego spodziewać. Rozejrzała się za jakąś ławką czy murkiem, gdzie mogłaby przysiąść na chwilę i pomyśleć. Nic takiego nie zauważyła.

Wielki pies zaszedł ją z tyłu i potrącił całym ciałem, przechodząc obok. Ciemnobrązowy pies z długimi łapami i o aroganckim, upartym wyrazie pyska.

– Juno, Juno – zawołał jakiś mężczyzna. – Uważaj, jak idziesz.

– Jest młoda i niegrzeczna – usprawiedliwił się przed Robin. – Wydaje jej się, że chodnik należy do niej. Nie jest groźna. Przestraszyła się pani?

– Nie – odparła Robin.

Martwiła się stratą torebki i nie zamierzała się dodatkowo przejmować atakiem psa.

– Ludzie często się boją, kiedy widzą dobermana. Dobermany mają opinię ostrych i Juno jest tresowana, by była ostra, kiedy pilnuje domu, ale nie na spacerze.

Robin z trudem odróżniała rasy psów. Ze względu na astmę Joanny nigdy nie mieli w domu ani psów, ani kotów.

– Nic się nie stało – powiedziała.

Mężczyzna nie poszedł dalej, gdzie czekała Juno, lecz zawołał do siebie psa. Przypiął smycz, którą trzymał w ręce, do obroży.

– Spuściłem ją na trawie. Na dole koło teatru. Lubi to, ale tutaj powinna być na smyczy. Nie chciało mi się. Źle się pani czuje?

Robin nie zdziwiła się zmianą tematu. Powiedziała:

– Zgubiłam torebkę. Z własnej winy. Zostawiłam ją przy umywalce w damskiej toalecie w teatrze i wróciłam, żeby jej poszukać, ale znikła. Po prostu wyszłam i zostawiłam ją tam po przedstawieniu.

– Co dzisiaj grali?

– *Antoniusza i Kleopatrę*. W torebce miałam pieniądze i bilet na pociąg do domu.

– Przyjechała pani pociągiem? Na *Antoniusza i Kleopatrę*?

– Tak.

Robin przypomniała sobie, co radziła jej i Joannie matka, jeśli chodziło o podróżowanie pociągiem czy w ogóle o podróże. Zawsze trzeba mieć kilka banknotów złożonych i przypiętych do bielizny. I nie należy wdawać się w rozmowy z obcymi mężczyznami.

– Czemu się pani uśmiecha?

– Nie wiem.

– Ma pani powód do uśmiechu, bo z przyjemnością pożyczę pani pieniądze na bilet. O której odjeżdża pani pociąg?

Gdy Robin mu powiedziała, stwierdził:

– Świetnie, ale przedtem powinna pani coś zjeść. W przeciwnym razie będzie pani głodna i jazda pociągiem nie sprawi pani przyjemności. Nie mam przy sobie pieniędzy, bo nic nie biorę, kiedy wychodzę z Juno na spacer. Ale mój sklep jest niedaleko. Proszę pójść ze mną, wezmę pieniądze z kasy.

Robin była do tej pory zbyt przejęta swoją przygodą, by zauważyć u mężczyzny obcy akcent. Jaki? Nie francuski i nie holenderski – sądziła, że te akcenty by rozpoznała, francuski ze szkoły, holenderski z powodu emigrantów, którzy byli czasem pacjentami w szpitalu. Drugą rzeczą, na którą zwróciła uwagę, było to, że mówił o przyjemności jazdy pociągiem. Nikt ze znanych jej ludzi nie powiedziałby tego, myśląc o dorosłej osobie. Ale on widocznie uważał to za całkiem naturalne i oczywiste.

Na rogu Downie Street mężczyzna powiedział:

– Tutaj skręcamy. Mój dom jest parę kroków stąd.

Powiedział „dom", chociaż przedtem mówił o sklepie. Może ma sklep przy domu.

Robin wcale się nie przejęła. Później sama się nad tym zastanawiała. Bez wahania przyjęła propozycję pomocy od obcego człowieka, pozwoliła, by uratował ją z opresji, uznała za zupełnie oczywiste, że nie ma przy sobie pieniędzy na spacerze, ale może je wziąć z kasy sklepu.

Być może stało się tak za sprawą akcentu. Niektóre pielęgniarki przedrzeźniały akcent holenderskich farmerów i ich żon, oczywiście za ich plecami. Robin dbała więc, żeby tych ludzi traktować ze specjalną uwagą, jakby mieli wady wymowy czy nawet byli opóźnieni umysłowo, chociaż wiedziała, że to bzdura. Dlatego obcy akcent wywoływał jej szczególną życzliwość i uprzejmość.

I wcale się temu człowiekowi nie przyjrzała. Najpierw była za bardzo zdenerwowana, a potem nie bardzo mogła, bo szli obok siebie. Był wysoki, miał długie nogi i szedł szybkim krokiem. Jedyna rzecz, jaką zauważyła, to odblask słońca w jego włosach, bardzo krótkich, jak szczecina, które wydały się jej srebrne. To znaczy siwe. Jego czoło, szerokie i wysokie, także lśniło w słońcu i Robin miała wrażenie, że mężczyzna jest od niej starszy o całe pokolenie – uprzejmy, choć lekko niecierpliwy, przypominający nauczyciela, nieco arogancki człowiek, któremu należy się szacunek, a nie zażyłość. Później, u niego w domu, zobaczyła, że siwe włosy zmieszane są z rdzaworudymi, chociaż jego cera ma oliwkowy odcień, niespotykany u rudych, i że w domu porusza się trochę niezręcznie, jakby nieprzyzwyczajony do czyjegoś towarzystwa w swojej życiowej przestrzeni. Przypuszczalnie był od niej starszy najwyżej o dziesięć lat.

Zaufała mu z niewłaściwych powodów. Ale nie popełniła błędu.

Sklep faktycznie znajdował się w domu. W wąskim domu z cegły pozostałym z dawnych czasów, przy ulicy zabudowanej budynkami przeznaczonymi na sklepy. Były tam drzwi frontowe, schodek i okno, jak w zwykłym domu mieszkalnym, ale w oknie stał wymyślny zegar. Mężczyzna otworzył kluczem drzwi, ale nie odwrócił tabliczki z napisem „Zamknięte". Juno wepchnęła się przed nimi do środka i jej właściciel znowu za nią przeprosił.

– Ona myśli, że musi sprawdzić, czy nie ma tu nikogo niepożądanego i czy nic się nie zmieniło, odkąd wyszliśmy.

Wszędzie pełno było zegarów. Z ciemnego i jasnego drewna, z malowanymi figurkami i pozłacanymi kopułkami. Stały na półkach, na podłodze i nawet na ladzie, przy której zawierano transakcje. Za ladą stały na ławkach zegary z odsłoniętymi mechanizmami. Juno gładko się między nimi przemknęła i usłyszeli jej kroki na schodach.

– Interesuje się pani zegarami?

– Nie – powiedziała Robin, zanim pomyślała, że powinna być uprzejma.

– W porządku, to nie muszę wygłaszać mojej gadki – stwierdził i poprowadził ją obok drzwi, przypuszczalnie prowadzących do toalety, i po stromych schodach na górę. Znaleźli się w kuchni, czystej, jasnej i posprzątanej, a Juno już czekała przy czerwonej misce, stukając ogonem w podłogę.

– Czekaj! – rozkazał mężczyzna. – Tak. Czekaj! Nie widzisz, że mamy gościa?

Przepuścił Robin przodem. Weszła do dużego pokoju, gdzie na podłodze z szerokich malowanych desek nie było dywanu, a w oknach zamiast zasłon wisiały żaluzje. Wzdłuż jednej ze ścian dość dużo miejsca zajmował sprzęt hi-fi, a pod przeciwległą ścianą stała kanapa, taka, którą można rozłożyć do spania. Parę płóciennych krzeseł i regał – z książkami na jednej półce i równo ułożonymi pismami na pozostałych. Żadnych obrazków, poduszek czy ozdóbek. Kawalerski pokój, w którym wszystko jest celowe, niezbędne i wyrażające pewną ascetyczną satysfakcję. Całkowicie odmienny od innego kawalerskiego wnętrza, jedynego, jakie Robin znała – Willarda Greiga, które bardziej przypominało żałosne obozowisko rozłożone byle jak pomiędzy meblami jego zmarłych rodziców.

– Gdzie pani zechce usiąść? – zapytał. – Na kanapie? Jest wygodniejsza niż krzesła. Zrobię kawy i pani ją sobie tutaj wypije, a ja przygotuję kolację. Co pani zwykle robi po przedstawieniu, zanim wsiądzie pani do pociągu?

Cudzoziemcy mówią inaczej, zostawiając trochę przestrzeni wokół słów, tak jak aktorzy.

– Spaceruję – odparła Robin. – I idę coś zjeść.

– Czyli tak jak dziś. Nudzi się pani, jedząc sama?

– Nie. Rozmyślam o przedstawieniu.

Kawa była bardzo mocna, ale Robin się do tego po chwili przyzwyczaiła. Nie miała wrażenia, że powinna zaproponować swoją pomoc w kuchni, co zrobiłaby, goszcząc u innej kobiety. Wstała, przeszła przez pokój, prawie na palcach i wzięła jakieś pismo. Już w chwili gdy je brała, wiedziała, że to bez sensu. Wszystkie pisma były wydrukowane na tanim, brązowym papierze w języku, którego Robin nie znała ani nie potrafiła zidentyfikować.

Kiedy już miała pismo na kolanach, zobaczyła, że nie potrafi nawet zidentyfikować wszystkich liter.

Mężczyzna przyniósł kawę.

– Aha – powiedział. – Widzę, że czyta pani w moim języku.

Zabrzmiało to sarkastycznie, ale unikał jej wzroku. Prawie jakby czuł się onieśmielony we własnym domu.

– Nie wiem, jaki to język – odparła.

– Serbski. Niektórzy mówią serbsko-chorwacki.

– Pan stamtąd pochodzi?

– Jestem z Czarnogóry.

To ją zbiło z tropu. Nie miała pojęcia, gdzie jest Czarnogóra. Koło Grecji? Nie, to Macedonia.

– Czarnogóra leży w Jugosławii – wyjaśnił. – Tak nam przynajmniej mówią. Ale my tak nie uważamy.

– Nie wiedziałam, że z tych krajów można się wydostać – powiedziała Robin. – Z tych komunistycznych krajów. Nie sądziłam, że można normalnie wyjechać i przenieść się na Zachód.

– Och, można – stwierdził od niechcenia, jakby ta sprawa mało go interesowała albo jakby już o niej zapomniał. – Można wyjechać, jak człowiekowi naprawdę zależy. Ja wyjechałem prawie pięć lat temu. A teraz jest łatwiej. Niedługo tam pojadę i spodziewam się, że znowu tu wrócę. Teraz muszę zrobić kolację. Żeby nie wyszła pani głodna.

– Jeszcze jedno – powiedziała Robin. – Dlaczego nie umiem przeczytać tych liter? Co to za litery? Czy tam, skąd pan pochodzi, jest taki dziwny alfabet?

– To cyrylica. Podobna do greckiego alfabetu. Teraz gotuję.

Robin usiadła z dziwnie zadrukowanymi stronami na kolanach i pomyślała, że wkroczyła do obcego świata. Do małego kawałka obcego świata przy Downie Street w Stratfordzie. Czarnogóra. Cyrylica. Chyba niegrzecznie było go tak wypytywać. Traktować jak jakiś okaz. Musi się pilnować, chociaż miałaby ochotę zadać mu mnóstwo pytań.

Na dole wszystkie zegary, czy też większość, zaczęły wydzwaniać godzinę. Była już siódma.

– Czy ma pani późniejszy pociąg? – zawołał z kuchni.

– Tak. Za pięć dziesiąta.

– Czy może pani nim pojechać? Czy ktoś będzie się o panią niepokoił?

Powiedziała, że nie. Joanna będzie niezadowolona, ale trudno to nazwać zaniepokojeniem.

Na kolację był gulasz, czy raczej gęsta zupa, w misce, z chlebem i czerwonym winem.

– Strogonow – wyjaśnił. – Mam nadzieję, że pani smakuje.

– Pyszne – powiedziała zgodnie z prawdą. Co innego wino, wolałaby słodsze. – To się jada w Czarnogórze?

– Niezupełnie. Czarnogórskie jedzenie nie jest zbyt dobre. Nie słyniemy z naszego jedzenia.

– A z czego słyniecie? – O to chyba mogła zapytać.

– A wy?

– Jestem Kanadyjką.

– Pytam, z czego słyniecie?

To ją zaskoczyło i poczuła się głupio. Zaśmiała się z zażenowaniem.

– Nie wiem. Chyba z niczego.

– Czarnogórcy słyną z krzyków, wrzasków i bijatyki. Są tacy jak Juno. Potrzebują dyscypliny.

Wstał, żeby nastawić muzykę. Nie spytał, czego Robin chciałaby posłuchać, a ona przyjęła to z ulgą. Nie chciała odpowiadać na pytanie o ulubionych kompozytorów, kiedy przychodzili jej na myśl tylko Mozart i Beethoven i nie była pewna, czy potrafiłaby ich odróżnić. Naprawdę lubiła muzykę ludową, ale pomyślała, że mężczyzna mógłby uznać taką odpowiedź za irytującą i protekcjonalną, związaną w jakiś sposób z jej wyobrażeniem Czarnogóry.

Nastawił płytę jazzową.

Robin nigdy nie miała kochanka, ani nawet chłopaka. Jak to się stało, czy raczej nie stało? Trudno powiedzieć. Oczywiście była Joanna, ale inne dziewczyny, z podobnymi obciążeniami, jakoś sobie radziły. Może to dlatego, że Robin nie przywiązywała do tego odpowiednio dużo uwagi we właściwym czasie.

W jej mieście większość dziewczyn była w poważnych związkach jeszcze przed ukończeniem szkoły średniej, a niektóre nawet przerywały naukę i wychodziły za mąż. Od tych z lepszych domów, tych paru, których rodziców stać było na studia, oczekiwano, że porzucą chłopaków ze szkoły, zanim wyjadą szukać lepszych perspektyw. Porzuconych chłopców szybko ktoś łapał i jeśli dziewczyna nie wykazała się refleksem, zostawała na lodzie bez specjalnego wyboru. Powyżej pewnego wieku każdy nowy mężczyzna, który się pojawiał, był już żonaty.

Robin miała jednak swoją szansę. Wyjechała do szkoły pielęgniarskiej, co powinno dać jej nowe możliwości. Dziewczyny, które uczyły się na pielęgniarki, miały szansę na związki z lekarzami. I tu też się jej nie udało. Wtedy nie zdawała sobie z tego sprawy. Była zbyt poważna, może dlatego. Zbyt poważna w takich sprawach, jak *Król Lear*, a nie umiała wykorzystać takich okazji, jak tańce i gra w tenisa. Pewnego rodzaju powaga u dziewczyny unieważnia nawet jej urodę. Robin trudno było jednak przypomnieć sobie, by choć raz zazdrościła innej dziewczynie mężczyzny. W gruncie rzeczy nie znała nikogo, za kogo chciałaby wyjść za mąż.

Nie znaczy to, że miała coś przeciwko małżeństwu. Po prostu czekała, jakby wciąż miała piętnaście lat, i tylko od czasu do czasu przypominał się jej faktyczny stan rzeczy. Czasami jakaś koleżanka z pracy aranżowała dla niej randkę i zaszokowana Robin ze zdumieniem spotykała się z kimś, kto, zdaniem innych, miał być dla niej odpowiednim kandydatem. A ostatnio przeraził ją nawet Willard, kiedy żartem stwierdził, że pewnego dnia wprowadzi się do nich i będzie jej pomagał opiekować się Joanną.

Niektórzy ludzie spisali już Robin na straty, a nawet ją wychwalali, przyjmując za coś oczywistego, że od początku planowała poświecić się opiece nad siostrą.

Kiedy skończyli jeść, zapytał, czy chciałaby się przejść nad rzeką, nim wsiądzie do pociągu. Zgodziła się, a on stwierdził, że nie mogą tego zrobić, dopóki nie powie mu, jak ma na imię.

– Może będę chciał panią komuś przedstawić.

Powiedziała.

– Robin jak ptaszek?

– Jak Robin Redbreast* – wypaliła, tak jak to często robiła, raczej bezmyślnie. I tak się zawstydziła, że nie pozostało jej nic innego, jak brawurowo brnąć dalej.

– Teraz na pana kolej.

Miał na imię Daniel.

– Daniło. Ale tutaj Daniel.

– Tutaj jest tutaj – powiedziała, wciąż tym samym frywolnym tonem, zawstydzona własną uwagą o rudziku z czerwoną piersią. – A gdzie jest tam? W Czarnogórze mieszkasz w mieście czy na wsi?

– Mieszkałem w górach.

Kiedy siedzieli w pokoju nad sklepem, był między nimi pewien dystans i Robin nie obawiała się, ani nie spodziewała, że ten dystans mógłby zostać naruszony przez jakiś jego niezręczny,

* Robin Redbreast – rudzik. „Redbreast" znaczy „z czerwoną piersią" (przyp. tłum.).

szorstki czy wyrachowany gest. Przy paru okazjach, gdy przydarzyło jej się coś takiego z innymi mężczyznami, było jej za nich zwyczajnie wstyd. Teraz, z konieczności, ona i ten mężczyzna szli dość blisko siebie i jeśli ktoś szedł z naprzeciwka, to ustępując mu miejsca, mogli otrzeć się o siebie ramionami. Albo Daniel usuwał się do tyłu i przez moment dotykał jej pleców ramieniem lub piersią. Te sytuacje i świadomość, że ludzie, których mijali, z pewnością uważają ich za parę, spowodowały, że czuła jakieś dziwne spięcie w ramionach i wzdłuż całej ręki.

Zapytał ją o *Antoniusza i Kleopatrę*, czy sztuka jej się podobała (tak), i która jej część najbardziej. Przyszły jej do głowy pewne momenty, gdy dochodziło do śmiałych i niedwuznacznych uścisków, ale tego nie mogła powiedzieć.

– Ta część na końcu – stwierdziła – kiedy ona ma sobie położyć żmiję na ciele – miała powiedzieć „na piersi", potem to zmieniła, choć „ciało" też nie zabrzmiało najlepiej – i przychodzi ten stary człowiek z koszem fig, w którym jest żmija, i kiedy sobie żartują. Chyba mi się podobało, bo nikt się akurat tego nie spodziewał. To znaczy inne rzeczy też mi się podobały, wszystko mi się podobało, ale ta scena była inna.

– Tak – powiedział. – Mnie też się podoba.

– Widziałeś tę sztukę?

– Nie, teraz oszczędzam. Ale kiedyś czytałem dużo Szekspira, czyta się w trakcie nauki języka. W ciągu dnia uczyłem się o zegarach, a wieczorem – angielskiego. A ty, czego się nauczyłaś?

– Niewiele. W każdym razie nie w szkole. A potem uczyłam się tego, co trzeba umieć, żeby być pielęgniarką.

– Dużo się trzeba nauczyć, żeby zostać pielęgniarką. Tak mi się wydaje.

Potem mówili, że wieczór jest chłodny i że to jest przyjemne, i o tym, że noce są coraz dłuższe, choć mają przed sobą jeszcze cały sierpień. I o Juno, która koniecznie chciała z nimi wyjść, ale przestała nalegać od razu, jak Daniel przypomniał jej, że musi zostać i pilnować sklepu. Rozmowa coraz bardziej przypominała umówiony pretekst, konwencjonalną zasłonę dla czegoś, co przez cały czas stawało się między nimi coraz bardziej nieuniknione i konieczne.

Jednak w światłach dworca wszystko, co było obiecujące czy tajemnicze, natychmiast znikło. Przy okienku czekał ogonek ludzi, Daniel stanął na końcu i kupił jej bilet, gdy przyszła jego kolej. Wyszli na peron, gdzie już czekali pasażerowie.

– Jeśli napiszesz swoje nazwisko i adres na kawałku papieru – powiedziała Robin – od razu wyślę ci pieniądze.

Teraz to się zdarzy, pomyślała. „To" oznaczało nic. Teraz nic się nie zdarzy. Do widzenia. Dziękuję. Wyślę pieniądze. Nie ma pośpiechu. Dziękuję. Żaden kłopot. Mimo to dziękuję. Do widzenia.

– Chodźmy tam dalej – zaproponował Daniel i przeszli wzdłuż peronu, odchodząc od świateł. – Nie przejmuj się pieniędzmi. To mała suma, a poza tym i tak przekaz może mnie nie zastać, bo wkrótce wyjeżdżam. Czasami przesyłki długo idą.

– Och, przecież muszę ci oddać pieniądze.

– Powiem ci, jak to zrobisz. Słuchasz?

– Tak.

– Następnego lata będę tutaj, w tym samym miejscu. W tym samym sklepie. Najpóźniej w czerwcu. Następnego lata.

Wybierzesz sobie sztukę, przyjedziesz tu pociągiem i przyjdziesz do sklepu.

– I wtedy zwrócę ci dług?

– Tak. A ja przygotuję kolację i napijemy się wina, potem opowiem ci o wszystkim, co się wydarzyło przez ten rok, a ty mi opowiesz o sobie. I jeszcze jedna rzecz.

– Co?

– Włożysz tę samą suknię. Swoją zieloną suknię. I będziesz miała taką samą fryzurę.

– Żebyś mógł mnie poznać – powiedziała ze śmiechem Robin.

– Tak.

Doszli do końca peronu i Daniel powiedział:

– Teraz uważaj. – A potem, kiedy zeszli na żwir: – W porządku?

– W porządku – odparła Robin z drżeniem w głosie, albo z powodu nierównej powierzchni, albo dlatego, że Daniel wziął ją za ramiona i przesuwał dłońmi po jej gołych rękach.

– To bardzo ważne, że się spotkaliśmy – stwierdził. – Tak myślę. Ty też tak myślisz?

– Tak.

– Tak. Tak.

Wsunął dłonie pod jej ramiona, żeby mocniej ją do siebie przyciągnąć, i zaczęli się całować.

Rozmowa pocałunków. Subtelna, absorbująca, nieustraszona, przeobrażająca. Kiedy po chwili przestali, oboje drżeli i Daniel z trudem opanował głos, starając się mówić rzeczowo.

– Nie będziemy pisać listów, listy to nie jest dobry pomysł. Będziemy o sobie pamiętać i spotkamy się za rok. Nie musisz mnie zawiadamiać, po prostu przyjedź. Jeśli nadal będziesz czuła to samo, przyjedziesz.

Usłyszeli nadjeżdżający pociąg. Daniel pomógł Robin wejść na peron i już jej więcej nie dotknął, tylko szedł obok szybkim krokiem, szukając czegoś w kieszeni.

Zanim odszedł, podał jej złożoną kartkę papieru.

– Napisałem to przed wyjściem ze sklepu – powiedział.

W pociągu przeczytała jego nazwisko: „Daniło Adzić". I słowa: „Bjelojevici. Moja wioska".

Ze stacji wracała pod ciemnymi drzewami. Joanna jeszcze się nie położyła. Układała pasjansa.

– Przepraszam, spóźniłam się na wcześniejszy pociąg – powiedziała Robin. – Jadłam już kolację. Strogonowa.

– Aha, to ten zapach, który czuję.

– I wypiłam kieliszek wina.

– To też czuję.

– Chyba pójdę do łóżka.

– Tak będzie najlepiej.

„Ze smugą chwały", pomyślała Robin, idąc na górę. „Z domu naszego, od Boga"*.

Jakie to było głupie i nawet świętokradcze, jeśli się wierzy w świętokradztwo. Pocałunki na peronie dworcowym

* Fragment wiersza Williama Wordswortha *Oda: przeczucia nieśmiertelności czerpane ze wspomnień o wczesnym dzieciństwie* (*Ode: Intimations of Immortality From Recollections of Early Childchood*), tłum. Z. Kubiak (przyp. tłum.).

i zaproszenie do przyjazdu za rok. Co by powiedziała Joanna, gdyby wiedziała? Cudzoziemiec. Cudzoziemcy podrywają dziewczyny, których nikt inny nie chce.

Przez parę tygodni siostry prawie się do siebie nie odzywały. Później, widząc, że nikt nie dzwoni, że nie przychodzą żadne listy i że Robin wychodzi wieczorami tylko do biblioteki, Joanna trochę się uspokoiła. Wiedziała, że coś się zmieniło, ale nie sądziła, że to coś poważnego. Zaczęła żartować z Willardem.

W obecności Robin powiedziała do niego:

– Wiesz, że nasza dziewczynka miała tajemniczą przygodę w Stratfordzie? Tak, tak, mówię ci. Wróciła do domu, pachnąc alkoholem i gulaszem. Wiesz, jak to pachnie? Jak wymioty.

Pewnie myślała, że Robin poszła do jakiejś dziwnej restauracji, gdzie podawano europejskie potrawy, i uważając się za kobietę wytworną, zamówiła do jedzenia kieliszek wina.

Robin chodziła do biblioteki, żeby poczytać o Czarnogórze.

„Przez ponad dwa stulecia – przeczytała – Czarnogórcy walczyli z Turkami i Albańczykami, co było u nich głównym zajęciem mężczyzn. (Dlatego mają reputację ludzi o wielkiej godności, buńczuczności i awersji do pracy; ta ostatnia cecha jest w całej Jugosławii stałym tematem żartów)".

Robin nie udało się ustalić, o które dwa wieki chodziło. Czytała o królach, biskupach, wojnach, morderstwach i najsłynniejszym serbskim poemacie pod tytułem *Górski wieniec*, napisanym przez czarnogórskiego króla. Nie zapamiętała prawie nic z tego, co przeczytała. Oprócz prawdziwej nazwy Czarnogóry, której nie umiała wymówić. „Crna Gora".

Przestudiowała mapę, na której trudno było znaleźć ten mały kraj, ale w końcu, przy pomocy szkła powiększającego, poznała nazwy kilku miast (żadne nie nazywało się Bjelojevici) i rzek: Moraca i Tara, oraz zacieniowanych łańcuchów górskich, które znajdowały się wszędzie z wyjątkiem Doliny Zety.

Trudno byłoby jej wytłumaczyć powód tych poszukiwań i nawet nie próbowała tego robić (chociaż, oczywiście, zauważono jej obecność w bibliotece i pilną lekturę). Najprawdopodobniej usiłowała – i przynajmniej po części jej się to udało – umiejscowić Daniłę w rzeczywistej przestrzeni i rzeczywistej przeszłości, poznać nazwy, które on znał, historię, której musiał się uczyć w szkole, niektóre miejsca, które z pewnością odwiedził jako dziecko czy młody człowiek. I które być może odwiedza w tej chwili. Dotykając palcem wydrukowanej nazwy, Robin może dotyka właśnie tego miejsca, gdzie on teraz przebywa.

Próbowała też nauczyć się z książek i wykresów czegoś o zegarach, ale to się jej nie udało.

Daniło pozostał przy niej. Myślała o nim, kiedy się budziła i w wolnych chwilach w pracy. Obchody świąt Bożego Narodzenia skierowały jej myśli na uroczystości w Cerkwi prawosławnej, o których czytała, na brodatych popów w złotych szatach, na świece i kadzidło, i głębokie, monotonne żałobne śpiewy w obcym języku. Zimno i sięgający daleko ku środkowi jeziora lód kojarzyły jej się z zimą w górach. Czuła się tak, jakby została wybrana do połączenia się z tą dziwną częścią świata, jakby otrzymała inne przeznaczenie. W myślach używała takich słów. „Przeznaczenie". „Kochanek". Nie „chłopak".

„Kochanek". Czasami myślała o tym, jak niechętnie i od niechcenia mówił o wyjeździe i powrocie, i bała się o niego, wyobrażając sobie, że to się łączy z ciemnymi sprawami, filmowymi intrygami i różnymi zagrożeniami. Chyba dobrze zrobił, że postanowił zrezygnować z listów. Jej życie składałoby się wyłącznie z ich pisania i czekania na nie. Pisanie i czekanie, czekanie i pisanie. A do tego, oczywiście, denerwowanie się, gdyby nie przychodziły.

Miała teraz coś, co stale ze sobą nosiła. Zdawała sobie sprawę z jakiegoś blasku na ciele, w głosie i we wszystkim, co robiła. Inaczej chodziła, uśmiechała się bez powodu i odnosiła się do pacjentów z niezwykłą czułością. Sprawiało jej przyjemność rozmyślanie o szczegółach i oddawała się temu w trakcie pracy czy przy kolacji z Joanną. Pusta ściana jego pokoju z prostokątami światła słonecznego wpadającego przez żaluzje. Szorstki papier gazet ze staroświeckimi rysunkami zamiast zdjęć. Gruba fajansowa miska z żółtym paskiem, w której podał jej strogonowa. Czekoladowy kolor pyska Juno i jej szczupłe, silne łapy. Potem chłodne powietrze na ulicach i zapach kwiatów z miejskich rabatek, i latarnie nad rzeką, wokół których latały miliony małych muszek.

Zamierające w piersi serce, poczucie beznadziei, kiedy wrócił z jej biletem. Ale potem spacer, odmierzane kroki, zejście z peronu na żwir. Ostre kamyki raniły ją przez cienkie podeszwy.

Nic nie zblakło, niezależnie od wielokrotnych powtórek. Wspomnienia i upiększanie wspomnień żłobiły coraz głębszą koleinę.

„To bardzo ważne, że się spotkaliśmy.
Tak. Tak".

Ale kiedy nadszedł czerwiec, Robin zwlekała. Nie wybrała jeszcze sztuki, nie zamówiła biletu. Wreszcie doszła do wniosku, że najlepiej będzie zdecydować się na dzień rocznicy, na ten sam dzień, co w zeszłym roku. Tego dnia grano *Jak wam się podoba*. Pomyślała, że przecież może od razu pójść na Downie Street i nie zawracać sobie głowy przedstawieniem, bo i tak będzie zbyt przejęta, zbyt podekscytowana, żeby oglądać sztukę. Była jednak za bardzo przesądna, żeby zmienić plan dnia. Dostała bilet. I zaniosła do pralni zieloną suknię. Nie nosiła jej od tamtej pory, ale chciała, żeby była absolutnie świeża, jak nowa.

Kobieta, która w pralni zajmowała się prasowaniem, opuściła w tym tygodniu parę dni. Miała chore dziecko. Ale obiecano Robin, że wróci i suknia będzie gotowa w sobotę rano.

– Umrę – powiedziała Robin. – Umrę, jeśli ta suknia nie będzie na jutro gotowa.

Spojrzała na Joannę i Willarda, którzy grali przy stole w remibrydża. Widziała ich przy tej czynności wiele razy, a teraz pomyślała, że może już ich nigdy więcej nie zobaczy. Jak daleko byli od jej napięcia i buntu, od jej życiowego ryzyka.

Suknia nie była gotowa. Dziecko wciąż chorowało. Robin przez chwilę zastanawiała się, czy nie wziąć sukni do domu i nie wyprasować jej samodzielnie, ale stwierdziła, że zbyt by się denerwowała, żeby to dobrze zrobić, zwłaszcza pod okiem

Joanny. Od razu poszła do centrum, do jedynego porządnego sklepu, i miała szczęście (tak sądziła), bo znalazła inną zieloną suknię, która też dobrze na niej leżała, choć miała trochę inny fason i była bez rękawów. Nie w kolorze awokado, lecz zielonej limonki. Sprzedawczyni powiedziała, że to tego roku najmodniejszy kolor i że sukni z szerokim dołem i wciętą talią już się nigdzie nie dostanie.

Przez okno pociągu Robin zobaczyła, że zaczęło padać. Nawet nie miała parasolki. A naprzeciwko niej siedziała pasażerka, którą znała, kobieta, której kilka miesięcy wcześniej usunięto w szpitalu woreczek żółciowy. Ta kobieta miała w Stratfordzie zamężną córkę. Należała do osób, które uważają, że dwoje znajomych jadących tym samym pociągiem w to samo miejsce powinno prowadzić konwersację.

– Moja córka po mnie wyjedzie – powiedziała. – Możemy panią podrzucić, dokąd pani zechce. Zwłaszcza że pada.

Kiedy dojechały do Stratfordu, już nie padało, wyszło słońce i zrobiło się bardzo gorąco. Mimo to Robin przyjęła propozycję podwiezienia. Siedziała z tyłu z dwojgiem dzieci, które jadły lody na patyku. Jakimś cudem nie poplamiły jej sukni pomarańczowym i truskawkowym płynem.

Nie była w stanie doczekać końca przedstawienia. Trzęsła się z zimna w klimatyzowanym teatrze, ponieważ jej suknia była z bardzo lekkiego materiału i bez rękawów. A może trzęsła się z nerwów. Przepraszając, przeszła do końca rzędu, weszła na górę po niesymetrycznych schodach i wyszła na światło dzienne, do foyer. Znowu padało, bardzo mocno. Robin, sama w damskiej toalecie, tam, gdzie zgubiła torebkę, zajęła się włosami. Wilgoć popsuła jej fryzurę, włosy, które miały być lekko sfalowane, skręciły się z powrotem w postrzępione, kręcone loki wokół twarzy. Powinna była zabrać ze sobą lakier. Zrobiła, co się dało, przy pomocy grzebienia.

Kiedy w końcu wyszła, deszcz znów przestał padać i świeciło słońce, błyszcząc na mokrym chodniku. Teraz ruszyła w drogę. Na miękkich nogach, jak dawniej w szkole, gdy musiała podejść do tablicy, żeby napisać rozwiązanie zadania z matematyki albo wyrecytować przed klasą coś, czego trzeba się było nauczyć na pamięć. Za szybko znalazła się na rogu Downie Street. W ciągu kilku następnych minut jej życie miało się zmienić. Nie była na to gotowa, ale już dłużej nie mogła zwlekać.

Za drugą przecznicą widziała przed sobą ten dziwny mały domek, podtrzymywany z obu stron przez konwencjonalne budynki sklepowe.

Podeszła bliżej, jeszcze bliżej. Drzwi stały otworem, tak jak w większości sklepów przy tej ulicy – nieliczne miały klimatyzację. We framudze była tylko rama z siatką przeciwko muchom.

Weszła po dwóch schodkach i stanęła przed siatką. Nie otwierała jej przez chwilę, żeby przyzwyczaić wzrok do na wpół ciemnego wnętrza i nie potknąć się o coś po wejściu.

Był tam, na stanowisku za ladą, zajęty czymś w świetle pojedynczej żarówki. Pochylony – widziała go z profilu – skoncentrowany na pracy przy zegarze. Obawiała się jakiejś zmiany. Obawiała się, w gruncie rzeczy, że niedokładnie go pamięta.

Albo że wrócił z Czarnogóry odmieniony, z nowym uczesaniem, z brodą. Ale nie, był taki sam. Światło, które świeciło nad jego głową, ukazywało tę samą szczecinę, błyszczącą jak wtedy, srebrną z rdzaworudym połyskiem. Gruby bark, lekko pochylony, podwinięty rękaw, który odsłaniał umięśnione ramię. Wyraz twarzy skoncentrowany, intensywny, pełen przekonania o wartości tego, co robił, mechanizmu, nad którym pracował. Ten sam wyraz twarzy, jaki zachowała we wspomnieniach, chociaż nigdy dotąd nie widziała go przy pracy nad zegarem. Wyobrażała sobie, że to spojrzenie jest skupione na niej.

Nie. Nie chciała wejść. Chciała, żeby to on wstał, podszedł do niej, otworzył drzwi. Zawołała. Daniel. W ostatniej chwili zawstydziła się i nie zawołała Daniło, bojąc się, że źle wymówi obcojęzyczne sylaby.

Nie usłyszał – czy może z powodu tego, co robił, nie podniósł głowy od razu. Po chwili to zrobił, ale nie spojrzał na nią – chyba szukał czegoś, czego akurat potrzebował. Jednak podnosząc wzrok, zauważył Robin. Ostrożnie usunął coś z drogi, odsunął się z krzesłem od lady, wstał, podszedł do niej z ociąganiem.

Lekko pokręcił głową.

Trzymała rękę w pogotowiu, żeby pchnąć drzwi, ale nie zrobiła tego. Czekała, aż coś powie, lecz on się nie odezwał. Znowu pokręcił głową. Był zdenerwowany. Stał nieruchomo. Odwrócił od niej wzrok, rozejrzał się po sklepie, rzucił okiem na szereg zegarów, jakby mogły udzielić mu jakichś informacji czy wsparcia. Kiedy ponownie spojrzał na jej twarz, zadrżał i niechcący – a może i nie – obnażył górne zęby. Jakby jej widok go przeraził, naraził na niebezpieczeństwo.

A Robin stała sparaliżowana, jakby wciąż oczekiwała, że to okaże się żartem, zabawą czy jakąś grą.

Znów podszedł do niej bliżej, już podjął decyzję, co robić. Nie patrząc na nią, lecz działając z determinacją i – tak to odebrała – ze wstrętem, położył dłoń na drewnianych drzwiach, tych, które były otwarte, i zamknął je jej przed nosem.

To była droga na skróty. Z przerażeniem zrozumiała, co robi. Zachował się tak, gdyż w ten sposób było mu łatwiej się jej pozbyć, bez wyjaśnień, bez tłumaczeń, bez wysłuchiwania jej pretensji, bez konfrontacji z jej zranionymi uczuciami, ewentualnym załamaniem i łzami.

Wstyd, straszny wstyd, oto, co czuła. Kobieta bardziej pewna siebie, bardziej doświadczona, odeszłaby z wściekłością. „Olewam go". Robin słyszała, jak jedna kobieta w pracy powiedziała tak o mężczyźnie, który ją porzucił. „Nie można ufać nikomu, kto nosi spodnie". Tamta kobieta zachowywała się tak, jakby wcale nie była zdziwiona. I Robin w głębi ducha też się nie dziwiła, ale winiła siebie. Powinna była zrozumieć te słowa z zeszłego lata, obietnicę i pożegnanie na stacji, jako coś żartobliwego, niepotrzebną uprzejmość wobec samotnej kobiety, która zgubiła torebkę i która sama przyjeżdża do teatru. Z pewnością pożałował tego, co powiedział, jeszcze zanim wrócił do domu, modląc się, żeby nie potraktowała go serio.

Możliwe, że z Czarnogóry przywiózł ze sobą żonę (była na górze), i to by wyjaśniało ten wyraz przestrachu na jego twarzy, ten dreszcz niepokoju. Jeżeli w ogóle myślał o Robin, to z obawą, że będzie robić to, co robiła – rozmyślać o nim w swych okropnych dziewiczych marzeniach, obmyślać swe głupie plany. Kobiety pewnie nieraz robiły z siebie idiotki dla niego, a on potrafił się ich pozbywać. To był sposób. Lepiej zachować się okrutnie niż uprzejmie. Bez przeprosin, bez wyjaśnień, bez nadziei. Udawać, że jej nie poznał, a jeśli to nie poskutkuje, trzasnąć jej przed nosem drzwiami. Im szybciej cię znienawidzi, tym lepiej.

Chociaż w niektórych wypadkach to droga przez mękę.

Właśnie. A teraz Robin się rozpłakała. Udało jej się powstrzymać łzy na ulicy, ale na ścieżce nad rzeką już płakała. Ten sam samotny czarny łabędź, te same rodziny kacząt i ich kwaczących rodziców, słońce na wodzie. Lepiej nie próbować ucieczki, lepiej nie ignorować tego uderzenia. Jeśli przez chwilę się udało, to potem trzeba znieść ponowny cios, ciężkie i obezwładniające uderzenie w pierś.

– W tym roku bardziej pilnowałaś godziny – powiedziała Joanna. – Podobało ci się przedstawienie?

– Nie widziałam całego. Kiedy wchodziłam do teatru, jakiś owad wpadł mi do oka. Mrugałam i mrugałam, ale nie mogłam się go pozbyć i w końcu musiałam pójść do toalety, żeby go wypłukać. A potem wyciągnęłam kawałek ręcznikiem i niechcący wtarłam w drugie oko.

– Wyglądasz, jakbyś wypłakała sobie oczy. Kiedy weszłaś, pomyślałam, że byłaś na jakiejś okropnie smutnej sztuce. Umyj sobie twarz słoną wodą.

– Mam zamiar.

Zamierzała też zrobić inne rzeczy, lub raczej nie robić ich. Nigdy więcej nie pojechać do Stratfordu, nie chodzić tamtymi ulicami, nigdy nie oglądać żadnej sztuki. Nigdy nie nosić zielonej sukni, ani w kolorze limonki, ani awokado. Unikać wiadomości na temat Czarnogóry, co nie powinno być zbyt trudne.

2

Nadeszła prawdziwa zima i jezioro zamarzło prawie do falochronów. Lód jest pofałdowany, w niektórych miejscach wygląda tak, jakby wielkie fale zamarzły w ruchu. Robotnicy zdejmują świąteczne dekoracje. Panuje grypa. Ludziom łzawią oczy od wiatru. Kobiety przeważnie chodzą w zimowych uniformach składających się ze spodni od dresu i kurtek narciarskich.

Ale nie Robin. Kiedy wysiada z windy, żeby pójść na drugie, najwyższe piętro szpitala, ma na sobie długi, czarny płaszcz, szarą wełnianą spódnicę i liliowo-szarą bluzkę z jedwabiu. Gęste, proste, ciemnopopielate włosy sięgają jej do ramion, a w uszach ma małe diamenciki. (Nadal uważa się, jak dawniej, że niektóre najładniejsze i najelegantsze kobiety w mieście to te, które nie wyszły za mąż). Robin nie musi już nosić stroju pielęgniarki, ponieważ pracuje tylko na część etatu i tylko na tym piętrze.

Można bez problemów wjechać na drugie piętro, ale zjechać jest trudniej. Pielęgniarka za biurkiem musi nacisnąć ukryty guzik, żeby uruchomić windę. To oddział psychiatryczny, chociaż rzadko tak się o nim mówi. Okna wychodzą na zachód, na jezioro, podobnie jak okna mieszkania Robin, dlatego często nazywa się go Hotelem Zachodzącego Słońca. Starsi ludzie mówią o nim: Royal York. Pacjenci na ogół krótko tu przebywają, chociaż u niektórych te krótkie pobyty wciąż się powtarzają. Ci, którzy na stałe przebywają w krainie iluzji, ucieczki od świata czy depresji, żyją gdzie indziej, w domu opieki na skraju miasta, który oficjalnie nazywa się Długoterminowym Zakładem Opiekuńczym.

W ciągu czterdziestu lat miasto nie bardzo się powiększyło, ale na pewno się zmieniło. Zbudowano dwa centra handlowe, chociaż sklepy na rynku walczą o przetrwanie. Są nowe domy, takie jak osiedle dla emerytów na skarpie, a dwa stare, duże budynki z widokiem na jezioro przerobiono na mieszkania. Robin miała szczęście i udało jej się dostać jedno z tych mieszkań. Dom przy Isaac Street, gdzie mieszkała z Joanną, upiększono plastikiem i przekształcono w biuro handlu nieruchomościami. Dom Willarda pozostał mniej więcej taki sam. Willard miał kilka lat temu udar, ale nieźle się z niego wyciągnął, chociaż musi chodzić z dwiema laskami. Kiedy leżał w szpitalu, Robin często go widywała. Mówił, że Robin i Joanna były dobrymi sąsiadkami i że przyjemnie grało się z nimi w karty.

Joanna nie żyje od osiemnastu lat, a Robin po sprzedaży domu odsunęła się od dawnych znajomych. Nie chodzi już do kościoła i prawie nie widuje ludzi, których znała w młodości albo z którymi chodziła do szkoły, nie licząc tych, którzy trafiają do szpitala jako pacjenci.

W ograniczonym stopniu znowu otworzyły się przed nią perspektywy małżeństwa. Są wdowcy, którzy się za kimś rozglądają, samotni mężczyźni. Zazwyczaj szukają kobiety z małżeńskim doświadczeniem, chociaż cenią również dobrą pracę. Ale Robin nie kryje, że nie jest zainteresowana. Ludzie, którzy ją znają od dawna, mówią, że nigdy nie była zainteresowana i że taka już jest. Niektórzy obecni znajomi uważają ją za lesbijkę, która wychowała się w prostym, ograniczonym środowisku i dlatego nie potrafi się do tego przyznać.

W mieście żyją teraz różni ludzie i to z nimi Robin się przyjaźni. Niektórzy mieszkają razem bez ślubu. Niektórzy urodzili się w Indiach, Egipcie, Korei lub na Filipinach. Stare zwyczaje w pewnym stopniu przetrwały, ale dużo ludzi żyje na swój sposób, nawet o nich nie wiedząc. Można kupić najróżniejsze produkty spożywcze, a w ładny niedzielny poranek usiąść przy kawiarnianym stoliku na ulicy, pić jakąś wyszukaną kawę i z przyjemnością słuchać bicia kościelnych dzwonów, w ogóle nie myśląc o religii. Plaży nie otaczają już kolejowe baraki i magazyny, można iść ponad kilometr drewnianym pomostem wzdłuż jeziora. Jest kółko śpiewacze i kółko dramatyczne. Robin nadal działa w kółku dramatycznym, lecz nie występuje już tak często na scenie, jak kiedyś. Wiele lat temu zagrała Heddę Gabler. W powszechnym przekonaniu sztuka była przykra, ale Robin zagrała Heddę doskonale. Zwłaszcza że – jak mówiono – ta postać tak bardzo się od niej różni.

Sporo ludzi jeździ w dzisiejszych czasach do Stratfordu. Robin jeździ do teatru do Niagara-on-the-Lake.

Robin widzi trzy łóżka ustawione pod przeciwległą ścianą.

– Co się dzieje? – pyta Coral, pielęgniarkę za biurkiem.

– To chwilowe – odpowiada Coral niepewnie. – Tymczasowa reorganizacja.

Robin idzie powiesić płaszcz i torebkę w szafie za biurkiem, a Coral mówi, że to przypadki z hrabstwa Perth. Wyjaśnia, że to jakaś zamiana z powodu tamtejszego przeludnienia. Tylko komuś się coś pomyliło i dom opieki nie jest jeszcze gotowy na przyjęcie tych ludzi, postanowiono zatem na razie tu ich położyć.

– Powinnam pójść się z nimi przywitać?

– Jak chcesz. Kiedy ostatnio sprawdzałam, nie było z nimi żadnego kontaktu.

Trzy łóżka mają podniesione boczne zamknięcia, pacjenci leżą bez ruchu. Carol miała rację, wszyscy śpią. Dwie stare kobiety i jeden stary mężczyzna. Robin odwraca się, żeby odejść, ale nie odchodzi. Stoi i przygląda się staremu mężczyźnie. Jego usta są otwarte, a sztuczną szczękę, o ile w ogóle ją ma, wyjęto. Ma jeszcze włosy, siwe i krótko ostrzyżone. Wychudzony, z zapadniętymi policzkami, ale nadal szeroką twarzą od skroni do skroni, z resztką autorytetu i – tak jak wtedy, kiedy widziała go ostatni raz – niepokoju. Wysuszone, blade, niemal srebrne plamy na skórze, prawdopodobnie po wyciętych zmianach rakowych. Wyniszczone ciało, nóg prawie nie widać pod przykryciem, ale wciąż widać oddech w piersi, zupełnie tak, jak zapamiętała.

Czyta nazwisko na karcie w nogach łóżka.

„Aleksander Adzić”.

Daniło. Daniel.

Może to jego drugie imię. Aleksander. Albo ją okłamał, na wszelki wypadek powiedział nieprawdę, czy pół prawdy, od samego początku i prawie do końca.

Wraca do biurka i pyta Carol:

– Masz jakieś informacje o tym mężczyźnie?

– Dlaczego pytasz? Znasz go?

– Chyba tak.

– Sprawdzę. Zadzwonię.

– Nie ma pośpiechu – mówi Robin. – Jak będziesz miała czas. Jestem po prostu ciekawa. A teraz muszę pójść do moich podopiecznych.

Praca Robin polega na rozmowach z pacjentami dwa razy w tygodniu i pisaniu raportów na temat tego, jak mijają ich urojenia czy depresje, czy pomagają im lekarstwa i jak na nastroje pacjentów wpływają wizyty ich krewnych lub partnerów. Robin pracuje na tym piętrze od bardzo dawna, odkąd w latach siedemdziesiątych wprowadzono zasadę trzymania pacjentów psychiatrycznych blisko miejsca zamieszkania, i zna wielu z tych ludzi, którzy często wracają na oddział. Poszła na dodatkowe kursy, żeby mieć kwalifikacje do zajmowania się przypadkami psychiatrycznymi, zresztą sama z siebie miała do tego wyczucie. Jakiś czas po tym, jak wróciła ze Stratfordu, nie zobaczywszy do końca *Jak wam się podoba*, zaczęła się interesować tą pracą. Coś, chociaż nie to, czego się spodziewała, odmieniło jej życie.

Na koniec zostawia pana Wraya, ponieważ zwykle wymaga najwięcej czasu. Nie zawsze może mu go poświęcić tyle, ile by chciał; to zależy od problemów innych jej podopiecznych. Dziś stan pozostałych jest ogólnie dobry, dzięki pigułkom, które zażywają, i pacjenci tylko przepraszają za całe wywołane przez siebie zamieszanie. Ale pan Wray, który uważa, że jego wkład w odkrycie DNA nie został właściwie nagrodzony czy uznany, szaleje w związku z listem do Jamesa Watsona. Mówi o nim „Jim".

– Ten list, który napisałem do Jima – mówi pan Wray. – Dobrze wiem, że nie wysyła się takich listów bez zostawienia kopii dla siebie. Ale wczoraj przejrzałem moją teczkę z dokumentami, i co? Niech pani zgadnie.

– Proszę mi powiedzieć – mówi Robin.

– Nie ma. Nie ma. Ktoś ukradł.

– Może jest gdzie indziej. Rozejrzę się.

– Wcale mnie to nie dziwi. Już dawno powinienem się z tym pogodzić. Walczę z Ważnymi Ludźmi, a czy ktoś kiedyś z Nimi wygrał? Niech mi pani powie prawdę. Proszę. Czy mam zrezygnować?

– Sam pan musi o tym zadecydować. Nikt tego za pana nie zrobi.

Zaczyna wymieniać, kolejny raz, szczegóły swojego niepowodzenia. Nie jest naukowcem, pracował jako geodeta, ale przez całe życie interesował się postępami nauki. Informacje, jakie pan Wray przekazuje Robin, a nawet rysunki, które udało mu się narysować tępym ołówkiem, są niewątpliwie poprawne. Jedynie opowieść o tym, jak go oszukano, jest niezborna i przewidywalna, prawdopodobnie w dużej mierze opiera się na filmach i telewizji.

Niemniej jednak Robin uwielbia tę część historii, w której pan Wray opisuje, jak spirala się otwiera i dwie nitki się rozdzielają. Pokazuje jej, jak to się dzieje, z prawdziwym wdziękiem, zgrabnie przy tym gestykulując. Każda nitka wyrusza w przeznaczoną sobie drogę, by podwoić się według zawartych w niej instrukcji.

Pan Wray też to lubi, zachwyca się ze łzami w oczach. Robin zawsze dziękuje mu za wyjaśnienia i chciałaby, żeby na tym zakończył, ale on oczywiście nie może.

Mimo wszystko Robin uważa, że pan Wray ma się lepiej. Kiedy zaczyna wgłębiać się w szczegóły niesprawiedliwości, koncentrować na przykład na ukradzionym liście, to znaczy, że prawdopodobnie jego stan się poprawia.

Przy niewielkiej zachęcie, lekkim przekierowaniu jego zainteresowania, mógłby się może w niej zakochać. To się już wcześniej zdarzyło z dwoma pacjentami. Obaj byli żonaci. Co nie przeszkodziło Robin przespać się z nimi, kiedy wypisano ich ze szpitala. Jednak potem ich uczucia uległy zmianie. Mężczyźni czuli wdzięczność, Robin – życzliwość, wszyscy odczuwali coś w rodzaju źle ulokowanej nostalgii.

Nie żeby żałowała. Niewiele jest rzeczy, których żałuje. Z pewnością nie żałuje swego życia seksualnego, sporadycznego i ukrywanego, ale – ogólnie rzecz biorąc – przyjemnego. Wysiłek, jaki włożyła w to, aby utrzymać je w tajemnicy, może i nie był konieczny, biorąc pod uwagę to, co myślą o niej ludzie – ci, których zna teraz, wyrobili sobie na jej temat zdanie równie gruntowne i równie mylne, jak tamci, których znała dawno temu.

Coral podaje jej wydruk.

– Niewiele tego jest – mówi.

Robin dziękuje, składa go i idzie do szafy, żeby schować papier do torebki. Chce przeczytać te informacje, kiedy będzie sama. Nie jest jednak w stanie czekać aż do powrotu do domu. Idzie do Pokoju Skupienia, który kiedyś był Pokojem Modlitwy. Chwilowo nikt tam nie siedzi w skupieniu.

Adzić, Aleksander. Urodzony 3 lipca 1924 w Bjelojevici, Jugosławia. Emigrował do Kanady 29 maja 1962, do brata Daniły Adzicia, urodzonego 3 lipca 1924, obywatela kanadyjskiego.

Aleksander Adzić mieszkał ze swoim bratem Daniłą do śmierci tego ostatniego, 7 września 1995. 25 września 1995 przyjęty do Długoterminowego Zakładu Opiekuńczego hrabstwa Perth, gdzie od tej pory przebywa.

Aleksander Adzić od urodzenia, albo z powodu choroby we wczesnym dzieciństwie, jest głuchoniemy. Jako dziecko nie miał możliwości uczęszczania do szkoły specjalnej. Nie robiono mu testu na inteligencję, ale nauczył się reperować zegary. Nie zna języka migowego. Zależny od brata i najprawdopodobniej tylko on miał do niego emocjonalny dostęp. Apatia, brak apetytu, sporadyczna wrogość, ogólna regresja od momentu przyjęcia.

Szokujące.

Bracia.

Bliźniacy.

Robin chce pokazać komuś ten papier, jakiejś władzy.

To jest idiotyczne. Nie przyjmuję do wiadomości.

A jednak.

Szekspir powinien był ją na to przygotować. U niego bliźnięta często są przyczyną pomyłek i nieszczęść. Te fabularne sztuczki mają być środkiem do celu. W końcu tajemnica się rozwiązuje, psikusy się wybacza, prawdziwa miłość czy coś w tym rodzaju wybucha na nowo, a ci, którzy dali się nabrać, udają, że nic się nie stało.

Pewnie wyszedł wtedy coś załatwić. Na krótko. Nie zostawiłby brata samego na dłużej. Może wewnętrzne drzwi z siatką były zamknięte na haczyk, Robin nie próbowała przecież ich otworzyć. Może powiedział bratu, żeby zaczepił haczyk i nie otwierał, a sam wyszedł na spacer z Juno. Zastanawiała się tamtego dnia, dlaczego nie ma Juno.

Gdyby przyszła chwilę później. Chwilę wcześniej. Gdyby została w teatrze do końca przedstawienia albo gdyby w ogóle tam nie poszła. Gdyby nie przejmowała się tak swoją fryzurą.

A wtedy? Jak daliby sobie radę, on z Aleksandrem, a ona z Joanną? Sądząc po zachowaniu Aleksandra tamtego dnia, trudno przypuszczać, by zgodził się na obcą osobę w jego życiu, na zmianę. Joanna z pewnością odczułaby to jako krzywdę. Zapewne mniej ważnym powodem byłoby to, że miałaby w domu głuchoniemego Aleksandra, niż to, że Robin wyszła za cudzoziemca.

Trudno dziś ocenić, jak by się to wszystko mogło wtedy ułożyć.

Popsuło się jednego dnia, w ciągu paru minut, nie poprzez zrywy, wysiłki, nadzieje i straty, w trakcie długiego procesu, jak takie rzeczy często się psują. A jeśli to prawda, że wszystko prędzej czy później się psuje, to może łatwiej znieść krótszą drogę?

Ale przecież tak się nie uważa, zwłaszcza nie we własnym przypadku. Robin tak nie uważa. Nawet dziś żałuje straconej okazji. Nie zamierza ani przez moment być wdzięczna za sztuczkę, która stała się jej udziałem. W końcu jednak dojdzie do wniosku, że jest wdzięczna za wyjaśnienie całej historii. Za odkrycie, które pozwala ocalić wszystko aż do chwili niepoważnego zbiegu okoliczności. Człowiek jest wściekły, ale ma cieplejsze wspomnienie i pozbywa się wstydu.

Z całą pewnością byli w innym świecie. Podobnym do światów przedstawianych na scenie. Ich licha umowa, ceremonia pocałunków, lekkomyślna wiara, że wszystko będzie tak, jak zaplanowali. A w takim wypadku wystarczy przesunąć się odrobinę w tę czy tamtą stronę, i już jest się zgubionym.

Robin miewała pacjentów, którzy wierzyli, że grzebienie i szczotki do włosów muszą leżeć w określonym porządku, buty muszą stać w określonym kierunku i że trzeba odliczać kroki, bo inaczej spotka człowieka kara.

Jeżeli to była w jakiejś mierze jej wina, to przez zieloną suknię. Przez kobietę z pralni i jej chore dziecko włożyła niewłaściwą zieloną suknię.

Chciałaby móc o tym komuś powiedzieć. Jemu.

Moce

Odpuść sobie Dantego

13 marca 1927. Przyszła zima, teraz kiedy teoretycznie zbliża się już wiosna. Nawałnice odcinają drogi, pozamykano szkoły. Podobno jakiś stary człowiek wyszedł na spacer, niechcący zboczył ze ścieżki i zamarzł. Dzisiaj szłam w rakietach śnieżnych środkiem ulicy i na śniegu nie widziałam żadnych śladów oprócz moich własnych. A gdy wracałam ze sklepu, moje ślady też już były zasypane. Wszystko dlatego, że jezioro nie zamarzło tak jak zwykle i wiatr z zachodu przynosi dużo wilgoci, którą zrzuca na nas w postaci śniegu. Wybrałam się po kawę i jedną czy dwie potrzebne rzeczy. I kogo spotkałam w sklepie? Tessę Netterby, której nie widziałam chyba od roku. Głupio mi, że tak dawno jej nie odwiedzałam, bo kiedyś, jak odeszła ze szkoły, starałam się pozostawać z nią w czymś w rodzaju przyjaźni. Myślę, że jako jedyna szkolna koleżanka. Tessa, cała zamotana w wielki szal, wyglądała jak postać z bajki. Może trochę przyciężka od góry, bo ma szeroką twarz z kręconą czupryną i szerokie ramiona, ale niewiele ponad metr pięćdziesiąt wzrostu. Tylko się uśmiechnęła, ta sama stara Tessa. Spytałam, jak się czuje, zawsze ją o to pytam, odkąd miała długotrwały atak tego czegoś, przez co musiała odejść ze szkoły, kiedy miała jakieś czternaście lat. Ale pytam też dlatego, że nie bardzo jest ją o co zapytać, ona żyje w świecie innym niż my wszyscy. Nie należy do żadnego klubu, nie może

uprawiać sportów i nie uczestniczy w normalnym życiu towarzyskim. Wiedzie jakieś życie związane z zupełnie innymi ludźmi i nie ma w tym nic złego, ale nie umiałabym z nią o tym rozmawiać, ona pewno też nie.

Pan McWilliams pomagał żonie w sklepie, ponieważ inni pracownicy nie dotarli do pracy. On jest okropnym żartownisiem i zaczął wypytywać Tessę, czy nie otrzymała wiadomości o zbliżającej się nawałnicy i dlaczego nie mogła nas wszystkich uprzedzić, i tak dalej, aż pani McWilliams kazała mu przestać. Tessa zachowywała się tak, jakby go w ogóle nie słyszała, i poprosiła o puszkę sardynek. Poczułam się naprawdę okropnie, kiedy pomyślałam, jak siada do kolacji składającej się z puszki sardynek. Co jest mało prawdopodobne, bo niby dlaczego nie mogłaby przygotować normalnego posiłku, jak wszyscy.

W sklepie usłyszałam nowinę – zawalił się dach Knights of Pythias Hall. W ten sposób straciliśmy scenę dla *Gondolierów*, których mieliśmy wystawić pod koniec marca. Scena w ratuszu jest za mała, a w gmachu starej opery przechowuje się teraz trumny z Hay's Furniture. Dzisiaj wieczorem mamy zaplanowaną próbę, ale nie wiem, kto przyjdzie ani co z tego wyniknie.

16 mar. Decyzja, żeby w tym roku odłożyć *Gondolierów*; do auli szkoły niedzielnej przyszło nas tylko sześcioro, więc zrezygnowaliśmy z próby i poszliśmy do Wilfa na kawę. Wilf oznajmił też, że to jego ostatnie przedstawienie, ponieważ ma coraz więcej pracy, i musimy znaleźć innego tenora. To duża strata, bo Wilf jest najlepszy.

Wciąż się dziwnie czuję, mówiąc do lekarza po imieniu, nawet jeśli ma tylko koło trzydziestki. Jego dom należał kiedyś do doktora Coggana i wielu ludzi nadal tak o nim mówi. Został zbudowany z myślą o tym, że zamieszka w nim lekarz, w jednym ze skrzydeł przeznaczono miejsce na gabinet. Jednak Wilf kazał wszystko przerobić, wyburzyć niektóre ściany, i teraz dom jest bardzo duży i jasny; Sid Ralston nabijał się z Wilfa, że teraz czeka tylko na żonę. To dość delikatny temat w obecności Ginny, ale Sid zapewne nie ma o niczym pojęcia. (Ginny oświadczyło się już trzech mężczyzn. Najpierw Wilf Rubstone, potem Tommy Shuttles i w końcu Euan McKay. Lekarz, optyk i pastor. Ginny jest ode mnie starsza o osiem miesięcy, ale chyba nie mam szans, żeby jej dorównać. Moim zdaniem trochę ich zwodzi, chociaż zawsze mówi, że nie rozumie, dlaczego tak się dzieje, i że każde oświadczyny były dla niej kompletnym zaskoczeniem. A moim zdaniem są sposoby, żeby obrócić wszystko w żart i dać do zrozumienia, że oświadczyny nie będą przyjęte, zanim pozwoli się facetowi zrobić z siebie głupka).

Jeśli kiedyś będę poważnie chora, to mam nadzieję, że zdążę zlikwidować ten pamiętnik, albo – w razie gdybym miała umrzeć – wykreślić z niego niepochlebne rzeczy.

Rozmawialiśmy na poważne tematy, nie wiem dlaczego, i rozmowa zeszła na to, czego nauczyliśmy się w szkole i ile zdążyliśmy już zapomnieć. Ktoś przypomniał Klub Dyskusyjny, który istniał kiedyś w mieście, i że to wszystko znikło po wojnie, gdy wszyscy mieli już samochody, jeździli do kina i zaczęli grać w golfa. W Klubie Dyskusyjnym poruszano poważne tematy. „Co jest ważniejsze w formowaniu charakteru człowieka:

nauka czy literatura?" Czy ktoś mógłby sobie wyobrazić, że ludzie przyszliby dziś słuchać takiej dyskusji? Nawet zwyczajnie siedząc i rozmawiając na taki temat, głupio byśmy się czuli. Potem Ginny zaproponowała, żeby założyć choćby Klub Książkowy, i zaczęliśmy rozmawiać o poważnych książkach, które zawsze chcieliśmy przeczytać i nigdy to się nam nie udało. Na przykład serię „Klasycy Harvardu", która od lat stoi na półce za szkłem w salonie. A dlaczego nie *Wojna i pokój*, powiedziałam, ale Ginny stwierdziła, że ona to już czytała. Wybieraliśmy więc między *Rajem utraconym* a *Boską komedią*, i *Boska komedia* wygrała. Wiemy o niej tylko tyle, że nie jest to raczej komedia i została napisana po włosku, chociaż, oczywiście, będziemy ją czytać po angielsku. Sid myślał, że książka jest po łacinie, i powiedział, że to, co musiał przerobić w klasie panny Hurt, wystarczy mu na resztę życia, a kiedy nakrzyczeliśmy na niego, udawał, że od początku wiedział, jak jest naprawdę. W każdym razie teraz, skoro odłożyliśmy *Gondolierów*, powinniśmy znaleźć trochę czasu. Będziemy się spotykać co parę tygodni, żeby się wzajemnie zachęcać.

Wilf pokazał nam cały dom. Jadalnia jest po jednej stronie korytarza, salon po drugiej, w kuchni są wbudowane szafki, podwójny zlew i najnowsza kuchenka elektryczna. Na końcu korytarza jest nowa toaleta i nowoczesna łazienka, a szafy na ubrania są tak duże, że można do nich wejść, i mają duże lustra na drzwiach. Wszędzie klepka ze złotego dębu. Kiedy wróciłam, mój dom wydał mi się strasznie ciasny, a boazeria ciemna i staroświecka. Przy śniadaniu powiedziałam Ojcu, że moglibyśmy przy jadalni dobudować oszkloną werandę, żeby mieć przynajmniej jedno jasne i nowoczesne pomieszczenie. (Zapomniałam napisać, że Wilf kazał dobudować taką werandę po przeciwnej stronie budynku niż gabinet i to daje dobrą równowagę). Ojciec spytał, po co nam to, skoro mamy dwie werandy i słońce rano i wieczorem? Wygląda na to, że moje plany wprowadzenia w domu ulepszeń nie mają większych szans.

---

1 kwiet. Jak tylko wstałam, nabrałam Ojca. Wyleciałam na korytarz z krzykiem, że do mojego pokoju wpadł przez komin nietoperz, i Ojciec wybiegł z łazienki z opuszczonymi szelkami i pianą na całej twarzy. Kazał mi przestać wrzeszczeć i histeryzować, i pójść po szczotkę. Przyniosłam ją i schowałam się na tylnych schodach, udając, że się strasznie boję, a Ojciec, bez okularów, usiłował znaleźć nietoperza. W końcu się nad nim zlitowałam i zawołałam: „Prima aprilis!".

Potem zadzwoniła Ginny i powiedziała: „Nancy, co ja zrobię? Wypadają mi włosy, pełno ich leży na poduszce, całe garście moich pięknych włosów na poduszce i jestem teraz na wpół łysa, już nigdy nie wyjdę z domu, czy mogłabyś do mnie przyjść i zobaczyć, czy możemy z tych włosów zrobić perukę?".

Odpowiedziałam jej chłodno: „Zmieszaj trochę mąki z wodą i z powrotem przyklej sobie włosy do głowy. Czy to nie dziwne, że przytrafiło ci się coś takiego akurat w prima aprilis?".

A teraz opiszę historię, którą nie mam się co chwalić.

Poszłam do domu Wilfa; nie zaczekałam nawet na śniadanie, bo wiem, że on wcześnie wychodzi do szpitala. Sam otworzył frontowe drzwi, w koszuli i kamizelce. Nie poszłam do gabinetu, bo pomyślałam, że jeszcze będzie zamknięty. Stara kobieta, która prowadzi mu dom – nie wiem nawet, jak ma na imię – trzaskała garnkami w kuchni. Normalnie to ona by mi otworzyła, ale Wilf był przy drzwiach, szykując się do wyjścia.

– Co się stało, Nancy? – zapytał.

Nie odpowiedziałam, tylko przybrałam zbolały wyraz twarzy i złapałam się za gardło.

– Co ci jest, Nancy?

Jeszcze mocniej ściskałam gardło, chrząkałam żałośnie i potrząsałam głową, aby dać mu do zrozumienia, że nie mogę mówić.

– Chodź tutaj – mówi Wilf i prowadzi mnie bocznym korytarzem do gabinetu. Zauważyłam, że gospodyni wyjrzała z kuchni, ale się nie zdradziłam, że ją widziałam, i nadal udawałam chorą.

– Proszę – mówi Wilf, sadza mnie na krześle dla pacjentów i zapala światła. Żaluzje wciąż były opuszczone i pokój śmierdział jakimś środkiem dezynfekującym czy czymś takim. Wilf wziął patyczek, którym przyciska się język, i przyrząd z żaróweczką, którym zagląda do gardła.

– Otwórz jak najszerzej.

Otwieram, ale gdy zamierza nacisnąć mi język szpatułką, krzyczę:

– Prima aprilis!

Nawet cień uśmiechu nie przemknął mu przez twarz. Odsunął rękę z patyczkiem, zgasił światełko przyrządu i nie odezwał się słowem, dopóki szarpnięciem nie otworzył zewnętrznych drzwi gabinetu. Powiedział:

– Tak się składa, że mam naprawdę chorych pacjentów, Nancy. Może przestałabyś się zachowywać jak dziecko.

Czmychnęłam stamtąd jak niepyszna. Nie odważyłam się zarzucić mu, że nie zna się na żartach. Ta wścibska baba z kuchni na pewno rozgada po całym mieście, że Wilf był wściekły i że musiałam zmykać upokorzona. Przez cały dzień strasznie się czułam. A najgorsze i najgłupsze było to, że w końcu naprawdę dostałam gorączki i rozbolało mnie gardło, siedziałam więc w dużym pokoju przykryta kocem i czytałam starego Dantego. Jutro wieczorem jest spotkanie Klubu Książkowego i będę w ten sposób daleko przed innymi. Kłopot tylko w tym, że niewiele z tego, co przeczytałam, zostało mi w głowie, bo przez cały czas myślałam o tym, że zachowałam się idiotycznie, i ciągle słyszałam, jak Wilf mówi ostrym głosem, żebym nie zachowywała się jak dziecko. Potem zaczęłam dyskutować z nim w myślach i tłumaczyć, że to chyba nic strasznego, jeśli ma się w życiu trochę rozrywki. Wydaje mi się, że jego ojciec był pastorem, może to dlatego? Rodziny pastorów ciągle się przeprowadzają i Wilf nie miał szans, aby dorastać z tą samą grupą kolegów, którzy by się rozumieli i wspólnie żartowali.

Mam go przed oczami, jak otwiera mi drzwi w wykrochmalonej koszuli i kamizelce. Wysoki i chudy jak szczapa. Ma równy przedziałek we włosach i równo przycięte wąsy. Co za katastrofa.

A może napisałabym do niego, że moim zdaniem żart primaaprilisowy nie jest aż takim przestępstwem? Czy wysłać tylko pełne godności przeprosiny?

Nie mogę poradzić się Ginny, ponieważ on się jej oświadczył, a to znaczy, że uważa ją za osobę bardziej wartościową ode mnie. Jestem w takim nastroju, że mogłabym ją posądzać o stronniczość. (Mimo że nie przyjęła oświadczyn).

4 kwiet. Wilf nie przyszedł na spotkanie Klubu Książkowego, bo jakiś stary facet miał udar. Napisałam do niego. Starałam się, żeby wypadło przepraszająco, ale bez przesady. Strasznie mnie to męczy. Nie list, tylko to, co zrobiłam.

12 kwiet. Dziś w południe ktoś zadzwonił do drzwi i kiedy je otworzyłam, zdziwiłam się jak jeszcze nigdy w moim młodym i głupim życiu. Ojciec przyszedł przed chwilą i siadł do stołu, a za drzwiami stał Wilf. Nie odpisał mi na mój liścik i już się pogodziłam z myślą, że mnie na zawsze skreślił i że w przyszłości mogę go tylko unikać, bo nie mam innego wyboru.

Zapytał, czy mi nie przeszkadza w obiedzie.

Nie mógł mi przeszkodzić, ponieważ postanowiłam nie jeść obiadów, dopóki nie zrzucę trzech kilogramów. Kiedy Ojciec i pani Box jedzą obiad, zamykam się i siadam do lektury Dantego.

Powiedziałam, że nie.

No to może pojechałabym z nim na przejażdżkę? Moglibyśmy pojechać i obejrzeć kry na rzece, zaproponował. I wyjaśnił, że był prawie całą noc na nogach, a o pierwszej musi otworzyć gabinet, nie ma więc czasu, żeby się zdrzemnąć, i świeże powietrze dobrze mu zrobi. Nie powiedział, dlaczego nie spał w nocy, i pomyślałam, że chodziło o poród i Wilf uważał, że będę zażenowana, jeśli o tym wspomni.

Powiedziałam, że właśnie się zabierałam do codziennej porcji Dantego.

– Odpuść sobie na chwilę Dantego – poprosił.

Wzięłam płaszcz, poinformowałam Ojca i poszliśmy do samochodu Wilfa. Pojechaliśmy na Most Północny, gdzie zebrało się sporo ludzi, przeważnie mężczyzn i chłopaków, którzy przyszli tu w przerwie obiadowej, żeby oglądać płynącą krę. W tym roku zima zaczęła się późno i nie było wielkich kawałów lodu. Ale i te, które spływały, uderzały o podpory mostu, rozwalały się i robiły hałas, taki jak zawsze, a między nimi płynęły małe strumyki wody. Stałam i gapiłam się jak zahipnotyzowana, aż zmarzły mi nogi. Lód pęka, ale zima jeszcze się nie poddała i wydaje się, że do wiosny wciąż jest bardzo daleko. Zastanawiałam się, jak ludzie mogą tak stać godzinami i uważać, że to interesujące.

Wilf też się prędko znudził. Wróciliśmy do samochodu i nie wiedzieliśmy, o czym mówić, aż wzięłam byka za rogi i spytałam, czy dostał mój list.

Odparł, że dostał.

Powiedziałam, że naprawdę głupio się czuję przez to, co zrobiłam (co było prawdą, chociaż chyba wyraziłam większą skruchę, niż miałam zamiar).

– Dajmy już temu spokój – stwierdził.

Wycofał samochód i ruszyliśmy do miasta, a wtedy Wilf powiedział:

– Chciałem cię poprosić, żebyś za mnie wyszła. Tylko nie zamierzałem robić tego w ten sposób, lecz powoli doprowadzić do oświadczyn. W odpowiedniejszej sytuacji.

– Czy to znaczy, że chciałeś mi się oświadczyć, ale teraz zrezygnowałeś? Czy jednak się oświadczasz?

Przysięgam, że nie przyciskałam go do muru. Naprawdę chciałam to tylko wyjaśnić.

– Oświadczam się.

„Tak" wyrwało mi się z ust, zanim otrząsnęłam się z szoku. Nie umiem tego wytłumaczyć. Powiedziałam „tak" bardzo uprzejmie, ale bez nadmiernego zapału. Bardziej w stylu „tak, chętnie napiję się herbaty". Nawet nie okazałam zdziwienia. Miałam wrażenie, że powinnam sprawić, byśmy jak najszybciej mieli to za sobą i znów zachowywali się normalnie i bez nerwów. Choć faktem jest, że w towarzystwie Wilfa nigdy nie czułam się normalnie i całkowicie swobodnie. Wcześniej raczej mnie zadziwiał i uważałam, że jest zarazem przerażający i zabawny, a od tego pechowego pierwszego kwietnia po prostu się wstydziłam. Mam nadzieję, że nie wynika z tego, iż zgodziłam się za niego wyjść, żeby skończyć z zażenowaniem. Pamiętam myśl, że powinnam wycofać swoją zgodę i zażądać czasu do namysłu, ale to by było jeszcze bardziej zawstydzające. Poza tym nie wiem, nad czym miałabym się namyślać.

Jestem zaręczona z Wilfem. Nie mogę w to uwierzyć. Czy tak się dzieje ze wszystkimi?

14 kwiet. Wilf przyszedł porozmawiać z Ojcem, a ja wybrałam się do Ginny. Od razu przyznałam się, że głupio mi jej o tym mówić, a potem wyraziłam nadzieję, że nie będzie się głupio czuła jako moja druhna. Stwierdziła, że nie będzie, i obie trochę się rozkleiłyśmy, objęłyśmy się i troszeczkę popłakały.

– Przyjaciółka jest ważniejsza od facetów – powiedziała Ginny.

Wpadłam w lekkomyślny nastrój i powiedziałam, że to i tak jej wina.

Musiałam się ulitować nad biednym Wilfem, żeby nie skończyło się tym, że dwie dziewczyny dały mu kosza.

30 maja. Nie pisałam tu tak długo, bo jestem strasznie zajęta wszystkimi przygotowaniami. Data ślubu jest wyznaczona na 10 lipca. Suknię szyje mi panna Cornish, która doprowadza mnie do szału, gdy stoję w bieliźnie, z powtykanymi wszędzie szpilkami, a ona warczy, żebym się nie ruszała. Suknia jest z białej markizety i nie mam trenu, bo boję się, że udałoby mi się o niego potknąć. Moja wyprawa ślubna składa się z sześciu letnich nocnych koszul, japońskiego kimona z mory w lilie i trzech zimowych piżam, wszystko kupione w Simpson's w Toronto. Podobno piżamy nie są idealne na wyprawę, ale koszule słabo grzeją, a poza tym ich nie lubię, bo zawsze się końcu podwijają i plączą w okolicach talii. Parę jedwabnych halek i innych takich rzeczy, wszystkie w kolorze brzoskwiniowym albo cielistym. Ginny mówi, że powinnam zgromadzić wszystkiego jak najwięcej, dopóki mam okazję, bo jeśli w Chinach wybuchnie wojna, to wiele jedwabnych rzeczy zniknie. Ginny, jak zwykle, wszystko wie. Jej suknia druhny jest w kolorze jasnoniebieskim.

Wczoraj pani Box zrobiła tort. Potrzebuje sześć tygodni, żeby dojrzeć, więc zdążyłyśmy w ostatniej chwili. Musiałam zamieszać składniki na szczęście, a ciasto ma w sobie tyle bakalii, że o mało mi ręka nie odpadła. Ollie był u nas i kiedy pani Box nie widziała, pomieszał trochę za mnie. Nie wiem, jakiego rodzaju szczęście to przyniesie.

Ollie jest kuzynem Wilfa i przyjechał tutaj na parę miesięcy. Ponieważ Wilf nie ma brata, to on – to znaczy Ollie – będzie drużbą. Jest ode mnie o siedem miesięcy starszy i jest takim samym dzieciakiem jak ja (w przeciwieństwie do Wilfa, który chyba nigdy nie był dzieckiem). Ollie spędził trzy lata w sanatorium gruźliczym, ale teraz mu się poprawiło. W sanatorium spowodowali u niego zapadnięcie jednego płuca. Słyszałam o tym i sądziłam, że wtedy musi się żyć z tylko jednym płucem, lecz tak nie jest. Jedno płuco jest przez jakiś czas nieużywane i poddawane leczeniu, tak by infekcja przeszła w stan uśpienia. (Staję się coraz większym medycznym autorytetem, odkąd jestem zaręczona z lekarzem!). Kiedy Wilf to tłumaczył, Ollie zasłonił sobie uszy rękami. Mówi, że woli nie słuchać, co mu zrobili, i udaje przed sobą, że jest pusty w środku jak lalka z celuloidu. Ollie bardzo się różni od Wilfa, ale dobrze się ze sobą dogadują.

Dzięki Bogu tort będzie profesjonalnie polukrowany w cukierni. Pani Box chyba nie dałaby sobie rady z takim zadaniem.

11 czer. Został niecały miesiąc. Nie powinnam się tutaj rozpisywać, lecz zająć się listą prezentów. Nie mogę uwierzyć, że to wszystko będzie moje. Wilf każe mi wybrać tapety. Myślałam, że pokoje są otynkowane i pomalowane na biało, bo Wilf tak wolał, ale okazuje się, że zostawił je tak tylko dlatego, by żona mogła wybrać tapety. Obawiam się, że przyjęłam to zadanie

z wyraźnym zdumieniem, szybko jednak się opanowałam i powiedziałam, że to wprawdzie bardzo miło z jego strony, ale naprawdę nie umiem sobie wyobrazić, co bym wolała, dopóki tu nie zamieszkam. (Z pewnością Wilf miał nadzieję, że wszystko będzie już zrobione, jak wrócimy z podróży poślubnej). W ten sposób odłożyłam ten problem na później.

Nadal chodzę do tartaku dwa razy w tygodniu. Właściwie spodziewałam się, że będę pracować dalej nawet po ślubie, ale Ojciec mówi, że to wykluczone. Powiedział, że zatrudnianie mężatki, o ile nie jest wdową czy osobą w bardzo złej sytuacji finansowej, nie jest całkiem w porządku, jednak przypomniałam mu, że nie można mówić o zatrudnianiu, jeśli nic mi nie płaci. Potem powiedział to, czego wstydził się powiedzieć wcześniej – że po ślubie będą przerwy.

– Czasami nie będziesz się publicznie pokazywać.

– Nie byłabym taka pewna – stwierdziłam i zaczerwieniłam się jak idiotka.

Wbił sobie do głowy (Ojciec), że byłoby dobrze, gdyby Ollie przejął to, co ja robię, i ma nadzieję, że Ollie wciągnie się w interesy i będzie mógł je kiedyś przejąć. Może spodziewał się (Ojciec), że wyjdę za kogoś, kto mógłby to zrobić, chociaż uważa Wilfa za „wspaniałego człowieka". A Ollie, który nie wie, co ze sobą zrobić, a jednocześnie jest mądry i wykształcony (nie wiem skąd, ale z całą pewnością wie więcej niż cała reszta ludzi tutaj), wydaje się najlepszym kandydatem. I dlatego musiałam go wczoraj zabrać do biura, pokazać księgi rachunkowe itd., a Ojciec przedstawił go robotnikom i wszystkim, którzy akurat tam byli, i chyba dobrze to wypadło. Ollie w biurze bardzo uważał i robił poważne miny, a potem żartował (ale nie przesadnie) z mężczyznami, zmienił nawet sposób mówienia dokładnie na tyle, na ile trzeba, i Ojciec był zadowolony i podniesiony na duchu. Kiedy mówiłam mu dobranoc, powiedział:

– To naprawdę szczęśliwe zrządzenie losu, że ten młody człowiek się tu zjawił. On szuka dla siebie miejsca na przyszłość.

Nie zaprzeczyłam, chociaż moim zdaniem prędzej ja zatańczę w rewii Ziegfeld Follies, niż Ollie zamieszka tutaj i będzie zarządzał tartakiem.

On po prostu zawsze jest miły i uprzejmy.

Kiedyś myślałam, że Ginny przejmie po mnie odpowiedzialność za tartak. Jest oczytana, pali papierosy i chociaż chodzi do kościoła, to wygłasza takie opinie, że można ją wziąć za ateistkę. Powiedziała mi, że Ollie jest dość przystojny, mimo że trochę za niski (na moje oko ma jakiś metr siedemdziesiąt). Ma niebieskie oczy, które podobają się Ginny, i włosy koloru mlecznych cukierków z opadającą na czoło falą, która wygląda na rozmyślnie czarującą. Oczywiście Ollie był bardzo miły dla Ginny, kiedy się poznali, i prowokował ją do mówienia, a kiedy poszła do domu, stwierdził:

– Twoja mała przyjaciółka to niezła intelektualistka, co?

„Mała". Ginny jest co najmniej tego wzrostu co Ollie i miałam ochotę mu to wytknąć, ale zwracanie uwagi na wzrost mężczyźnie, który ma pod tym względem braki, byłoby niemiłe, więc się nie odezwałam. Nie wiedziałam, jak zareagować na tę „intelektualistkę". Moim zdaniem nią jest (czy na przykład Ollie czytał *Wojnę i pokój*?), ale nie potrafiłam wywnioskować z jego tonu, czy naprawdę tak myśli. Zrozumiałam tylko, że jeśli uważa Ginny za intelektualistkę, to niespecjalnie to sobie ceni, a jeśli nie, to Ginny zachowywała się jak intelektualistka, a jemu się to nie podobało. Powinnam była powiedzieć coś chłodnego i nieprzyjemnego, na przykład: „Jesteś dla mnie zbyt głęboki", ale – oczywiście – dopiero później przyszło mi to do głowy. Najgorsze zaś było to, że gdy tylko Ollie tak powiedział, po cichu, w środku, pomyślałam sobie coś o Ginny i choć broniłam jej (w myślach), to także w pewien podstępny sposób przyznawałam mu rację. Nie wiem, czy w przyszłości będę nadal mieć o niej tak wysokie mniemanie.

Wilf też przy tym był i z pewnością słyszał naszą wymianę zdań, ale nic nie powiedział. Mogłam go spytać, czy nie powinien ująć się za dziewczyną, której się kiedyś oświadczył, ale nigdy mu do końca nie powiedziałam, co wiem na ten temat. Wilf często przysłuchuje się moim rozmowom z Ollie'm, z pochyloną głową (musi tak robić przy wielu osobach, taki jest wysoki) i uśmieszkiem na twarzy. Nie jestem nawet pewna, czy to uśmieszek, czy tylko skrzywienie ust. Wieczorami obaj do nas przychodzą i często kończy się tym, że Wilf gra z Ojcem w karty, a Ollie i ja rozmawiamy. Albo Wilf, Ollie i ja gramy w brydża we trójkę. (Ojciec nigdy nie nauczył się grać w brydża, gdyż z jakiegoś powodu uważa, że to gra dla ważniaków). Czasami do Wilfa dzwoni ktoś ze szpitala albo Elsie Bainton (jego gospodyni, której nazwiska nie mogę zapamiętać, musiałam zawołać i zapytać panią Box), i wtedy musi wyjść. Czasem po partyjce kart Wilf siada przy fortepianie i gra ze słuchu. Po ciemku. Ojciec wychodzi na werandę, siada z Ollie'm i ze mną, bujamy się w fotelach i słuchamy. I wtedy mamy wrażenie, że

Wilf gra dla siebie, a nie dla nas. Nie przeszkadza mu, że nie zawsze słuchamy i czasem zaczynamy rozmawiać. To się zdarza, bo muzyka jest trochę zbyt klasyczna dla Ojca, którego ulubionym utworem jest *Mój stary dom w Kentucky*. Widać, że zaczyna się niecierpliwić, ten rodzaj muzyki sprawia, że czuje się jakby osaczony, i żeby mu pomóc, Ollie i ja zaczynamy rozmawiać. Potem to właśnie on (Ojciec) mówi Wilfowi, że bardzo nam się podobała jego gra, a Wilf dziękuje uprzejmie, ale z roztargnieniem. Ollie i ja wiemy, że nie trzeba nic mówić, bo w tym wypadku nasze zdanie zupełnie Wilfa nie interesuje.

Pewnego razu przyłapałam Ollie'ego, jak bardzo cicho śpiewał, wtórując Wilfowi.

– Wstaje poranek i Peer Gynt ziewa...

– Co? – spytałam szeptem.

– Nic – odparł Ollie. – To właśnie gra Wilf.

Kazałam mu przeliterować. Pe-e-e-er Gie-igrek-en-te.

Powinnam więcej wiedzieć na temat muzyki, mielibyśmy z Wilfem wspólne zainteresowania.

Nagle zrobiło się bardzo gorąco. Kwitną piwonie, wielkie jak pupa dziecka, a kwiaty na krzakach tawuły opadają jak płatki śniegu. Pani Box powtarza, że jak tak dalej pójdzie, to zanim dojdzie do ślubu, wszystko poschnie.

Wypiłam już trzy kawy i jeszcze się nawet nie uczesałam.

– Musisz jak najszybciej zmienić swoje zwyczaje – mówi pani Box.

Chodzi jej o to, że Elsie Jak-Jej-Tam powiedziała Wilfowi, że odejdzie, i ja będę zarządzać domem.

No więc zmieniam zwyczaje i mówię pamiętnikowi do widzenia, przynajmniej na razie. Kiedyś wydawało mi się, że spotka mnie w życiu coś naprawdę niezwykłego, i dlatego powinnam wszystko zapisywać. Czy mi się to tylko zdawało?

Dziewczyna w marynarskiej bluzie

– Nie myśl, że możesz się tu cały dzień obijać – powiedziała Nancy. – Mam dla ciebie niespodziankę.

– Jesteś pełna niespodzianek – odparł Ollie.

To było w niedzielę i Ollie miał nadzieję, że będzie mógł się trochę poobijać. Nie zawsze pochwalał u Nancy jej energię.

Z drugiej strony wiedział, że Wilf na swój powściągliwy i zwyczajny sposób liczy na nią w kwestii prowadzenia domu i że energia będzie jej do tego potrzebna.

Po kościele Wilf poszedł prosto do szpitala, a Ollie przyszedł zjeść obiad z Nancy i jej ojcem. W niedzielę nie jedli nic ciepłego – pani Box chodziła tego dnia do swojego kościoła, a potem całe popołudnie odpoczywała we własnym domu. Ollie pomógł Nancy posprzątać w kuchni. Z jadalni dochodziły odgłosy głębokiego chrapania.

– To twój ojciec – powiedział Ollie, zajrzawszy do pokoju. – Śpi w fotelu z „Sunday Evening Post" na kolanach.

– Nigdy nie przyzna, że lubi sobie pospać w niedzielne popołudnie – stwierdziła Nancy. – Zawsze myśli, że będzie czytał.

Nancy miała na sobie fartuszek wiązany w pasie, nie taki, jakiego używa się do poważnej kuchennej pracy. Zdjęła go, powiesiła na klamce i poprawiła włosy przed małym lusterkiem przy drzwiach do kuchni.

– Okropnie wyglądam – powiedziała płaczliwym, choć zarazem zadowolonym głosem.

– To prawda. Zupełnie nie rozumiem, co Wilf w tobie widzi.

– Uważaj, bo ci przyłożę.

Poprowadziła go na zewnątrz, a potem obok krzaków porzeczki i pod klonem, gdzie – jak już mu dwa czy trzy razy mówiła – miała kiedyś huśtawkę. Później tylną alejką do następnej przecznicy. Była niedziela i nikt nie strzygł trawy. W ogóle na podwórkach nikogo nie było i wszystkie domy sprawiały wrażenie zamkniętych, dumnych i bezpiecznych, jakby w każdym z nich przebywali dostojni ludzie, tacy jak ojciec Nancy, którzy chwilowo śpią jak zabici w trakcie Zasłużonego Odpoczynku.

Nie oznaczało to, że w mieście panował całkowity spokój. W niedzielę po południu ludzie z okolicznych wiosek zjeżdżali się na plażę położoną kilkaset metrów dalej, u stóp urwiska. Słychać było piski ze zjeżdżalni, wrzaski dzieci taplających się w wodzie, klaksony samochodów i dzwonki sprzedawców lodów, pokrzykiwania popisujących się młodych ludzi i zdenerwowanych matek. Wszystko to zebrane razem w jeden stłumiony krzyk.

Na końcu alejki, po drugiej stronie biedniejszej, niebrukowanej ulicy stał pusty budynek, jak powiedziała Nancy – dawna lodownia, za nim była niezabudowana parcela i kładka nad suchym rowem, aż w końcu doszli do drogi szerokiej na tyle, że zmieściłby się na niej samochód, albo raczej bryczka zaprzężona w jednego konia. Po obu stronach drogi wznosiły się ściany kolczastych krzaków z jasnozielonymi listkami i garstką suchych różowych kwiatków. Krzaki nie przepuszczały najlżejszego powiewu wiatru, nie zapewniały ani kawałka cienia, a gałęzie czepiały się rękawów Ollie'ego.

– Dzikie róże – odparła Nancy, kiedy spytał, co to takiego.

– I to jest ta niespodzianka?

– Zobaczysz.

Ollie pocił się w tym tunelu i wolałby, żeby Nancy trochę zwolniła. Często sam się dziwił, że spędza tyle czasu z tą dziewczyną, która nie odznacza się niczym nadzwyczajnym, być może oprócz tego, że jest rozpuszczona, zuchwała i samolubna. Ale lubił się z nią przekomarzać. Była o tyle inteligentniejsza od większości dziewcząt, że to funkcjonowało.

Z daleka widział dach domu i ocieniające go porządne drzewa, a ponieważ nie mógł wydostać od Nancy żadnych dalszych informacji, zadowolił się nadzieją, że kiedy dojdą do celu, będą mogli usiąść w jakimś chłodnym miejscu.

– Towarzystwo – rzuciła Nancy. – Mogłam się spodziewać.

Poobijany ford model T stał na końcu drogi, gdzie można było zawrócić.

– Na szczęście tylko jeden – stwierdziła. – I miejmy nadzieję, że już kończą.

Kiedy jednak doszli do samochodu, nikt nie wyszedł z solidnego piętrowego domu, zbudowanego z cegły, którą w tej okolicy nazywano „białą", a tam, skąd pochodził Ollie – „żółtą". (Faktycznie miała brudnobrązowy kolor). Zamiast żywopłotu trawnik z nieprzystrzyżoną trawą otaczało zdeformowane druciane ogrodzenie. A od furtki do drzwi domu nie prowadziła wycementowana alejka, tylko ścieżka wydeptana w ziemi. Za miastem nie należało to do rzadkości, niewielu farmerów miało chodniki i kosiarki do trawników.

Wśród wysokiej trawy wyrastały tu i ówdzie białe i złote kwiaty, może w miejscu dawniejszych rabat. Ollie był prawie pewien, że to stokrotki, ale nie chciał pytać Nancy i narażać się na jej drwiące poprawki.

Nancy zaprowadziła go do prawdziwego reliktu bardziej dystyngowanych czy niespiesznych dni – niepomalowanej, ale w pełni sprawnej drewnianej huśtawki z dwiema ławkami naprzeciwko siebie. Niewydeptana trawa świadczyła o tym, że nieczęsto ktoś się tam huśtał. Miejsce było zacienione przez parę drzew o gęstym listowiu. Nancy usiadła na huśtawce, natychmiast znów się z niej zerwała i stojąc pomiędzy ławkami, zaczęła poruszać tam i z powrotem tym skrzypiącym urządzeniem.

– Dzięki temu usłyszy, że przyszliśmy – powiedziała.

– Kto?

– Tessa.

– To twoja przyjaciółka?

– Oczywiście.

– Stara przyjaciółka? – spytał Ollie bez entuzjazmu. Miał mnóstwo okazji, żeby się przekonać, jak Nancy szafuje tym, co można by nazwać – i co pewnie nazwano tak w jakiejś książce dla panienek, którą przeczytała i wzięła sobie do serca – słoneczną stroną jej osobowości. Ollie'emu przypomniały się teraz jej niewinne żarty ze starych pracowników tartaku.

– Chodziłyśmy razem do szkoły. Tessa ze mną. Tessa i ja.

Jeszcze inna myśl przyszła Ollie'emu do głowy – o tym, jak Nancy próbowała wyswatać go z Ginny.

– I co jest w niej takiego ciekawego?

– Zobaczysz. Och!

Nancy zeskoczyła z huśtawki i pobiegła do ręcznej pompy obok domu. Zaczęło się energiczne pompowanie. Musiała się długo i solidnie namachać, zanim pojawiła się woda. Najwyraźniej nie zmęczyło jej to, bo pompowała dalej, aż napełniła cynowy kubek, który czekał na haczyku, a potem zaniosła go, rozlewając po drodze wodę, do huśtawki. Ollie, widząc entuzjastyczny wyraz jej twarzy, pomyślał sobie, że od razu go poczęstuje, ale Nancy najpierw podniosła naczynie do ust i z rozkoszą sama się napiła.

– To nie jest miejska woda – powiedziała, podając mu kubek. – To woda ze studni. Pyszna.

Była dziewczyną, która wypiłaby nieoczyszczoną wodę z każdego starego cynowego kubka wiszącego przy studni. (Choroby, które nadwerężyły ciało Ollie'ego, sprawiły, że bardziej niż inni młodzi ludzie zwracał uwagę na takie rzeczy). Oczywiście Nancy trochę się popisywała. Ale była naprawdę w naturalny sposób lekkomyślna i absolutnie przekonana, że nic jej się stać nie może.

Ollie o sobie by tego nie powiedział. A jednak miał wrażenie – chociaż nie potrafił o tym mówić z pełną powagą – że czeka go coś nadzwyczajnego, że jego życie będzie miało sens. Może to przyciągało Nancy i Ollie'ego do siebie. Różnica polegała na tym, że on szedł naprzód, że nie zgadzał się na mniej, niż się, jego zdaniem, należy. A ona jako dziewczyna musiała się przystosowywać, i już to zrobiła. Ta myśl o nieograniczonych możliwościach, większych niż kiedykolwiek mogły mieć kobiety, nagle go uspokoiła, wzbudziła w nim współczucie dla niej i chęć żartów. Ollie nie musiał się zastanawiać, dlaczego przebywa w towarzystwie Nancy, kiedy wzajemne żarty sprawiały, że czas mijał z błyskotliwym wdziękiem.

Woda była pyszna i cudownie zimna.

– Ludzie przychodzą do Tessy – powiedziała Nancy, siadając naprzeciwko Ollie'ego. – Nigdy nie wiadomo, kiedy ktoś u niej jest.

– Naprawdę? – Przyszła mu do głowy szalona myśl, że Nancy jest może na tyle przewrotna, na tyle niezależna, żeby się przyjaźnić z półprofesjonalistką, pracującą dorywczo wiejską prostytutką. Żeby się nadal przyjaźnić z dziewczyną, która zeszła na złą drogę.

Czytała mu w myślach – czasami naprawdę odznaczała się przenikliwością.

– Och, nie – powiedziała. – Nie miałam na myśli niczego takiego. To najgłupsza rzecz, jaką w życiu słyszałam. Tessa jest ostatnią osobą na świecie... To obrzydliwe. Powinieneś się wstydzić. To ostatnia dziewczyna... Och, sam się przekonasz. – Nancy mocno się zaczerwieniła.

Drzwi się otworzyły i bez zwyczajowych przedłużanych pożegnań, w ogóle bez żadnych słyszalnych pożegnań, kobieta i mężczyzna w średnim wieku, zmęczeni życiem, ale nie zniszczeni, zupełnie jak ich samochód, przeszli ścieżką, spojrzeli w stronę huśtawki i zobaczyli Nancy i Ollie'ego, nic jednak nie powiedzieli. O dziwo, Nancy też się nie odezwała, nie pozdrowiła ich wesoło. Mężczyzna i kobieta podeszli z dwóch stron do auta, wsiedli i odjechali.

Potem z cienia drzwi wejściowych wyłoniła się jakaś postać i tym razem Nancy zareagowała.

– Hej, Tessa.

Kobieta wyglądała jak krzepkie dziecko: duża głowa pokryta ciemnymi kręconymi włosami, szerokie ramiona, klocowate nogi. Nogi były gołe, a ich właścicielka miała na sobie dziwny kostium – marynarską bluzkę i spódnicę. Dziwny przynajmniej jak na gorący dzień i biorąc pod uwagę, że kobieta nie była już uczennicą. Bardzo możliwe, że nosiła kiedyś taki mundurek w szkole, a będąc osobą oszczędną, donaszała go w domu. Takie ubrania są niezniszczalne, ale zdaniem Ollie'ego nie są też korzystne dla kobiecej figury. Kobieta wyglądała niezgrabnie, podobnie zresztą jak większość uczennic.

Nancy przyprowadziła i przedstawiła Ollie'ego, który powiedział Tessie, znaczącym tonem, który zwykle podoba się dziewczętom, że dużo o niej słyszał.

– To nieprawda – zaprotestowała Nancy. – Nie wierz ani jednemu jego słowu. Prawdę mówiąc, przyprowadziłam go tutaj ze sobą, bo nie wiedziałam, co z nim zrobić.

Tessa miała nie bardzo duże, głęboko osadzone oczy, które zaskakiwały kolorem głębokiego, miękkiego błękitu. Kiedy je podniosła, żeby spojrzeć na Ollie'ego, zabłysły bez szczególnej sympatii czy wrogości, a nawet bez zainteresowania. Były po prostu głębokie, wypełnione pewnością, i sprawiły, że Ollie nie mógł dłużej mówić głupio grzecznych rzeczy.

– Wejdźcie, proszę – powiedziała Tessa, idąc przodem. – Mam nadzieję, że nie macie nic przeciwko temu, abym skończyła ubijać masło. Ubijałam, kiedy przyszli poprzedni goście, i przerwałam pracę, ale jeżeli teraz nie zacznę na nowo, masło może się popsuć.

– Ubijać masło w niedzielę, co za niegrzeczna dziewczynka – powiedziała Nancy. – Spójrz, Ollie. Tak się robi masło. Ty pewnie myślisz, że wychodzi z krowy już gotowe, zawinięte w papierek, takie jak sprzedają w sklepie. Rób swoje – zwróciła się do Tessy. – Jak się zmęczysz, mogę cię na chwilę zastąpić. Przyszłam, żeby cię zaprosić na swój ślub.

– Coś o tym słyszałam – stwierdziła Tessa.

– Przysłałabym ci zaproszenie, ale nie jestem pewna, czy zwróciłabyś na nie uwagę. Pomyślałam, że najlepiej będzie, jak przyjdę i będę cię nękała tak długo, aż obiecasz, że się zjawisz.

Weszli wprost do kuchni. Żaluzje były opuszczone do samego parapetu, pod sufitem kręcił się wentylator. Pomieszczenie pachniało gotowaniem, trutką na muchy, olejem węglowym, zmywakami. Wszystkie te zapachy na pewno od wieków tkwiły w ścianach i w deskach podłogi. Ktoś jednak – niewątpliwie ta ciężko oddychająca, niemal dysząca dziewczyna przy maselnicy – zadał sobie trud i pomalował szafki i drzwi na jasnoniebieski kolor.

Wokół maselnicy leżały gazety chroniące podłogę, w której zrobiły się wgłębienia znaczące stale uczęszczane szlaki wokół stołu i pieca. W innej sytuacji Ollie z pewnością zachowałby się jak prawdziwy dżentelmen i zaproponował, że też się weźmie za maselnicę, w tym jednak wypadku nie czuł się za bardzo pewien siebie. Ta Tessa nie wydawała się jakąś nadętą osobą, ale była jakby za stara na swoje lata, zniechęcająco szczera i samodzielna. Nawet Nancy w jej towarzystwie po chwili przycichła.

Masło było gotowe. Nancy zerwała się, by je obejrzeć, i wezwała Ollie'ego, żeby też przyszedł. Zaskoczyło go, że miało tak jasny kolor, prawie nie żółty, ale nic nie powiedział, z obawy, że Nancy wyśmieje jego ignorancję. Potem dziewczyny położyły kleiste jasne masło na kawałku materiału na stole, potłukły je trochę drewnianymi łyżkami i zawinęły w materiał. Tessa podniosła klapę w podłodze i obie zniosły masło po piwnicznych schodach, których istnienia Ollie nawet się nie domyślał. Nancy pisnęła, jakby się potknęła. Ollie'emu przyszło do głowy, że Tessa lepiej by sobie poradziła sama, ale nie miała nic przeciwko temu, żeby zrobić Nancy przyjemność, dopuszczając ją do pewnych czynności, tak jak robi się to z nieznośnym, ale czarującym dzieckiem. Pozwoliła Nancy posprzątać z podłogi gazety, a sama otworzyła butelki z lemoniadą, które przyniosła z piwnicy. Wzięła kawałek lodu z pojemnika stojącego w kącie, zmyła z niego resztki trocin i rozwaliła w zlewie młotkiem na mniejsze kawałki, żeby je wrzucić do szklanek. Ollie nadal nie oferował się z pomocą.

– Posłuchaj, Tessa – powiedziała Nancy, wypiwszy łyk lemoniady. – Teraz. Zrób mi tę przyjemność. Proszę cię.

Tessa piła swoją lemoniadę.

– Powiedz Ollie'emu – nalegała Nancy. – Powiedz mu, co ma w kieszeniach. Zacznij od prawej.

Tessa powiedziała, nie podnosząc głowy:

– No, chyba ma tam portfel.

– Och, dalej.

– Ma rację – stwierdził Ollie. – Mam portfel. Czy ma zgadnąć, co jest w portfelu? Bo dużo tam nie ma.

– Nic nie szkodzi – powiedziała Nancy. – Powiedz mu, co jeszcze, Tessa. W prawej kieszeni.

– O co tu właściwie chodzi? – zainteresował się Ollie.

– Tessa – zaczęła słodkim tonem Nancy. – No, proszę cię, przecież znasz mnie od dawna. Jesteśmy starymi przyjaciółkami, przyjaźnimy się od pierwszej klasy, pamiętasz? Zrób to dla mnie.

– Czy to jakaś gra? – spytał Ollie. – Czy to jakaś gra, którą sobie wymyśliłyście?

Nancy wyśmiała go.

– O co ci chodzi? Masz coś, czego się wstydzisz? Starą śmierdzącą skarpetkę?

– Ołówek – powiedziała Tessa bardzo cicho. – Pieniądze. Monety. Nie potrafię określić ich wartości. Kawałek zapisanego papieru? Zadrukowanego?

– Wyciągaj, Ollie – zażądała Nancy. – Wyciągaj.

– Och, i jeszcze kawałek gumy do żucia. Wydaje mi się, że kawałek gumy. To wszystko.

Guma była bez opakowania, z przyklejonymi kłaczkami brudu.

– Zupełnie o niej zapomniałem – powiedział Ollie niezgodnie z prawdą. Wyjął ogryzek ołówka, parę niklowych i miedzianych monet, poskładany, wymięty wycinek z gazety.

– Ktoś mi to dał – dodał, gdy Nancy wyrwała mu go i rozłożyła.

– „Poszukujemy oryginalnych rękopisów wysokiej jakości, zarówno poezji, jak i prozy" – przeczytała na głos. – „Poważnie rozważymy...".

Ollie wyrwał jej kartkę z ręki.

– Ktoś mi to dał. Chciał, żebym powiedział, czy moim zdaniem to jest sensowne ogłoszenie.

– Och, Ollie.

– Nawet nie pamiętałem, że wciąż to mam. Tak samo, jak gumę.

– Nie jesteś zdziwiony?

– Jasne, że jestem. Zupełnie zapomniałem.

– Pytam, czy nie jesteś zdziwiony Tessą? Tym, że wiedziała?

Ollie'emu udało się uśmiechnąć do Tessy, choć czuł się mocno podenerwowany. To nie była jej wina.

– Niejeden facet ma takie rzeczy w kieszeni – stwierdził. – Monety? Oczywiście. Ołówek...

– Gumę? – spytała Nancy.

– Czemu nie?

– I zadrukowany papier. Tessa powiedziała: „zadrukowany".

– Powiedziała: kawałek papieru. Nie wiedziała, co tam jest napisane. Nie wiedziałaś, prawda? – zwrócił się do Tessy.

Pokręciła głową. Spojrzała w stronę drzwi, nasłuchując.

– Wydaje mi się, że przyjechał jakiś samochód.

Miała rację. Teraz wszyscy go usłyszeli. Nancy podeszła do okna, żeby wyjrzeć przez firankę, i w tej chwili Tessa nieoczekiwanie uśmiechnęła się do Ollie'ego. Nie był to uśmiech porozumiewawczy, przepraszający czy kokieteryjny. Ollie mógł go potraktować jako uśmiech powitalny, ale nie niosący żadnego konkretnego zaproszenia. Po prostu oferowała mu ciepło, serdeczność. Jednocześnie jej szerokie ramiona poruszyły się uspokajająco, jakby uśmiech ogarniał ją całą.

– A niech to! – wykrzyknęła Nancy.

Musiała jednak powściągnąć swoje podekscytowanie, a Ollie – niespodziewaną sympatię i zaskoczenie.

Tessa otworzyła drzwi, akurat gdy jakiś mężczyzna wysiadał z samochodu. Poczekał przy furtce, aż Nancy i Ollie przejdą ścieżką. Miał koło sześćdziesiątki, szerokie ramiona, poważny wyraz twarzy, a na sobie – jasny letni garnitur i kapelusz typu Christie. Przyjechał nowym modelem coupé. Skinął głową Nancy i Ollie'emu, grzecznie, ale z wyraźnym brakiem zainteresowania. Wyglądałby tak samo, gdyby na przykład przytrzymywał im drzwi gabinetu lekarskiego.

Nie minęło wiele czasu, odkąd zamknęły się za nimi drzwi domu Tessy, kiedy na odległym końcu drogi pojawił się następny samochód.

– Kolejka – zauważyła Nancy. – W niedzielę po południu zawsze przyjeżdża dużo ludzi. Zwłaszcza w lecie. Niektórzy nawet z bardzo daleka.

– Żeby im powiedziała, co mają w kieszeniach?

Nancy go zignorowała.

– Przeważnie pytają o zgubione rzeczy. Cenne rzeczy. W każdym razie dla nich cenne.

– Bierze pieniądze?

– Nie sądzę.

– Na pewno.

– Dlaczego?

– Przecież jest biedna.

– Z głodu nie umiera.

– Może niezbyt często trafia.

– Myślę, że często, bo inaczej nie przyjeżdżałoby wciąż tyle ludzi, prawda?

W trakcie spaceru między krzakami róż w jasnym, dusznym tunelu zmienił się ton ich rozmowy. Ocierali pot z twarzy i brakowało im energii, żeby sobie dokuczać.

– Nie mogę tego zrozumieć – powiedział Ollie.

– Chyba nikt nie może – stwierdziła Nancy. – I chodzi nie tylko o rzeczy, jakie giną ludziom. Ona odnajduje ciała.

– Ciała?

– Jeden mężczyzna podobno zszedł z torów kolejowych, zabłądził w czasie burzy śnieżnej i zamarzł, zupełnie nie mogli go znaleźć, i Tessa powiedziała, żeby poszukali nad jeziorem u podnóża skarpy. I rzeczywiście. Wcale nie przy torach. A raz zginęła krowa i Tessa powiedziała im, że utonęła.

– I co? Jeśli to prawda, to dlaczego nikt się tym nie zajął? Naukowo?

– To najprawdziwsza prawda.

– Nie chodzi mi o to, że jej nie wierzę. Ale chcę wiedzieć, jak ona to robi. Nigdy jej nie pytałaś?

Nancy go zaskoczyła.

– To byłoby niegrzeczne – stwierdziła.

Teraz to ona miała dość tej całej rozmowy.

– Powiedz mi – nalegał Ollie – czy ona widziała takie rzeczy, jak była dzieckiem?

– Nie. Nie wiem. Nie mówiła nikomu.

– Czy była taka jak wszyscy?

– Nie była dokładnie taka jak wszyscy. Ale kto jest? Nigdy nie myślałam o sobie, że jestem taka sama jak wszyscy. Ginny też tak o sobie nie myśli. A Tessa po prostu mieszkała, gdzie mieszkała, i rano przed szkołą musiała wydoić krowę, czego nikt z nas nie robił. Zawsze starałam się z nią przyjaźnić.

– Nie wątpię – powiedział łagodnie Ollie.

Mówiła dalej, jakby nie słyszała.

– Wydaje mi się, że to się zaczęło... To się na pewno zaczęło wtedy, kiedy zachorowała. W drugiej klasie szkoły średniej zachorowała, miała jakieś ataki. Przestała chodzić do szkoły i już nigdy nie wróciła, to wtedy coś się z nią stało.

– Ataki? – spytał Ollie. – Napady padaczkowe?

– O tym nigdy nie słyszałam. Och – odwróciła się od niego – jestem naprawdę obrzydliwa.

Ollie przystanął.

– Dlaczego? – zapytał.

Nancy też się zatrzymała.

– Zabrałam cię tam, żeby ci pokazać, że mamy tu coś specjalnego. Ją. Tessę. Żeby pokazać ci Tessę.

– Tak. I co?

– Bo myślisz, że nie mamy niczego ciekawego, wartego zainteresowania. Myślisz, że z nas można sobie tylko żarty robić. Z nas wszystkich tutaj. No to chciałam ci ją pokazać. Jak jakiegoś dziwoląga.

– Ja bym jej nie nazwał „dziwolągiem".

– Ale taka była moja intencja. Ktoś powinien walnąć mnie w głowę.

– Chyba nie.

– Powinnam wrócić i błagać ją o wybaczenie.

– Nie robiłbym tego.

– Nie?

– Nie.

Tego wieczoru Ollie pomógł Nancy przygotować kolację na zimno. Pani Box zostawiła w lodówce ugotowanego kurczaka i sałatkę w galarecie, a Nancy w sobotę upiekła biszkopt, który miała podać z truskawkami. Ustawili wszystko na werandzie, gdzie po południu padał cień. Między głównym daniem a deserem Ollie odniósł do kuchni talerze i salaterki.

Nagle powiedział:

– Ciekawe, czy komukolwiek przychodzi do głowy, żeby przynieść jej coś dobrego do jedzenia? Kurczaka albo truskawki?

Nancy obtaczała najładniejsze owoce w cukrze.

– Słucham? – powiedziała po chwili.

– Tej dziewczynie. Tessie.

– Aha. Ma kurczaki, może sobie zabić, jeśli zechce. Nie zdziwiłabym się, gdyby miała też grządkę z truskawkami. Ludzie na wsi przeważnie mają.

Wyrzuty sumienia w drodze powrotnej dobrze jej zrobiły, ale już o nich zapomniała.

– Nie chodzi tylko o to, że ona nie jest dziwolągiem – powiedział Ollie. – Ale też o to, że tak o sobie nie myśli.

– Oczywiście, że nie.

– Jest zadowolona z tego, kim jest. Ma niezwykłe oczy.

Nancy zawołała do Wilfa, żeby spytać, czy nie zechciałby zagrać na pianinie, gdy ona krząta się przy deserze.

– Muszę ubić śmietanę, a przy tej pogodzie zajmie mi to całe wieki.

Wilf odparł, że zaczekają i że jest zmęczony.

Mimo to zagrał, później, kiedy już pozmywali i zaczęło się ściemniać. Ojciec Nancy nie chodził na wieczorne nabożeństwo, uważał to za przesadę, ale w niedzielę nie pozwalał w domu na karty ani na gry planszowe. Ponownie przejrzał „Post", gdy Wilf grał. Nancy usiadła na stopniach werandy, poza zasięgiem jego wzroku, i wypaliła papierosa, mając nadzieję, że ojciec nie poczuje dymu.

– Jak wyjdę za mąż – powiedziała do Ollie'ego, który opierał się o balustradę – jak wyjdę za mąż, będę paliła, kiedy będę chciała.

Ollie naturalnie nie palił ze względu na swoje płuca.

Roześmiał się i powiedział:

– Dobrze, dobrze. Czy to dostateczny powód do zamążpójścia?

Wilf grał ze słuchu *Eine kleine Nachtmusik*.

– Niezły jest – stwierdził Ollie. – Ma dobre ręce. Ale dziewczyny mówią, że zimne.

Jednak nie myślał o Wilfie, Nancy czy ich małżeństwie. Rozmyślał o Tessie, o jej osobliwości i spokoju. Zastanawiał się, co teraz robi, na końcu wysadzanej dzikimi różami drogi, w ten długi gorący wieczór. Czy wciąż ma gości, wciąż zajmuje się rozwiązywaniem problemów życiowych innych ludzi? Czy może wyszła, usiadła na skrzypiącej huśtawce i porusza się w przód i w tył, mając za towarzystwo jedynie wschodzący księżyc?

Miał się niedługo dowiedzieć, że Tessa spędza wieczory, nosząc wodę z pompy na grządki z pomidorami i okopując fasolę i kartofle, i że jeśli chciałby czasem z nią porozmawiać, też będzie musiał się tym zająć.

W tym czasie Nancy coraz więcej czasu poświęcała przygotowaniom do ślubu i wcale nie myślała o Tessie, prawie wcale o Ollie'm, poza tym, że raz czy dwa wspomniała, że nigdy go nie ma, kiedy ona go potrzebuje.

29 kwietnia.

Drogi Ollie,

odkąd wróciliśmy z Quebecu, myślałam, że się do nas odezwiesz, i byłam zdumiona, że tego nie zrobiłeś (nawet na Boże Narodzenie!), ale chyba mogę powiedzieć, że wiem dlaczego. Kilka razy zaczynałam do Ciebie pisać, lecz musiałam to odłożyć, żeby uporządkować swoje odczucia. Sądzę, że mogę przyznać, iż ten artykuł, czy opowiadanie, czy jak tam chcesz to nazwać, w „Saturday Night" był dobrze napisany, i jestem pewna, że druk w piśmie to dla Ciebie prawdziwy sukces. Ojcu nie podoba się określenie „mały" port nad jeziorem i chciałby Ci przypomnieć, że to najlepszy i największy port po tej stronie Huron, a ja nie jestem pewna, czy podoba mi się słowo „prozaiczny". Nie wiem, czy jest to bardziej prozaiczne miejsce niż każde inne, i czego właściwie byś od niego oczekiwał – żeby było poetyckie?

Jednak głównym problemem jest Tessa i jak to wpłynie na jej życie. Wyobrażam sobie, że o tym nie pomyślałeś. Nie udało mi się do niej dodzwonić, a siadanie za kierownicą nie jest teraz dla mnie zbyt wygodne (z powodów, które zostawiam Twojej domyślności), więc nie pojadę do niej w odwiedziny. W każdym razie, z tego co słyszę, odwiedza ją mnóstwo ludzi, a jest to najgorsza pora do jazdy samochodem tam, gdzie mieszka; pomoc drogowa wyciąga ludzi z rowu (i nikt za to nie dziękuje, każdy tylko krytykuje nasze warunki jak sprzed wieków). Droga jest w strasznym stanie, tak zniszczona, że prawie nie do naprawy. Dzikie róże z pewnością odejdą w przeszłość. Rada miejska już się oburza, ile to będzie kosztować, a dużo ludzi złości się, bo myślą, że to Tessa jest sprawczynią całego tego rozgłosu i że zgarnia mnóstwo pieniędzy. Nikt nie wierzy, że robi to za darmo i że jeżeli ktoś na tym zarobił, to Ty. Kiedy to mówię, cytuję ojca – wiem, że nie jesteś materialistą. Dla Ciebie liczy się tylko splendor druku. Wybacz, jeśli odbierzesz to jako sarkazm. Ambicja jest godna pochwały, ale co z innymi ludźmi?

Być może spodziewałeś się listu z gratulacjami, ale mam nadzieję, że mi wybaczysz, musiałam to z siebie wyrzucić.

I jeszcze jedno. Chciałabym wiedzieć, czy cały czas myślałeś, żeby o tym napisać? Podobno biegałeś do Tessy wiele razy na własną rękę. Nigdy mi o tym nie wspomniałeś ani nie proponowałeś, żebym się z Tobą wybrała. Nigdy nie mówiłeś, że zbierasz Materiał (chyba tak byś to nazwał), a o ile sobie przypominam, niegdyś ostro kwestionowałeś tamtą sytuację. I w całym tekście nie ma ani słowa, że to ja Cię tam zaprowadziałam i poznałam z Tessą. Nie ma na ten temat żadnej wzmianki, tak samo jak nie było żadnego osobistego podziękowania. Ciekawa jestem, czy byłeś szczery wobec Tessy, przedstawiając swoje zamiary, czy spytałeś ją o pozwolenie, żeby – cytuję tu Ciebie – zaspokoić Naukową Ciekawość? Czy wyjaśniłeś, co jej robisz? Czy tylko pojawiłeś się, zniknąłeś i wykorzystałeś nas, Ludzi Prozaicznych, do rozpoczęcia Kariery Pisarskiej?

Życzę Ci powodzenia, Ollie, i nie spodziewam się odpowiedzi. (Nie dostąpiliśmy zaszczytu, żebyś w ogóle do nas napisał).

Żona Twojego kuzyna,

Nancy.

Droga Nancy,

muszę powiedzieć, że moim zdaniem zupełnie niepotrzebnie tak się ekscytujesz i denerwujesz. Prędzej czy później ktoś by Tessę odkrył i opisał, dlaczego zatem nie miałbym to być ja? Pomysł, aby napisać ten tekst, powstawał w mojej głowie stopniowo, kiedy chodziłem, żeby z nią rozmawiać. I rzeczywiście kierowała mną Naukowa Ciekawość – jedyna cecha mojej natury, za którą nie zamierzam przepraszać. Czy może uważasz, że powinienem pytać Cię o pozwolenie lub informować o wszystkich moich planach, w czasie kiedy biegałaś kompletnie spanikowana z powodu sukni ślubnej, przyjęć przedślubnych, spodziewanej liczby srebrnych półmisków i Bóg wie czego jeszcze?

Jeśli chodzi o Tessę, to bardzo się mylisz, myśląc, że teraz, kiedy artykuł się ukazał, zapomniałem o niej lub nie wziąłem pod uwagę tego, jak to wpłynie na jej życie. Dostałem od niej list, z którego wcale nie wynika, jakoby zapanowało tam tak dramatyczne zamieszanie, jak to opisujesz. W każdym razie już niedługo będzie musiała znosić to swoje życie tam na odludziu. Jestem w kontakcie z ludźmi, którzy czytali mój tekst i bardzo się tym wszystkim zainteresowali. Obecnie prowadzi się jak najbardziej legalne badania związane z tymi zjawiskami, częściowo tutaj, ale głównie w Stanach. Wydaje mi się, że po drugiej stronie granicy jest więcej pieniędzy na tego rodzaju sprawy i więcej autentycznego zainteresowania, badam więc pewne możliwości – dla Tessy jako obiektu badań, a dla mnie jako dziennikarza naukowego – w Bostonie albo w Baltimore, a może w Północnej Karolinie.

Przykro mi, że mnie tak surowo osądzasz. Nic nie piszesz – oprócz jednego zawoalowanego (radosnego?) stwierdzenia – jak Ci się wiedzie w małżeństwie. Ani słowa o Wilfie, ale przypuszczam, że zabrałaś go ze sobą do Quebecu, i mam nadzieję, że dobrze się bawiliście. Spodziewam się, że Wilf rozwija się jak zawsze.

Pozdrawiam,

Ollie.

Droga Tesso,

okazuje się, że masz wyłączony telefon, co być może jest koniecznością przy Twojej obecnej sławie. Nie chcę, aby zabrzmiało to złośliwie. Ostatnio różne rzeczy wychodzą nie tak, jak bym chciała. Oczekuję dziecka – nie wiem, czy słyszałaś – i jestem z tego powodu przewrażliwiona i nerwowa.

Wyobrażam sobie, że jesteś teraz bardzo zajęta i zdezorientowana, kiedy tyle ludzi do Ciebie przychodzi. Musi Ci być trudno zachować Twój zwykły porządek dnia. Byłoby mi bardzo miło Cię zobaczyć, gdybyś znalazła chwilę czasu. Szczerze Cię zapraszam, żebyś wpadła do mnie, jak będziesz kiedyś w mieście (słyszałam w sklepie, że teraz zamawiasz zakupy z dostawą do domu). Nigdy nie widziałaś wnętrza mojego nowego – to znaczy na nowo urządzonego i nowego dla mnie – domu. Prawdę mówiąc, nie widziałaś też starego, bo to ja zawsze odwiedzałam Ciebie. Zresztą nie tak często, jak bym chciała. Życie jest zawsze tak intensywne. Biorąc czy dając, trwonimy swe moce*. Dlaczego ciągle jesteśmy tak zajęci, że nie mamy czasu na sprawy, którymi powinniśmy się zająć? Pamiętasz, jak robiłyśmy masło w starej maselnicy? To mi się podobało. Wtedy przyprowadziłam do Ciebie Ollie'ego i mam nadzieję, że tego nie żałujesz.

Posłuchaj, Tesso, mam nadzieję, że nie uznasz moich słów za wtrącanie się w nie swoje sprawy, ale Ollie wspomniał w liście do mnie, że jest w kontakcie z jakimiś ludźmi, którzy robią badania, czy coś takiego, w Stanach. Przypuszczam, że Cię o tym informował. Nie wiem, o jakich badaniach mowa, ale muszę powiedzieć, że kiedy przeczytałam o tym w jego liście, zmroziło mnie. Czuję w głębi duszy, że to nie jest dobry pomysł, abyś stąd wyjeżdżała – jeżeli o tym właśnie myślisz – gdzieś, gdzie nikt Cię nie zna ani nie traktuje jak osobę znajomą i normalną. Czułam, że muszę Ci to napisać.

* „Biorąc czy dając, trwonimy swe moce" – fragment wiersza Williama Wordswortha *Zbyt wiele znaczy dla nas świat* (*The World Is Too Much with Us*) (przyp. tłum.).

Jest jeszcze jedna rzecz, o której czuję, że muszę Ci napisać, chociaż nie wiem jak. Chodzi mi mianowicie o to. Ollie z całą pewnością nie jest złym człowiekiem, ale ma duży wpływ, i to nie tylko – jak teraz o tym myślę – na kobiety, lecz także na mężczyzn, a przy tym to nie jest tak, że on o tym nie wie, tylko nie bierze za to odpowiedzialności. Szczerze mówiąc, nie mogę sobie wyobrazić gorszego losu niż zakochanie się w Ollie'm. On rozważa jakiegoś rodzaju związek z Tobą, żeby pisać o Tobie, o tych doświadczeniach czy jeszcze o czymś innym, i będzie bardzo przyjacielski i naturalny, ale mogłabyś niesłusznie wziąć jego zachowanie za coś więcej. Nie złość się na mnie za to, co piszę. Wpadnij mnie odwiedzić.

Całuję,

Nancy.

Droga Nancy,

nie martw się o mnie. Ollie o wszystkim mnie informuje. Kiedy dostaniesz tę wiadomość, będziemy po ślubie i być może już w Stanach. Przykro mi, że nie widziałam Twojego nowego domu.

Pozdrawiam,

Tessa.

Dziura w głowie

Wzgórza w środkowej części stanu Michigan porośnięte są dębowymi lasami. Jedyna wizyta Nancy miała miejsce jesienią roku 1968, kiedy liście dębów już zmieniły kolor, ale wciąż wisiały na drzewach. Nancy była przyzwyczajona do kęp drzew liściastych, a nie do lasów z mnóstwem klonów, które jesienią stają się czerwone i złote. Ciemniejsze kolory dużych dębowych liści, rdzawy i winna czerwień, nie poprawiały jej nastroju, nawet w świetle słońca.

Wzgórze, na którym stał prywatny szpital, było całkowicie pozbawione drzew i sporo oddalone od miasta, wioski czy nawet jakiejś zamieszkałej fermy. Budynek przypominał te, które spotyka się w małych miejscowościach, przerobione na szpitale z rezydencji jakiejś ważnej rodziny, której wszyscy członkowie wymarli albo nie byli w stanie utrzymać posiadłości. Wykuszowe okna po obu stronach frontowych drzwi, okna mansardowe na całym drugim piętrze. Stara brudna cegła i ani śladu krzewów, żywopłotów czy sadu jabłoniowego, nic poza przystrzyżonym trawnikiem i żwirowym parkingiem.

Nie ma gdzie się schować, gdyby komuś przyszło do głowy uciekać.

Nie pomyślałaby o tym, a przynajmniej nie tak szybko, w czasach przed chorobą Wilfa.

Zaparkowała samochód obok paru innych, zastanawiając się, czy należą do pracowników, czy do odwiedzających. Ilu gości przyjeżdża w takie odludne miejsce?

Trzeba się wdrapać po schodach, by przeczytać na drzwiach, że należy pójść do bocznego wejścia. Z bliska Nancy zobaczyła w niektórych oknach kraty. Nie w tych wykuszowych, choć w nich nie było firanek, tylko w niektórych powyżej i poniżej, w suterenie.

Drzwi, do których miała podejść, prowadziły na ten niższy poziom. Nancy zadzwoniła, potem zastukała, potem znów nacisnęła dzwonek. Wydawało jej się, że słyszy jego dźwięk, ale nie była pewna, bo w środku panował harmider. Nacisnęła na klamkę i ku jej zdziwieniu – z uwagi na kraty w oknach – drzwi się otworzyły. Nancy znalazła się na progu kuchni, wielkiej, pełnej ruchu kuchni, w której mnóstwo ludzi zmywało i sprzątało po obiedzie.

W oknach nie było krat ani firanek. Pomieszczenie było wysokie, co jeszcze wzmagało hałas, a wszystkie ściany i szafki pomalowano na biało. Świeciło się sporo lamp, choć przez okna wpadało światło pogodnego jesiennego dnia.

Oczywiście od razu ją zauważono. Nikt jednak nie spieszył się, by ją powitać i zapytać, co tu robi.

Nancy dostrzegła coś jeszcze. Obok intensywnego światła i hałasu czuło się tam to samo wrażenie, które miała teraz we własnym domu, a które inni ludzie musieli tym bardziej odczuwać.

Poczucie jakiegoś niedopasowania, którego nie sposób naprawić ani zmienić, można mu się tylko jak najczęściej przeciwstawiać. Niektórzy ludzie, wchodząc do takiego miejsca, od razu się poddają, nie wiedzą, jak stawić temu czoła, są oburzeni albo przestraszeni, muszą uciekać.

Mężczyzna w białym fartuchu zbliżył się do niej, pchając wózek z pojemnikiem na śmieci. Nancy nie wiedziała, czy podszedł ją przywitać, czy po prostu tamtędy przechodził, ale uśmiechał się do niej, wydawał się życzliwą osobą, więc powiedziała mu, kim jest i do kogo przyjechała. Mężczyzna wysłuchał jej, pokiwał głową, uśmiechnął się jeszcze szerzej, zaczął kręcić głową i przyłożył palec do ust, żeby pokazać, że nie może mówić albo że mu nie wolno, jak w jakiejś grze, po czym ruszył w dalszą drogę, popychając wózek po pochylni do niżej położonej sutereny.

Był zapewne pacjentem, nie pracownikiem. Musiało to być jedno z tych miejsc, gdzie pracowali ci, którzy mogli pracować. Z założenia miało im to pomóc i może pomagało.

W końcu do Nancy podeszła jakaś odpowiedzialnie wyglądająca osoba, kobieta mniej więcej w jej wieku, w ciemnym kostiumie – nie nosiła białego fartucha, w odróżnieniu od niemal wszystkich pozostałych – i Nancy jeszcze raz powtórzyła swoją opowieść. Że dostała list, że jej nazwisko zostało podane przez pacjenta – czy, jak woleli to określać, pensjonariusza – jako nazwisko osoby, z którą należy się kontaktować.

Nancy miała rację, ludzie w kuchni nie byli pracownikami.

– Ale lubią tu pracować – powiedziała przełożona. – Są z tego dumni.

Rzucając ostrzegawcze uśmiechy na lewo i prawo, zaprowadziła Nancy do biura, do którego wchodziło się z kuchni. W trakcie rozmowy stało się jasne, że przełożona musiała się zajmować wszelkiego rodzaju sprawami, podejmować decyzje w kwestii pracy kuchennej i rozstrzygać nieporozumienia za każdym razem, gdy do biura zaglądał ktoś okutany w biały fartuch. Musiała też panować nad pismami, rachunkami i zawiadomieniami, które bezceremonialnie pozawieszano na haczykach na wszystkich ścianach. I jeszcze zajmować się gośćmi takimi jak Nancy.

– Przejrzeliśmy wszystkie stare karty i znaleźliśmy nazwiska krewnych...

– Nie jestem krewną – przerwała jej Nancy.

– Lub innych osób i wysłaliśmy listy, takie jak ten, który pani dostała, żeby otrzymać jakieś wytyczne dotyczące tego, jak powinniśmy traktować te przypadki. Muszę powiedzieć, że nie mamy zbyt wielu odpowiedzi. To miło, że zechciała pani przyjechać.

Nancy spytała, co oznaczało określenie „te przypadki".

Przełożona wyjaśniła, że chodzi o ludzi, którzy są tu od wielu lat, a może wcale nie powinni tu być.

– Proszę zrozumieć, jestem tutaj nowa, ale powiem pani to, co wiem.

Z tego, co mówiła, wynikało, że to miejsce stało się przechowalnią dla wszelkiego rodzaju psychicznie chorych, zdziecinniałych, niedorozwiniętych umysłowo, czy też osób, z którymi rodzina nie dawała sobie rady. Zawsze była to, i nadal jest, zbieranina najróżniejszych przypadków. Poważnie chorzy przebywali w północnym skrzydle, pod szczególną opieką.

Początkowo był to prywatny szpital, którego właścicielem i dyrektorem był lekarz. Po jego śmierci rodzina – rodzina lekarza – przejęła zakład i okazało się, że ma własne pomysły na prowadzenie tego rodzaju placówki. Częściowo przekształcono ją w szpital charytatywny i robiono najdziwniejsze rzeczy, żeby otrzymywać dotacje dla pacjentów, którzy wcale nie zaliczali się do przypadków zdanych na instytucje charytatywne. Niektórzy zapisani w księgach zdążyli już umrzeć, inni nie mieli żadnego powodu ani dokumentów niezbędnych, by tu przebywać. Oczywiście wielu z nich pracowało na swoje utrzymanie i to mogło być, i zazwyczaj było, korzystne dla ich samopoczucia, niemniej jednak wszystko razem pozostawało nieprzepisowe i nielegalne.

A teraz chodziło o to, że przeprowadzono dokładne śledztwo i tę instytucję zamykano. Budynek był i tak przestarzały. Za mały. W dzisiejszych czasach takie rzeczy inaczej organizowano. Poważne przypadki miały przejść do dużego zakładu we Flint lub w Lansing, jeszcze nie było dokładnie wiadomo, niektórych pacjentów można oddać do domów opieki, domów grupowych, zgodnie z nowymi tendencjami, i wreszcie były osoby, które dałyby sobie radę pod opieką krewnych.

Tessę uważano za jedną z takich osób. Podobno na początku, kiedy ją tu umieszczono, potrzebowała leczenia wstrząsowego, ale już od bardzo dawna dostawała jedynie słabe lekarstwa.

– Leczenie elektrowstrząsami? – powtórzyła Nancy.

– Może chodziło o terapię elektrowstrząsową – wyjaśniła przełożona, jakby to robiło jakąś szczególną różnicę. – A zatem nie jest pani krewną. To znaczy, że nie zamierza jej pani wziąć do siebie?

– Mam męża... – zaczęła Nancy. – Mam męża, który jest... Przypuszczam, że powinien być w takim miejscu jak to, ale opiekuję się nim w domu.

– Ach, tak – powiedziała przełożona z westchnieniem, bez niedowierzania, ale i bez współczucia. – No i problem polega na tym, że ona nie ma nawet obywatelstwa. Sama tak twierdzi... Czyli nie chce jej pani teraz zobaczyć?

– Owszem, chcę – odparła Nancy. – Po to tu przyjechałam.

– No, dobrze. Jest niedaleko, w piekarni. Od lat tam pracuje. Wydaje mi się, że na początku zatrudniano tu piekarza, ale kiedy odszedł, na jego miejsce nikogo nie przyjęto. Była przecież Tessa.

Wstając, przełożona stwierdziła:

– Cóż, pewnie chciałaby pani, żebym po jakimś czasie zajrzała i powiedziała, że muszę z panią porozmawiać. To będzie dla pani pretekst, aby wyjść. Tessa jest sprytna, wie, z której strony wiatr wieje, i byłoby jej przykro, gdyby pani wyszła bez niej. Dlatego dam pani możliwość wymknięcia się po cichu.

Tessa nie była całkiem siwa. Jej loki przytrzymywała ciasna siatka, odsłaniając czoło bez zmarszczek, błyszczące, jeszcze szersze, wyższe i bielsze niż kiedyś. Jej figura też się rozrosła. Miała duże piersi, które pod białym strojem piekarza robiły wrażenie twardych jak głazy, a jednak, mimo tego ciężaru i pozycji, w jakiej Nancy ją zobaczyła – pochylona nad stołem wałkowała duży kawał ciasta – jej ramiona były dostojnie wyprostowane.

W piekarni była sama, nie licząc wysokiej, chudej dziewczyny, nie, kobiety o delikatnych rysach twarzy, która nieustannie wykrzywiała ładną buzię w dziwaczne grymasy.

– Ach, Nancy, to ty – powiedziała Tessa. Mówiła zupełnie naturalnie, dzielnie walcząc z brakiem tchu charakterystycznym dla ludzi, którzy noszą na sobie szlachetny ciężar ciała. – Przestań, Elinor. Uspokój się w tej chwili. Przynieś mojej przyjaciółce krzesło.

Speszyła się trochę, kiedy zobaczyła, że zgodnie z teraźniejszą modą Nancy chce ją uściskać.

– Cała jestem w mące. A poza tym Elinor może cię ugryźć. Elinor nie lubi, kiedy ludzie są wobec mnie zbyt serdeczni.

Elinor pospiesznie wróciła z krzesłem. Nancy spojrzała jej prosto w oczy i powiedziała miłym tonem:

– Dziękuję ci bardzo, Elinor.

– Ona nie mówi – wyjaśniła Tessa. – Ale bardzo mi pomaga. Nie dałabym sobie bez niej rady, prawda, Elinor?

– Zdziwiłam się, że mnie poznałaś – powiedziała Nancy. – Bardzo się postarzałam od tamtych czasów.

– Tak – przyznała Tessa. – Ciekawa byłam, czy przyjedziesz.

– Właściwie mogłabym już nawet umrzeć. Pamiętasz Ginny Ross? Nie żyje.

– Tak.

Kruche ciasto, to właśnie robiła Tessa. Odkroiła okrągły kawałek ciasta i wrzuciła go do cynowej formy, którą trzymała wysoko w górze, wprawnie obracając ją w jednej ręce i nacinając ciasto nożem trzymanym w drugiej. Zrobiła to szybko, kilkoma ruchami.

– Wilf żyje? – spytała.

– Tak. Ale trochę pomieszało mu się w głowie. – Nancy za późno zdała sobie sprawę, że nie jest to taktowne stwierdzenie, i kontynuowała lżejszym tonem: – Biedny Wolfie nabrał dziwnych obyczajów.

Wiele lat wcześniej próbowała nazywać Wilfa „Wolfie", sądząc, że to pasuje do jego długiej twarzy, cienkich wąsików i jasnych, poważnych oczu. Wilfowi to się jednak nie podobało, podejrzewał, że Nancy się z niego wyśmiewa, więc przestała tak do niego mówić. Teraz nie miał nic przeciwko temu, a ona miała wrażenie, że dzięki temu jest dla niego bardziej czuła i serdeczna, co w obecnej sytuacji pomagało.

– Na przykład nie znosi dywaników.

– Dywaników?

– Tak chodzi po pokoju – powiedziała Nancy, rysując w powietrzu prostokąt. – Musiałam poodsuwać meble od ścian. W kółko, w kółko, i w kółko. – Roześmiała się nieoczekiwanie i jakby przepraszająco.

– Tutaj też są tacy, co tak chodzą – powiedziała Tessa i potwierdzająco skinęła głową. – Nie chcą, żeby było coś między nimi a ścianą.

– I jest bardzo ode mnie zależny. Wciąż tylko pyta: „Gdzie jest Nancy?". Jestem jedyną osobą, której teraz ufa.

– Czy bywa agresywny? – zapytała Tessa, znowu tonem zawodowca i znawcy.

– Nie. Ale jest podejrzliwy. Wydaje mu się, że przychodzą jacyś ludzie i chowają przed nim różne rzeczy. Myśli, że ktoś zmienia godzinę na zegarach i nawet datę w gazecie. Potem wraca do normalności, a kiedy mówię mu, że ktoś ma jakiś problem ze zdrowiem, stawia bezbłędną diagnozę. Umysł ludzki to bardzo dziwna rzecz.

Proszę. Kolejne nietaktowne stwierdzenie.

– Ma problemy, ale nie jest agresywny.

– To dobrze.

Tessa odstawiła cynową formę i zaczęła wypełniać ją farszem z dużej puszki oznaczonej jedynie napisem „Jagody". Farsz był rzadki i kleisty.

– Proszę, Elinor – powiedziała Tessa. – To są twoje kawałki.

Elinor stała tuż za krzesłem Nancy, która uważała, żeby się nie odwrócić i na nią nie spojrzeć. Teraz Elinor wślizgnęła się za stół i nie podnosząc głowy, zaczęła zlepiać razem kawałki ciasta odcięte nożem.

– Ale ten człowiek nie żyje – powiedziała Tessa. – Tyle wiem.

– O kim mówisz?

– O tym mężczyźnie. Twoim przyjacielu.

– O Ollie'm? Ollie nie żyje?

– Nie wiesz? – spytała Tessa.

– Nie. Nie.

– Myślałam, że wiesz. Czy Wilf nie wiedział?

– Czy Wilf nie wie? – poprawiła ją odruchowo Nancy, broniąc męża przez postawienie go wśród żyjących.

– Myślałam, że wie. Przecież to rodzina.

Nancy nie odpowiedziała. Oczywiście powinna była się domyślić, że Ollie nie żyje, skoro Tessa jest tutaj.

– To znaczy, że zachował to dla siebie – powiedziała Tessa.

– Wilf zawsze był w tym dobry – odparła Nancy. – Kiedy to się stało? Byłaś przy nim?

Tessa pokręciła głową, jakby przeczyła albo sygnalizowała, że nie wie.

– No to kiedy? Co ci powiedzieli?

– Nikt mi nie powiedział. Nigdy mi nic nie mówią.

– Och, Tessa.

– Miałam dziurę w głowie. Od bardzo dawna.

– To tak jak kiedyś wiedziałaś o różnych rzeczach? Pamiętasz, jak to robiłaś?

– Dawali mi gaz.

– Kto? – zapytała surowo Nancy. – Co to znaczy, że dawali ci gaz?

– Ci, co tu rządzili. Dawali mi zastrzyki.

– Mówiłaś, że gaz.

– Dawali mi zastrzyki i gaz też. Żeby mi wyleczyć głowę. I żebym nie pamiętała. Pewne rzeczy pamiętam, ale mam problemy, żeby określić, jak dawno temu. Miałam tę dziurę w głowie bardzo długo.

– Czy Ollie umarł, zanim tu przyjechałaś, czy potem? Nie pamiętasz, dlaczego umarł?

– Och, widziałam go. Miał głowę owiniętą czarnym płaszczem. I sznur wokół szyi. Ktoś mu to zrobił. – Na chwilę zacisnęła usta. – Ktoś powinien trafić na krzesło elektryczne.

– Może coś ci się przyśniło, miałaś zły sen. Może sen pomylił ci się z tym, co się naprawdę stało.

Tessa uniosła podbródek, jakby chciała coś rozstrzygnąć.

– Nie w tej sprawie. To mi się nie pomyliło.

Elektrowstrząsy, pomyślała Nancy. Leczenie elektrowstrząsami zostawiło dziury w jej pamięci? Musi coś być w papierach. Pójdzie i jeszcze raz porozmawia z przełożoną.

Nancy spojrzała na Elinor, żeby zobaczyć, co robi z kawałkami ciasta. Bardzo sprytnie je formowała, przyklejając głowy, uszy i ogony. Małe myszki z ciasta.

Tessa ostrym ruchem zrobiła otwory w górnej warstwie ciasta na zapiekankach. Myszy poszły do pieca razem z nimi, na oddzielnym cynowym talerzu.

Potem Tessa wyciągnęła ręce i stała, czekając, aż Elinor weźmie mały wilgotny ręcznik i zetrze jej z dłoni resztki lepkiego ciasta i mąkę.

– Krzesło – powiedziała Tessa ściszonym głosem, a Elinor przyniosła krzesło i postawiła je u szczytu stołu, obok Nancy, żeby Tessa mogła usiąść.

– Może zrobisz nam herbaty – zaproponowała Tessa. – Nie martw się, dopilnujemy twoich ciastek. Przypilnujemy twoich myszek.

– Zapomnijmy o wszystkim, o czym mówiłyśmy – powiedziała do Nancy. – Kiedy ostatnio do mnie pisałaś, spodziewałaś się dziecka, prawda? To był chłopiec czy dziewczynka?

– Chłopiec – odparła Nancy. – Wieki temu. Potem miałam dwie córki. Wszyscy troje są już dorośli.

– Tutaj nie zauważa się przemijania czasu. Może to i dobrze, albo nie, sama nie wiem. Co teraz robią?

– Chłopiec...

– Jak ma na imię?

– Alan. Też poszedł na medycynę.

– Jest lekarzem. To dobrze.

– Obie córki wyszły za mąż. Alan też jest żonaty.

– Jak mają na imię? Twoje córki?

– Susan i Patricia. Zostały pielęgniarkami.

– Wybrałaś ładne imiona.

Herbata była gotowa – czajnik musiał cały czas stać na gazie – i Tessa nalała.

– Nie jest to najlepsza porcelana na świecie – stwierdziła, biorąc sobie lekko wyszczerbioną filiżankę.

– Nie szkodzi – odparła Nancy. – Posłuchaj, Tesso. Pamiętasz, co umiałaś robić? Umiałaś... Wiedziałaś różne rzeczy. Kiedy ludziom coś ginęło, potrafiłaś im powiedzieć, gdzie to znaleźć.

– Ależ nie – zaprzeczyła Tessa. – Tylko udawałam.

– Niemożliwe.

– Boli mnie głowa, kiedy o tym mówię.

– Przepraszam.

W drzwiach stanęła przełożona.

– Nie chcę pani przeszkadzać w piciu herbaty – powiedziała do Nancy – ale gdyby mogła pani potem wpaść na chwilę do biura...

Tessa ledwo odczekała, aż przełożona wyjdzie.

– Po to, żebyś nie musiała się ze mną żegnać – oznajmiła, jakby doceniała dobrze znany żart. – To taki jej trik. Wszyscy go znają. Wiedziałam, że nie przyjechałaś, aby mnie stąd zabrać. Przecież nie możesz.

– To nie ma nic wspólnego z tobą, Tesso. Chodzi o to, że mam Wilfa.

– Oczywiście.

– Zasługuje na opiekę. Był dla mnie dobrym mężem, na tyle, na ile potrafił. Obiecałam sobie, że nie będzie musiał iść do zakładu.

– Nie, tylko nie do zakładu – powiedziała Tessa.

– Och, ale głupio mówię.

Tessa uśmiechała się i w jej uśmiechu Nancy ujrzała to samo, co ją tak intrygowało przed laty. Nie tyle wyższość, ile nadzwyczajną, bezgraniczną życzliwość.

– To miło, że mnie odwiedziłaś, Nancy. Jak widzisz, jestem zdrowa. To już coś. Lepiej zajrzyj do tej kobiety.

– Nie mam najmniejszego zamiaru – stwierdziła Nancy. – Nie zamierzam wychodzić stąd chyłkiem. Chcę się z tobą pożegnać.

Teraz nie mogła zapytać przełożonej o to, co mówiła Tessa, zresztą i tak nie wiedziała, czy powinna pytać, bo byłoby to trochę działaniem za plecami Tessy i mogło mieć jakieś konsekwencje. W takim miejscu nigdy nie wiadomo, czego się spodziewać.

– Nie żegnaj się, dopóki nie spróbujesz myszki Elinor. Ślepej myszki Elinor. Ona chce, żebyś spróbowała. Teraz już cię polubiła. I nie przejmuj się, pilnuję, żeby miała czyste ręce.

Nancy zjadła myszkę i powiedziała Elinor, że bardzo jej smakowała. Elinor zgodziła się podać jej rękę, Tessa zrobiła to samo.

– Gdyby żył – odezwała się Tessa całkiem silnym i rozsądnym głosem – zabrałby mnie stąd. Obiecał.

Nancy skinęła głową.

– Napiszę do ciebie – powiedziała.

I naprawdę miała taki zamiar, ale kiedy wróciła do domu, Wilf wymagał tak intensywnej opieki, a wizyta w Michigan stała się w jej myślach czymś tak niepokojącym i jednocześnie nierzeczywistym, że nigdy nie napisała do Tessy.

Kwadrat, koło, gwiazda

Pewnego dnia pod koniec lata, na początku lat siedemdziesiątych, pewna kobieta chodziła po Vancouver, mieście, w którym nigdy przedtem nie była i którego, na ile mogła to przewidzieć, więcej nie zamierzała odwiedzać. Ze swego hotelu w centrum miasta przeszła przez Burrard Street Bridge i po chwili znalazła się na Fourth Avenue. W tym czasie Fourth Avenue była ulicą małych sklepików, w których sprzedawano kadzidło, kryształy, wielkie papierowe kwiaty, plakaty z obrazami Salvadora Dalego i z Białym Królikiem, a także tanie ubrania, albo jaskrawe i cienkie, albo w kolorach ziemi i ciężkie jak koce, szyte w biednych i legendarnych częściach świata. Muzyka grana w tych sklepach atakowała przechodniów, niemal ich przewracała. Podobnie działały słodkawe egzotyczne zapachy i niemrawa obecność dziewczyn i chłopców, a raczej młodych kobiet i mężczyzn, którzy praktycznie żyli na chodnikach. Kobieta słyszała i czytała o tej młodzieżowej subkulturze – tak ją chyba nazywano. Kultura ta istniała już od dobrych paru lat i w gruncie rzeczy ponoć traciła już na popularności. Ale ta kobieta nigdy dotąd nie spotkała się z tym zjawiskiem na tak dużą skalę ani nie znalazła się w samym jego środku.

Miała sześćdziesiąt siedem lat, była tak chuda, że praktycznie pozbawiona bioder i biustu, i szła zamaszystym krokiem, z głową wysuniętą do przodu, rozglądając się od czasu do czasu na boki w wyzywający, wścibski sposób.

Wszyscy ludzie w zasięgu wzroku byli od niej młodsi o przynajmniej trzydzieści lat.

Chłopak z dziewczyną podeszli do niej z powagą, która wydawała się lekko durnowata. Na głowach mieli opaski ze splecionych wstążek. Chcieli, żeby kobieta kupiła od nich malutką rolkę papieru.

Spytała, czy jest tam przepowiednia jej przyszłości.

– Może – odparła dziewczyna.

– Jest tam mądrość – powiedział pouczającym tonem chłopak.

– Skoro tak... – powiedziała Nancy i włożyła dolara w wyciągniętą haftowaną czapeczkę.

– A teraz powiedzcie, jak się nazywacie – zaproponowała z uśmiechem, którego nie mogła powstrzymać i który pozostał nieodwzajemniony.

– Adam i Ewa – rzuciła dziewczyna, wzięła banknot i wetknęła go w zwoje swego stroju.

– „Adam i Ewa, i Uszczypnij-Mnie / Poszli nad rzekę w sobotnią noc. / Tam Adam tonie i Ewa tonie, / Na brzegu został – zgadnij kto?" – wyrecytowała Nancy.

Para młodych ludzi wycofała się z głęboką pogardą i znużeniem.

To by było na tyle. Nancy poszła dalej.

Chyba wolno mi tu być?

W witrynie małej kawiarenki wywieszono jakiś napis. Nancy nic nie jadła od śniadania w hotelu. Teraz minęła czwarta. Przystanęła, żeby przeczytać, co reklamowano.

„Niech żyje trawka". Obok nabazgranego napisu stało rozzłoszczone, pomarszczone, niemal zapłakane stworzenie z rzadkimi włosami, które wiatr rozwiewał znad policzków i czoła. Z suchymi, wyblakłymi rudobrązowymi włosami. Trzeba zawsze wybierać kolor o ton jaśniejszy od naturalnego, powiedziała fryzjerka. Naturalny kolor Nancy był ciemny, ciemnobrązowy, prawie czarny.

Nieprawda. Jej naturalnym kolorem był teraz siwy.

To zdarza się tylko parę razy w życiu – w każdym razie tylko parę razy, jeśli się jest kobietą – że człowiek tak się na siebie natyka, bez ostrzeżenia. Było to równie okropne, jak te sny, w których szła ulicą w nocnej koszuli albo – nonszalancko – w samej górze od piżamy.

Podczas ostatnich dziesięciu czy piętnastu lat nieraz przyglądała się swojej twarzy w ostrym świetle, żeby lepiej zaobserwować skuteczność makijażu albo zdecydować, czy już nadszedł czas, by zacząć farbować włosy. Nigdy jednak nie przeżyła takiego wstrząsu, chwili, w której ujrzała nie tyle stare i nowe oznaki starości, czy jakiś problem, którego nie można już dłużej ignorować, lecz całkowicie obcą osobę.

Kogoś, kogo nie znała i nie chciała znać.

Oczywiście natychmiast przybrała pogodniejszy wyraz twarzy i to trochę pomogło. Można by powiedzieć, że wtedy się rozpoznała. I szybko, jakby nie było chwili do stracenia, zaczęła szukać nadziei. Musi polakierować włosy, żeby się tak nie rozwiewały. Potrzebuje szminki w bardziej zdecydowanym odcieniu. Jasnokoralowym, który dzisiaj trudno znaleźć, zamiast tego prawie niewidocznego, modniejszego, okropnego różowobrązowego. Mobilizacja do natychmiastowego działania kazała jej się odwrócić – parę przecznic wcześniej widziała drogerię – a niechęć do ponownego spotkania Adama-i-Ewy zmusiła do przejścia na drugą stronę ulicy.

Gdyby nie to, nigdy by go nie spotkała.

Chodnikiem nadchodziła druga stara osoba. Mężczyzna, niewysoki, lecz wyprostowany i muskularny, z łysiną na czubku głowy otoczoną grzywką delikatnych siwych włosów, rozwiewanych przez wiatr, tak jak u niej. Rozpięta pod szyją dżinsowa koszula, stara marynarka i spodnie. Nic, co by wskazywało, że chce się upodobnić do młodych mężczyzn na ulicy – ani końskiego ogona, ani chustki na szyi, ani dżinsów. A przecież nie można by go wziąć za człowieka pokroju tych, jakich widywała codziennie przez ostatnich parę tygodni.

Wiedziała niemal od razu. To Ollie. Ale Nancy znieruchomiała, mając poważne powody, by wierzyć, że to nie może być prawda.

Ollie. Żywy. Ollie.

A on powiedział:

– Nancy!

Wyraz jej twarzy (kiedy już się otrząsnęła po chwili grozy, której on nie zauważył) musiał być bardzo podobny do tego, co zobaczyła przed sobą. Niedowierzanie, radość, przeprosiny.

Dlaczego przeprosiny? Bo nie rozstali się jak przyjaciele, bo przez te wszystkie lata nigdy się nie kontaktowali? A może z powodu zmian, jakie zaszły u obojga, tego, jak muszą teraz wyglądać, braku perspektyw.

Nancy z całą pewnością miała więcej powodów, żeby czuć się zaszokowana. Postanowiła na razie o tym nie wspominać. Dopóki nie zorientuje się w sytuacji.

– Przyjechałam tylko na dwa dni – powiedziała. – To znaczy wczoraj i dzisiaj. Byłam na rejsie na Alaskę. Razem z innymi starymi wdowami. Wiesz, Wilf nie żyje. Prawie od roku. Umieram z głodu. Cały dzień chodziłam po mieście. Sama nie wiem, jak się tu znalazłam.

I dodała, dość głupio:

– Nie wiedziałam, że tu mieszkasz. – Ponieważ nie myślała, że w ogóle gdzieś mieszka. Ale przecież nie była też absolutnie przekonana o jego śmierci. O ile się orientowała, Wilf nigdy nie dostał żadnych tego rodzaju wieści. Chociaż od Wilfa niewiele się mogła dowiedzieć, wymknął się z jej zasięgu w tym krótkim czasie, kiedy wyskoczyła, żeby zobaczyć się z Tessą w Michigan.

Ollie powiedział, że też nie mieszka w Vancouver i jest tu tylko na chwilę. Przyjechał ze względów medycznych, do szpitala, na rutynowe badanie. Mieszkał na Texada Island. Wyjaśnianie, gdzie to jest, byłoby zbyt skomplikowane. Wystarczy powiedzieć, że aby tam stąd dojechać, trzeba płynąć trzema promami.

Zaprowadził Nancy do brudnej białej furgonetki marki Volkswagen zaparkowanej na bocznej ulicy i pojechali do restauracji. Ten samochód śmierdzi oceanem, pomyślała Nancy, wodorostami, rybami i gumą. Okazało się, że Ollie jada teraz ryby i nie bierze do ust mięsa. Zawiózł Nancy do japońskiej restauracji, w której stało nie więcej niż pół tuzina małych stolików. Japoński chłopiec ze słodko pochyloną buzią młodego księdza w przerażającym tempie siekał rybę za ladą.

– Jak leci, Pete? – zawołał Ollie.

– Fan-tas-tycz-nie – odpowiedział młody człowiek drwiącym głosem z północnoamerykańskim akcentem, ani na moment nie tracąc tempa.

Nancy poczuła się trochę nieswojo, czyżby dlatego, że Ollie zwrócił się do młodego człowieka po imieniu, a ten nie użył imienia Ollie'ego? I dlatego, że miała nadzieję, iż Ollie nie zauważył jej reakcji? Niektórzy ludzie przywiązują dużą wagę do tego, żeby być w przyjacielskich stosunkach z pracownikami sklepów i restauracji.

Nancy nie znosiła surowej ryby i zamówiła makaron. Dostała do niego pałeczki zupełnie niepodobne do chińskich, których raz czy dwa używała. Innych sztućców nie było.

Teraz, kiedy usiedli, powinna zacząć rozmowę o Tessie. Z drugiej strony może przyzwoiciej byłoby zaczekać, aż Ollie się wypowie.

Zaczęła zatem mówić o rejsie. Powiedziała, że za żadne skarby świata nigdy więcej by go nie powtórzyła. Nie chodziło o pogodę, chociaż czasem bywało naprawdę paskudnie, gdy deszcz i mgła uniemożliwiały podziwianie widoków. Choć tych widoków mieli powyżej uszu, na całe życie by wystarczyło. Góra za górą i wyspa za wyspą, i skały, i woda, i drzewa. I wszyscy mówili, jakie to wspaniałe, jakie zachwycające.

Zachwycające, zachwycające, zachwycające. Wspaniałe.

Widzieli niedźwiedzie. Widzieli foki, lwy morskie, wieloryba. Wszyscy robili zdjęcia. Pocili się i przeklinali z obawy, że ich nowe wyszukane aparaty nie działają jak trzeba. Potem zejście ze statku i jazda słynnym pociągiem do słynnego z kopalni złota miasta, więcej zdjęć i aktorzy przebrani w stroje z czasów wesołego końca wieku. I co ludzie tam robili? Kupowali cukierki, krówki.

Śpiewy w pociągu. I na statku, pijaństwo. Niektórzy już od śniadania. Karty, hazard. Tańce codziennie wieczorem, choć na jednego starego mężczyznę przypadało dziesięć starych kobiet.

– Wszystkie wyfiokowane, ufryzowane, wystrojone jak psy na pokazie. Mówię ci, konkurencja była duża.

Ollie śmiał się w różnych miejscach opowieści Nancy, chociaż raz przyłapała go na tym, że patrzy nie na nią, a w stronę lady, nieobecnym, przejętym spojrzeniem. Skończył już zupę i może myślał o następnym daniu. Może należał do tych mężczyzn, którzy czują się urażeni, kiedy muszą czekać na jedzenie.

Nancy miała trudności z nabieraniem makaronu.

– Wielki Boże, myślałam, co ja tutaj w ogóle robię? Wszyscy mi tłumaczyli, że powinnam wyjechać. Wilf nie był sobą przez parę ostatnich lat i opiekowałam się nim w domu. Kiedy umarł, ludzie mówili, że powinnam się czymś zająć. Zapisać się do Klubu Książkowego dla Seniorów, Klubu Turystycznego dla Seniorów, na kurs malowania akwarelami. A nawet do Odwiedzających Wolontariuszy, którzy nachodzą biednych bezbronnych pacjentów w szpitalu. Nic z tego mnie nie interesowało i wtedy wszyscy zaczęli mnie namawiać na wycieczkę. Dzieci też. Potrzebujesz wakacji, mówiły. Nie mogłam się zdecydować, nie miałam pojęcia, jak coś sobie zorganizować, i ktoś powiedział, że mogłabym popłynąć w rejs. No, dobrze, pomyślałam, mogę popłynąć w rejs.

– To ciekawe – powiedział Ollie. – Po stracie żony nigdy by mi chyba nie przyszło do głowy, żeby popłynąć w rejs.

Nancy prawie nie zareagowała.

– Bardzo mądrze – stwierdziła.

Czekała, aż powie coś na temat Tessy, ale dostał swoją rybę i zajął się jedzeniem. Usiłował namówić Nancy, żeby spróbowała kawałeczek.

Odmówiła. I w ogóle skończyła jeść, zapaliła papierosa.

Powiedziała, że zawsze czekała i sprawdzała, czy nie napisał czegoś więcej po tym tekście, który zrobił taką furorę. Widać było, że jest dobrym pisarzem.

Ollie przez moment spoglądał na nią zaskoczony, jakby nie mógł sobie uświadomić, o czym ona mówi. Potem pokręcił głową, zdumiony, i powiedział, że przecież to było lata temu, lata temu.

– To nie było to, na czym mi naprawdę zależało.

– Co to znaczy? – spytała Nancy. – Nie jesteś taki, jaki byłeś, prawda? Nie jesteś taki sam.

– Jasne, że nie jestem.

– Wydaje mi się, że różnica polega na czymś podstawowym, fizycznym. Jesteś inaczej zbudowany. W ramionach. Czy może niedobrze pamiętam?

Ollie potwierdził, że tak właśnie jest. Zdał sobie sprawę, że chce prowadzić bardziej fizyczne życie. Nie. Po kolei: zdarzyło się tak, że powrócił stary demon (Nancy przypuszczała, że mówił o gruźlicy), i Ollie zrozumiał, że do tej pory wszystko robił źle, i postanowił się zmienić. Lata temu. Nauczył się budowy łodzi. Potem wszedł w kontakt z człowiekiem, który zajmował się połowami na pełnym morzu. Opiekował się łodziami pewnego multimilionera. W Oregonie. Później wrócił stamtąd do Kanady, zarabiając po drodze na życie, i przez jakiś czas kręcił się tutaj, w Vancouver, a potem kupił kawałek ziemi na nabrzeżu w Sechelt, kiedy wciąż jeszcze była tania. Rozkręcił produkcję kajaków. Budowa, wypożyczanie, sprzedaż, lekcje. Przyszedł czas, kiedy Sechelt stało się dla niego zbyt zatłoczone, i Ollie oddał ziemię przyjacielowi praktycznie za darmo. Nie słyszał o żadnej innej osobie, która nie dorobiłaby się na ziemi w Sechelt.

– Ale mnie nie zależy na pieniądzach – stwierdził Ollie.

Dowiedział się o ziemi, która można było dostać na Texada Island. I teraz rzadko się stamtąd rusza. Robi to i tamto, aby zarobić na życie. Wciąż zajmuje się trochę kajakami i połowami. Wynajmuje się jako złota rączka, budowlaniec, stolarz.

– Jakoś daję sobie radę – powiedział.

Opisał Nancy dom, jaki sobie zbudował, z zewnątrz przypominający barak, ale w środku, przynajmniej dla niego, wspaniały. Poddasze z miejscem do spania, z małym okrągłym okienkiem. Wszystko, czego potrzebował – w zasięgu ręki, na wierzchu, nie w szafkach. Niedaleko domu wanna wpuszczona w ziemię pośrodku grządki ze słodko pachnącymi ziołami. Nalewa do niej wiadrami gorącą wodę i wyleguje się pod gwiazdami, nawet w zimie.

Hoduje warzywa i dzieli się nimi z jeleniami.

Przez cały czas, kiedy jej o tym opowiadał, Nancy odczuwała coś nieprzyjemnego. Nie było to – mimo jednej poważnej nieścisłości – niedowierzanie. Odczuwała rosnące zdumienie, a potem rozczarowanie. Ollie mówił tak, jak inni faceci. (Na przykład mężczyzna, z którym spędziła trochę czasu na statku, gdzie nie zachowywała się stale tak nieprzystępnie, tak nietowarzysko, jak to opowiadała Ollie'emu). Wielu mężczyzn nie potrafiło powiedzieć o swoim życiu nic więcej poza suchymi faktami, ale byli i tacy, bardziej nowocześni, którzy wygłaszali niby spontaniczne, a tak naprawdę przygotowane wcześniej przemowy o tym, że życie było wyboistą drogą, ale nieszczęścia pokazały im drogę do lepszych rzeczy, wyciągnęli wnioski z własnych błędów, a radość niewątpliwie nadeszła o poranku.

Nancy nie przeszkadzało, kiedy inni mężczyźni tak mówili, na ogół myślami była wtedy gdzie indziej, ale kiedy teraz słuchała Ollie'ego opierającego się o mały chwiejny stolik z drewnianym półmiskiem okropnych kawałków ryby, czuła rosnący smutek.

Ollie nie był taki sam. Naprawdę nie był już taki sam.

A ona? Och, problem polegał na tym, że Nancy pozostała całkiem taka sama. Opowiadając o rejsie, była cała podekscytowana, lubiła siebie słuchać, tych opisów, które z niej wypływały. Chociaż przecież kiedyś tak z Ollie'm nie rozmawiała, raczej chciałaby tak rozmawiać i czasami rozmawiała z nim w ten sposób w myślach, kiedy go już nie było. (Oczywiście dopiero wtedy, kiedy przestała się na niego złościć). Czasem coś się działo i wtedy myślała: „Szkoda, że nie mogę o tym opowiedzieć Ollie'emu". Kiedy rozmawiała tak, jak chciała, z innymi ludźmi, bywało, że posuwała się za daleko. Widziała, jak podsumowują ją w myślach. „Sarkastyczna", „krytyczna", czy nawet „zgorzkniała". Wilf nie mówił nic takiego, ale może tak myślał, tego nie była pewna. Ginny uśmiechała się, ale nie tak jak dawniej. Niezamężna, w średnim wieku stała się skryta, łagodna i wyrozumiała. (Wszystko się wydało niedługo przed jej śmiercią, kiedy Ginny przyznała, że jest buddystką).

Nancy bardzo brakowało Ollie'ego, chociaż nawet nie do końca wiedziała, czego jej właściwie brak. Czegoś nieznośnego, co się w nim tliło niby lekka gorączka, czegoś, z czym nie mogła sobie poradzić. To, co działało Nancy na nerwy w tym krótkim czasie, kiedy miała kontakt z Ollie'm, z perspektywy czasu okazało się czymś, co najlepiej wspominała.

Teraz Ollie rozprawiał z przekonaniem. Uśmiechał się do Nancy. Przypomniało się jej, jak łatwo potrafił wykorzystywać swój czarujący sposób bycia. Była jednak przekonana, że nigdy nie posłużył się nim w stosunku do niej.

Z lekka obawiała się, że Ollie powie: „Chyba cię nie nudzę, co?" albo „Czyż życie nie jest zdumiewające?".

– Miałem niesłychane szczęście – stwierdził. – Szczęście w życiu. Och, wiem, że są tacy, którzy by się z tym nie zgodzili. Powiedzieliby, że nigdy niczego nie osiągnąłem, że się nie dorobiłem. I że marnowałem tylko czas, będąc włóczęgą. Ale to nieprawda.

– Usłyszałem wezwanie – ciągnął, unosząc brwi z lekkim, autoironicznym uśmiechem. – Naprawdę. Tak było. Usłyszałem wezwanie, żeby wyjść z pudełka. Z pudełka o nazwie „Muszę osiągnąć w życiu coś wielkiego". Z pudełka egoizmu. Zawsze miałem szczęście. Nawet w tym, że dostałem gruźlicy. Dzięki temu nie poszedłem na studia, gdzie zamuliliby mi umysł jakimiś bzdurami. A gdyby wojna wybuchła wcześniej, nie dostałbym powołania do wojska.

– I tak byś nie dostał jako żonaty mężczyzna – zauważyła Nancy.

(Pewnego razu była w tak cynicznym nastroju, że na głos spekulowała przy Wilfie, czy Ollie przypadkiem nie ożenił się właśnie dlatego.

„Powody, jakimi kierują się inni ludzie, zbytnio mnie nie interesują", powiedział Wilf. I dodał, że wojny i tak nie będzie. I rzeczywiście przez następne dziesięć lat nie było).

– No, tak – powiedział Ollie. – Ale to nie był tak całkiem sformalizowany związek. Byłem prekursorem, Nancy. Ciągle zapominam, że tak naprawdę się nie ożeniłem. Może dlatego, że Tessa była bardzo poważną i myślącą kobietą. Jak się z nią było, to się było. Z Tessą nie dało się iść na łatwiznę.

– A, tak – rzuciła Nancy, starając się, by zabrzmiało to jak najbardziej od niechcenia. – A, tak. Ty i Tessa.

– Wszystko udaremnił krach – powiedział Ollie.

Chodziło mu o to, wyjaśnił, że skończyło się zainteresowanie, i w efekcie pieniądze. Pieniądze na badania. Nastąpiła zmiana myślenia i instytucje naukowe odwróciły się od tego, co uważano za mało ważne. Przez jakiś czas prowadzono jeszcze pewne eksperymenty, ale w idiotyczny sposób, powiedział, i nawet ci ludzie, którzy początkowo byli najbardziej zainteresowani, najbardziej zaangażowani – bo w końcu to oni się z nim skontaktowali, zaznaczył Ollie, to nie on ich szukał – ci ludzie pierwsi się wycofali, stali się nieosiągalni, nie odpowiadali na listy, aż w końcu przysyłali przez sekretarkę pismo, że cała sprawa jest nieaktualna. Ci ludzie, kiedy wiatr powiał w inną stronę, potraktowali Tessę i jego jak śmieci, jak niewygodnych naciągaczy.

– Naukowcy! – powiedział Ollie. – Po tym, co przeszliśmy, będąc do ich dyspozycji... Nie znoszę takich ludzi.

– Myślałam, że mieliście do czynienia głównie z lekarzami.

– Z lekarzami, karierowiczami, naukowcami.

Żeby odciągnąć Ollie'ego od tych zaszłości i złych wspomnień, Nancy spytała o eksperymenty.

Większość z nich wykorzystywała karty. Nie zwyczajne karty, lecz specjalne karty percepcji pozazmysłowej ze specyficznymi symbolami. Krzyżem, kołem, gwiazdą, liniami falistymi, kwadratem. Jedna karta z każdym symbolem leżała odkryta na stole, reszta talii była potasowana i odwrócona. Tessa miała powiedzieć, który symbol z tych leżących przed nią był na karcie na wierzchu talii. To był otwarty test dopasowania. Test „na ślepo" wyglądał tak samo, tylko pięć kluczowych kart też było zakrytych. Inne testy o rosnącej trudności. Czasami używano kości do gry lub monet. Czasami wyłącznie wyobrażeń w myślach. Seria obrazów mentalnych, nic na papierze. Obiekt i egzaminujący w tym samym pokoju albo w oddzielnych pomieszczeniach, albo oddaleni od siebie o pół kilometra.

Stopień skuteczności Tessy porównywano z wynikami, jakie się otrzymuje na skutek czystego przypadku. Z rachunkiem prawdopodobieństwa, który, jak sądził Ollie, wynosił dwadzieścia procent.

W pokoju nie było nic oprócz krzesła, stołu i lampy. Jak w sali przesłuchań. Tessa wychodziła stamtąd wykończona. I wszędzie, gdzie spojrzała, długo potem, widziała te symbole. Zaczęły się bóle głowy.

A wyniki nie były jednoznaczne. Podnoszono różne zastrzeżenia, nie pod adresem Tessy, lecz w kwestii możliwej wadliwości badań. Mówiono, że ludzie mają swoje preferencje. Na przykład przy rzucie monetą więcej osób powie „reszka" niż „orzeł". Tak już jest. Ze wszystkim. A do tego dochodzi to, co już powiedział o ówczesnym klimacie, klimacie intelektualnym – traktowano takie badania dość niepoważnie.

Zapadał zmierzch. Na drzwiach restauracji pojawiła się tabliczka „Zamknięte". Ollie miał problem z odczytaniem rachunku. Okazało się, że powód, dla którego przyjechał do Vancouver, ten medyczny problem, dotyczy oczu. Nancy roześmiała się, wzięła od niego rachunek i zapłaciła.

– Oczywiście, przecież jestem bogatą wdową.

Później, ponieważ nie skończyli jeszcze rozmowy i, zdaniem Nancy, daleko było do końca, poszli na kawę do Denny's.

– Może wolałabyś jakieś bardziej eleganckie miejsce? – spytał Ollie. – Może chciałabyś się napić jakiegoś alkoholu?

Nancy szybko zapewniła go, że to, co wypiła na statku, na jakiś czas jej wystarczy.

– To, co ja wypiłem, wystarczy mi na resztę życia – stwierdził Ollie. – Nie piję od piętnastu lat. A dokładnie od piętnastu lat i dziewięciu miesięcy. Starego alkoholika zawsze można poznać po tym, że liczy miesiące.

W okresie eksperymentów parapsychologicznych Ollie i Tessa poznali kilka osób. Ludzi, którzy podobnymi umiejętnościami zarabiali na życie. Nie w dziedzinie tak zwanej nauki, lecz przy pomocy tego, co nazywali wróżeniem, czytaniem w myślach, telepatią czy rozrywką psychiczną. Niektórzy znajdowali sobie dobre miejsce i mieszkali w nim latami, prowadząc działalność w domu lub w wynajętym lokalu. To byli ci, którzy zajmowali się udzielaniem porad osobistych, przepowiadaniem przyszłości, astrologią i uzdrawianiem. Inni występowali publicznie. To mogło oznaczać przyłączanie się do pokazów edukacyjnych, złożonych z wykładów, scen z Szekspira, arii operowych i projekcji slajdów podróżniczych („Edukacja, nie sensacja"), lub wszelkiego rodzaju widowisk, aż do tanich przedstawień łączących burleskę, hipnozę i występy niemal nagiej kobiety z wężami. Oczywiście Ollie i Tessa uważali, że należą do pierwszej kategorii. Rzeczywiście nie chodziło im o sensację, lecz o edukację. Ale i w tym wypadku nie trafili na dobry moment. Ten ambitniejszy rodzaj pokazów właśnie się kończył. Muzyki i audycji edukacyjnych można było słuchać przez radio, a prelekcje o podróżach były częstą rozrywką w salach parafialnych.

Jedynym sposobem zarobienia jakichś pieniędzy, jaki znaleźli, były występy z wędrownymi trupami, w salach miejskich lub na jarmarkach. Dzielili scenę z hipnotyzerami, kobietami z wężami, opowiadaczami ryzykownych dowcipów i striptizerkami w piórach. Zainteresowanie tymi widowiskami też powoli mijało, ale wojna dodała im dziwnego impetu. Ich żywot został na jakiś czas sztucznie przedłużony, gdy racjonowanie benzyny uniemożliwiło ludziom jeżdżenie do nocnych klubów i dużych kin w miastach. Nie było jeszcze telewizji, która zabawiałaby magicznymi sztuczkami widzów siedzących w domu na kanapie. Wczesne lata pięćdziesiąte, Ed Sullivan i tym podobne – to był koniec.

Jednak przez jakiś czas mieli publiczność, tłumy na widowni, a Ollie czasem lubił rozgrzać widzów poważnym, trzymającym w napięciu wprowadzeniem. I prędko stał się częścią przedstawienia. Musieli opracować coś bardziej ekscytującego, bardziej dramatycznego czy pełnego napięcia niż to, co robiła sama Tessa. Należało także wziąć pod uwagę dodatkowy czynnik. Tessa dawała sobie radę, jeśli chodziło o wytrzymałość nerwową i fizyczną, ale jej moc, czym by nie była, okazała się zawodna. Tessa zaczęła się mylić. Musiała koncentrować się tak bardzo, jak nigdy wcześniej, a i tak często jej nie wychodziło. I wciąż cierpiała na bóle głowy.

Podejrzenia większości ludzi są słuszne. Takie przedstawienia są pełne trików. Pełne fałszu i oszustw. I czasem do tego wszystko się sprowadza. Ale bywa, że to, czego chcieliby ludzie – większość ludzi – też się czasami spełnia. Widzowie mają nadzieję, że nie wszystko jest udawane. A ponieważ wykonawcy tacy jak Tessa, którzy są naprawdę uczciwi, wiedzą o tej nadziei i ją rozumieją (kto mógłby to lepiej zrozumieć?), zaczynają używać pewnych sztuczek i rutynowych czynności, które dają gwarancję właściwego rezultatu. Dlatego że każdego wieczoru, każdego wieczoru trzeba ten rezultat osiągnąć.

Czasami środki są prymitywne, oczywiste jak pusta komora w skrzyni, w której zamknięta jest kobieta rozcinana piłą. Ukryty mikrofon. Specjalny szyfr między osobą na scenie i partnerem wśród publiczności. Szyfry bywają sztuką samą w sobie. Są tajemnicą, nic nie zostaje na piśmie.

Nancy spytała, czy szyfr Ollie'ego, Ollie'ego i Tessy, też był sztuką samą w sobie.

– Miał swoją klasę – powiedział z rozjaśnioną twarzą. – I swoje niuanse.

I dodał:

– Mieliśmy też swoje sztuczki. Nosiłem czarny płaszcz...

– Ollie, nie żartuj! Czarny płaszcz?

– Oczywiście. Czarny płaszcz. Zapraszałem kogoś na ochotnika, zdejmowałem płaszcz i prosiłem, żeby się nim owinął, kiedy Tessa miała już na oczach opaskę, którą zawiązywał jej ktoś z widowni i sprawdzał, czy naprawdę nic nie widzi, i wtedy pytałem ją: „Kogo mam w płaszczu?" albo „Kim jest osoba w moim płaszczu?". Mówiłem „płaszcz". Albo „czarny płaszcz". Albo „Co mam?". Albo „Kogo widzisz?", „Jakiego koloru włosy?", „Wysoki czy niski?". Przekazywałem informacje słowami lub drobnymi zmianami intonacji. Zadając coraz bardziej szczegółowe pytania. Taki był początek.

– Powinieneś to opisać.

– Miałem taki zamiar. Myślałem o ujawnieniu tego wszystkiego. Potem jednak pomyślałem: „A kogo to obchodzi?". Ludzie chcą być oszukiwani albo nie chcą być oszukiwani. Nie szukają dowodów. Zastanawiałem się też nad powieścią kryminalną. To oczywisty wybór. Myślałem, że zarobię dużo pieniędzy i będziemy się mogli wycofać. Rozważałem też scenariusz filmowy. Widziałaś ten film Felliniego...?

Nancy powiedziała, że nie widziała.

– Kompletne bzdury. Nie film Felliniego. Te moje pomysły. W tamtych czasach.

– Opowiedz mi o Tessie.

– Na pewno ci pisałem. Nie pisałem do ciebie?

– Nie.

– Widocznie pisałem do Wilfa.

– Chyba by mi powiedział.

– No, tak. Może nie pisałem. Może byłem zbyt przygnębiony.

– W którym to było roku?

Ollie nie pamiętał. Trwała wojna w Korei. Prezydentem był Harry Truman. Z początku wydawało się, że Tessa ma tylko grypę. Ale nie zdrowiała, tylko coraz bardziej słabła i miała dziwne siniaki. Białaczka.

Utkwili w górskim mieście w pełni lata. Mieli nadzieję dotrzeć przed zimą do Kaliforni. Nie dojechali nawet na miejsce następnego występu. Ludzie, z którymi podróżowali, pojechali dalej bez nich. Ollie dostał pracę w stacji radiowej. Występując z Tessą, wyrobił sobie głos. Czytał przez radio wiadomości i teksty reklamowe. Sam część z nich pisał. Gość, który to zwykle robił, przechodził właśnie jakąś specjalną kurację w szpitalu dla alkoholików.

Ollie i Tessa przenieśli się z hotelu do umeblowanego mieszkania. Nie mieli tam klimatyzacji, ale na szczęście był mały balkonik, a nad nim drzewo. Ollie wystawił na balkon leżankę i Tessa mogła oddychać świeżym powietrzem. Miał nadzieję, że obejdzie się bez szpitala. Oczywiście chodziło o kwestie finansowe, bo nie mieli żadnego ubezpieczenia, ale Ollie sądził też, że Tessa lepiej się czuje w domu, gdzie może przyglądać się drżącym na wietrze liściom. W końcu musiał ją jednak oddać do szpitala, gdzie po paru tygodniach umarła.

– Czy jest tu pochowana? – spytała Nancy. – Nie pomyślałeś, że przysłalibyśmy ci pieniądze?

– Nie i nie – powiedział Ollie. – Nie przyszło mi do głowy, żeby was prosić o pieniądze. Uważałem to za swoją odpowiedzialność. Zorganizowałem kremację. Wyjechałem z miasta z prochami. Udało mi się dotrzeć na wybrzeże. To były praktycznie jej ostatnie słowa – że chce być spalona i żeby jej prochy rozrzucić nad Pacyfikiem.

I powiedział, że tak właśnie zrobił. Wspomniał o wybrzeżu w Oregonie, o kawałku plaży między oceanem a autostradą, mgle i chłodzie wczesnego poranka, o zapachu morskiej wody i melancholijnym huku fal. Zdjął wtedy buty i skarpetki, podwinął nogawki i wszedł do wody, a nad nim latały mewy, sprawdzając, czy nic dla nich nie ma. Ale on miał tylko Tessę.

– Tessa... – zaczęła Nancy. Nie mogła dalej mówić.

– Potem się rozpiłem. Jakoś tam funkcjonowałem, ale przez długi czas w środku byłem jak martwy kawał drewna. Aż w końcu musiałem się z tego wyciągnąć.

Nie patrzył na Nancy. Zapadła chwila ciężkiej ciszy, Ollie bawił się popielniczką.

– I okazało się, że życie toczy się dalej – powiedziała Nancy.

Ollie westchnął. Z wyrzutem i ulgą.

– Masz ostry język, Nancy.

Odwiózł ją do hotelu, w którym się zatrzymała. Samochód hałasował, stukał i trząsł się przez całą drogę.

Hotel nie był ani szczególnie drogi, ani luksusowy, nie miał odźwiernego ani dekoracji z mięsożernych kwiatów w holu, ale kiedy Ollie powiedział:

– Założę się, że już od dawna nie widziano tu takiej starej kupy żelastwa. – Nancy musiała się roześmiać i przyznać mu rację.

– A co z twoim promem?

– Dawno odpłynął.

– Gdzie będziesz spał?

– U znajomych w Zatoce Podkowy. Albo w samochodzie, jeśli nie zechcę ich budzić. Spałem tak wiele razy.

W jej pokoju były dwa łóżka. Dwa pojedyncze łóżka. Może ktoś się krzywo spojrzy, kiedy go ze sobą weźmie, ale przecież to się da wytrzymać. Bo w tym, co inni mogą sobie pomyśleć, nie będzie cienia prawdy.

Nabrała powietrza.

– Nie, Nancy.

Przez cały czas czekała, aż powie jedno słowo prawdy. Przez całe popołudnie, a może przez dużą część swego życia. Czekała, a teraz Ollie je powiedział.

Nie.

Można to było wziąć za odmowę dotyczącą propozycji, której jeszcze nie wyartykułowała. Mogła to uznać za coś niegrzecznego, aroganckiego. Ale to, co usłyszała, było jasne, czułe i w tym momencie zdawało się jej tak pełne zrozumienia, jak żadne słowo, jakie do tej pory do niej wypowiedziano. „Nie".

Zdawała sobie sprawę, jak niebezpieczne byłoby cokolwiek, co mogłaby powiedzieć. Jak niebezpieczne było jej własne pożądanie, bo tak naprawdę nie miała pojęcia, jakie to pożądanie i czego pożąda. Nie skorzystali z tego, co mogło się zdarzyć lata temu, i teraz musieli postąpić tak samo, ponieważ byli starzy – nie okropnie starzy, ale na tyle, żeby zachować się z godnością i uniknąć absurdalnej sytuacji. I mieli pecha, że musieli się wzajemnie okłamywać.

Bo i ona kłamała swym milczeniem. I przez jakiś czas zamierzała robić to dalej.

– Nie – powtórzył, z pokorą, ale nie zawstydzony. – Nic dobrego by z tego nie wynikło.

Oczywiście, że nie. A jednym z powodów było to, że zaraz po powrocie do domu zamierzała napisać do tego domu w Michigan, dowiedzieć się, co się dzieje z Tessą, i ściągnąć ją tam, gdzie jest jej miejsce.

„Droga jest łatwa, jeśli potrafisz podróżować bez bagażu".

Kawałek papieru, który sprzedali jej Adam-i-Ewa, wciąż był w kieszeni jej żakietu. Kiedy go w końcu wyjęła – w domu, prawie po roku, bo w tym czasie nie nosiła tego żakietu – słowa przepowiedni zaskoczyły ją i zirytowały.

Droga wcale nie była łatwa. List do Michigan poczta zwróciła do nadawcy. Taki szpital już nie istniał. Nancy dowiedziała się jednak, że można uzyskać pewne informacje i zaraz się do tego zabrała. Musiała pisać do urzędów i wydostawać spod ziemi dokumenty. Nie poddała się i nie chciała przyjąć do wiadomości, że ślady prowadzą donikąd.

Może w przypadku Ollie'ego byłaby gotowa to przyznać. Wysłała list na Texada Island, uważając, że nazwa wyspy wystarczy za cały adres – w końcu mieszkało tam tak mało ludzi, że każdego można było znaleźć – ale wrócił z adnotacją: „Już tu nie mieszka".

Nie była w stanie otworzyć koperty i przeczytać tego, co napisała. Za dużo, tego była pewna.

Muchy na parapecie

Nancy siedzi na starym leżaku Wilfa na oszklonej werandzie własnego domu. Nie ma zamiaru spać. Jest jasne popołudnie późnej jesieni, konkretnie – dzień meczu o puchar Grey Cup, a ona miała być na przyjęciu połączonym z oglądaniem transmisji w telewizji. Wymówiła się w ostatniej chwili. Znajomi już się przyzwyczaili, że tak się zachowuje, niektórzy wciąż się o nią martwią. Ale kiedy czasem się gdzieś pojawia, stare zwyczaje czy potrzeby zwyciężają i Nancy, chcąc nie chcąc, staje się duszą towarzystwa. Znajomi na jakiś czas przestają się martwić.

Jej dzieci, jak mówią, mają nadzieję, że nie postanowiła Żyć Przeszłością.

Ale Nancy widzi inaczej to, co robi, co w każdym razie chce zrobić, jeśli znajdzie czas – to nie tyle życie w przeszłości, ile chwilowy powrót i jeszcze jedno wnikliwe spojrzenie.

Nie wydaje jej się, że śpi, kiedy wchodzi do kolejnego pomieszczenia. Oszklona, jasna weranda za jej plecami skurczyła się w ciemny korytarz. Klucz hotelowy tkwi w drzwiach, jak to zwykle bywa – według jej wyobrażenia – z kluczami hotelowymi, chociaż Nancy nigdy czegoś takiego nie widziała.

To zaniedbane miejsce. Podniszczony pokój dla zmęczonych podróżnych. Lampa na suficie, pręt z kilkoma drucianymi wieszakami, zasłona w żółto-różowe kwiaty, którą można zaciągnąć, żeby ubrania nie wisiały na widoku. Kwiecisty materiał miał pewnie wnieść do pokoju nutę optymizmu czy nawet wesołości, ale robi jakoś wręcz przeciwne wrażenie.

Ollie pada na łóżko tak nagle i ciężko, że sprężyny piszczą żałośnie. Wygląda na to, że on i Tessa poruszają się teraz samochodem i Ollie cały czas prowadzi. Dzisiejszy wiosenny dzień, upalny i pełen kurzu, wyjątkowo go wymęczył. Tessa nie umie prowadzić. Narobiła dużo hałasu, otwierając walizkę z kostiumami, i jeszcze więcej za cienką ścianką łazienki.

Kiedy stamtąd wychodzi, Ollie udaje, że śpi, ale przez zmrużone powieki widzi, jak Tessa przegląda się w lustrze pokrytym czarnymi plamkami tam, gdzie z tyłu odpadła farba. Ma na sobie spódnicę z żółtej satyny do kostek i czarne bolerko z czarnym szalem w róże i z półmetrowymi frędzlami. Sama wymyśla sobie kostiumy i nie są one ani oryginalne, ani ładne. Tessa jest umalowana, ale cerę ma ziemistą. Włosy – upięte i polakierowane, z lokami spłaszczonymi w czarny hełm. Jej powieki są purpurowe, a brwi uniesione i podczernione. Skrzydła kruka. Powieki ciężko opadają na wyblakłe oczy, jakby za karę. Cała sylwetka sprawia wrażenie obciążonej ubraniem, włosami, makijażem.

Mimowolny dźwięk, jaki z siebie wydał – skargi czy niechęci – dotarł do Tessy. Podchodzi do łóżka i schyla się, żeby mu zdjąć buty.

Ollie mówi, żeby się nie fatygowała.

– Za chwilę muszę znowu wyjść – wzdycha. – Muszę się z nimi zobaczyć.

„Oni" to ludzie z teatru, może organizatorzy przedstawienia, kimkolwiek są.

Tessa milczy. Stoi przed lustrem i przygląda się sobie, a potem, nadal w ciężkim kostiumie, włosach – to peruka – i z ciężkim sercem, chodzi w kółko po pokoju, jakby miała coś do zrobienia, ale nie mogła się za nic zabrać.

Nawet kiedy się schyliła, żeby zdjąć Ollie'emu buty, nie spojrzała mu w twarz. A jeśli on zamknął oczy, gdy tylko się położył – Tessa tak myśli – to mógł to zrobić po to, żeby na nią nie patrzeć. Są zawodową parą, razem śpią, jedzą i podróżują, w rytmie swoich oddechów. A jednak nigdy, przenigdy – z wyjątkiem chwil, kiedy jednoczy ich odpowiedzialność przed publicznością – nie są w stanie spojrzeć sobie nawzajem w twarz w obawie, że zauważą coś, co jest zbyt przerażające.

Pod ścianą nie ma dość miejsca na toaletkę ze zmatowiałym lustrem, więc stoi ona częściowo w oknie, ograniczając dopływ światła. Tessa przez chwilę przygląda się meblowi z powątpiewaniem, a potem zbiera siły, żeby przesunąć jeden róg toaletki bardziej w głąb pokoju. Łapie oddech i odsuwa brudną firankę. W najdalszym rogu parapetu, w miejscu zasłoniętym zwykle firanką i toaletką leży mały stosik martwych much.

Ktoś, kto niedawno przebywał w tym pokoju, spędzał czas, zabijając te muchy, później pozbierał wszystkie trupy i wybrał to miejsce, aby je schować. Martwe muchy leżą ułożone w piramidkę, która się trochę rozsypała.

Tessa wydaje głośny okrzyk. Nie obrzydzenia czy strachu, lecz zdumienia, a nawet radości. *Och, och, och.* Te muchy ją zachwycają, jakby były klejnotami, w które zmieniają się pod mikroskopem, całe niebieskie, złote i szmaragdowe, ze skrzydełkami z błyszczącej siateczki. *Och*, woła, ale nie widzi przecież owadziej promienności na parapecie. Nie ma mikroskopu, a muchy straciły po śmierci blask.

Woła dlatego, że je tam zobaczyła, zobaczyła stosik małych martwych owadów, rzuconych razem i razem rozpadających się w proch, schowanych w rogu parapetu. Zobaczyła je w tym miejscu, zanim położyła dłoń na toaletce czy przesunęła firankę. Wiedziała, że tam są, tak jak wie inne rzeczy.

Przez długi czas nie wiedziała. Nic nie wiedziała i musiała polegać na wyćwiczonych sztuczkach i układach. Prawie już zapomniała, zwątpiła, czy kiedyś było inaczej.

Woła Ollie'ego, przerywa mu krótką chwilę niespokojnego wypoczynku. O co chodzi, pyta Ollie, coś cię ugryzło? Podnosi się z jękiem.

Nie, mówi Tessa. Pokazuje na muchy.

Wiedziałam, że tu są.

Ollie natychmiast rozumie, co to dla niej oznacza, jaka to musi być ulga, chociaż nie całkiem potrafi dzielić jej radość. A to dlatego, że on też zapomniał już różne rzeczy – prawie zapomniał, że kiedyś wierzył w jej moc, teraz denerwuje się tylko za nią i za siebie, żeby się im udało oszukańcze przedstawienie.

Od kiedy wiedziałaś?

Odkąd spojrzałam w lustro. Odkąd spojrzałam na okno. Nie wiem od kiedy.

Jest szczęśliwa. Nigdy nie bywała szczęśliwa ani nieszczęśliwa w związku z tym, co potrafiła robić, uważała to za oczywistość. Teraz oczy jej błyszczą, jakby wypłukała z nich brud, a jej głos brzmi tak, jakby jej gardło odświeżyła słodka woda.

Tak, tak, mówi Ollie. Tessa obejmuje go za szyję i tak mocno przyciska głowę do jego piersi, że szeleszczą papiery w wewnętrznej kieszeni marynarki.

To są sekretne papiery, które dostał od mężczyzny spotkanego w jednym z miast – lekarza znanego z opieki nad ludźmi z grup objazdowych, który czasem spełnia ich nietypowe prośby. Ollie powiedział lekarzowi, że martwi się o żonę, która całymi godzinami leży na łóżku i wpatruje się w sufit w intensywnym skupieniu, i całymi dniami w ogóle się nie odzywa, poza występami (to wszystko prawda). Ollie pytał sam siebie, a potem lekarza, czy jej nadzwyczajne umiejętności nie są jednak w jakiś sposób związane z niebezpiecznym brakiem równowagi w jej głowie i charakterze. Miewała w przeszłości ataki i Ollie się niepokoi, że mogłyby się powtórzyć. Ona nie jest złą osobą i nie ma złych nawyków, ale nie jest normalna; jest wyjątkowa, a życie z kobietą wyjątkową może być poważnym obciążeniem, takim, jakiego normalny człowiek nie jest w stanie znieść. Lekarz to wszystko rozumie i mówi mu o miejscu, gdzie można by ją oddać na wypoczynek.

Ollie boi się, że Tessa spyta go o ten szelest, który z pewnością słyszy, kiedy przytula głowę do jego piersi. Nie chce powiedzieć: „papiery", żeby nie spytała: „jakie papiery?".

Jeżeli jednak odzyskała dawną moc – tak myśli Ollie, czując, jak powraca jego niemal zapomniany i pełen fascynacji szacunek dla niej – jeżeli jest znowu taka jak dawniej, czy nie będzie wiedziała, jakie to papiery, nawet ich nie widząc?

Tessa coś wie, ale stara się nie wiedzieć.

Bo jeżeli tak ma wyglądać powrót tego, co kiedyś miała, głębokich wizji jej oczu i natychmiastowych objawień języka, to chyba lepiej byłoby jej bez nich? Gdyby zaś to ona je porzuciła, a nie one ją, czy nie ucieszyłaby się z takiej zmiany?

Wierzy, że mogliby robić coś innego, prowadzić inne życie.

On mówi sobie, że jak najprędzej pozbędzie się tych papierów, zapomni o całym pomyśle; też jest zdolny do odczuwania nadziei i ma swój honor.

Tak. Tak. Tessa czuje, że całe zło uchodzi z cichego szelestu pod jej policzkiem.

Wrażenie ułaskawienia rozjaśnia powietrze. Jest tak wyraźne, tak potężne, że Nancy czuje, jak znana przyszłość blednie pod jego atakiem, odlatuje jak stare brudne liście.

Jednak w głębi tej chwili czai się jakaś chwiejność, którą Nancy zamierza zignorować. Nic z tego. Już czuje, że została wyjęta, zabrana z tych dwojga ludzi i przywrócona sobie. Wygląda na to, że jakiś spokojny i stanowczy człowiek – czyżby to był Wilf? – wziął na siebie zadanie wyprowadzenia jej z pokoju z drucianymi wieszakami i kwiecistą zasłoną. Łagodnie, nieubłaganie odciąga ją od tego, co zaczyna się za nią kruszyć, kruszyć i delikatnie ciemnieć, zmieniając się w coś, co przypomina sadzę i miękki proch.

Spis treści

Przekład: Alicja Skarbińska-Zielińska
Redakcja i korekta: Maciej Byliniak
Przygotowanie do druku: Piotr Bałdyga

Projekt okładki i stron tytułowych: Monika Klimowska
Fotografia wykorzystana na I stronie okładki:

Druk i oprawa: cpi-moravia.com

Grupa Wydawnicza Foksal Sp. z o.o.
00-372 Warszawa, al. 3 Maja 12
tel./faks (22) 646 05 10, 828 98 08
biuro@gwfoksal.pl
www.gwfoksal.pl

ISBN 978-83-280-0871-7